ROCK WAR 2

Casterman
Cantersteen 47
1000 Bruxelles

www.casterman.com

ISBN : 978-2-203-09002-6
N° d'édition : L.10EJDN001376.N001

Publié en Grande-Bretagne par Hodder Children's Books, sous le titre : *Rock War – Boot Camp*
© Robert Muchamore 2015

© Casterman 2017 pour l'édition française
Achevé d'imprimer en novembre 2016, en Espagne.
Dépôt légal : janvier 2017 ; D.2016/0053/69
Déposé au ministère de la Justice, Paris (loi n° 49.956 du 16 juillet 1949
sur les publications destinées à la jeunesse).

Robert Muchamore

L'ENFER DU DÉCOR

2

Traduit de l'anglais par Antoine Pinchot

casterman

1. Génial et sanglant

Juillet 2015
Camden, nord de Londres
Comme tous les samedis soir, le restaurant de *fish and chips* avait fermé à une heure trente du matin, mais les friteuses dégageaient encore une telle chaleur que Jay put se réchauffer les mains en les plaçant au-dessus des bacs.

Depuis sa plus tendre enfance, il avait été fasciné par la couche blanche qui se formait à la surface de l'huile lorsqu'elle refroidissait. Respectant un rituel puéril et immuable, il y plongea un doigt afin de percer la croûte tiède, puis tenta vainement de la lisser pour effacer toute trace de son forfait.

Un choc sourd se fit entendre à l'étage supérieur, dans l'appartement qu'il partageait avec sa mère, son beau-père et ses six frères et sœurs. Il régnait d'ordinaire un vacarme familier qu'il avait appris à ignorer, mais ce son-là était inhabituel : un cameraman venait de lâcher sur le sol une valise remplie de matériel d'éclairage.

— Damien, va chercher les fusibles pendant que je branche les spots ! cria ce dernier.

L'intéressé, un stagiaire d'une vingtaine d'années, dévala l'escalier menant au rez-de-chaussée, traversa la cuisine puis, empruntant la porte de service, se dirigea vers l'un des trois vans garés dans la cour intérieure.

— Je t'ai dit que les fusibles n'étaient pas là, lui dit une jeune et jolie collègue prénommée Lorrie.

— Merde, on a dû les laisser chez ProMedia…, gémit Damien.

— Oh non, par pitié ! John va encore piquer sa crise !

Tandis que Damien rebroussait chemin pour annoncer la nouvelle à son supérieur, Jay éprouva une légère sensation de malaise. Il n'avait dormi que quelques heures et son rythme cardiaque était anormalement rapide. Sa mère lui avait donné deux cachets d'Imodium pour apaiser ses maux d'estomac.

Être sélectionné pour participer à l'émission *Rock War* était l'événement le plus excitant de son existence, mais il avait l'impression de refermer un chapitre de sa vie, de tourner le dos à ces jours ordinaires faits de petites joies toutes simples.

— Jay Thomas ? demanda une jeune femme à l'accent australien en faisant irruption dans la cuisine.

— Oui, c'est bien moi.

— On peut avoir un peu de silence en bas ? fit une voix depuis le premier étage. On fait des essais de prise de son.

Jay fit signe à l'inconnue de le suivre, traversa la salle de restaurant et sortit sur le trottoir.

— Je m'appelle Angie, dit-elle. Je suis la réalisatrice de l'équipe de tournage B. Aurais-tu dix minutes pour répondre à une interview ?

Jay passa une main dans ses cheveux en désordre et haussa les épaules.

— Je ne ressemble à rien, et je n'ai pas eu le temps de me changer, répondit-il en baissant les yeux vers son pantalon de survêtement.

— Aucune importance. Tu as l'air de sortir du lit, et c'est exactement l'effet que nous recherchons pour cette séquence. Je résume : c'est le premier jour des vacances d'été ; tu vas bientôt quitter ta famille pour rejoindre la Rock War Academy ; tu es à la fois intimidé et excité. C'est tout ça que nous devons essayer de faire passer à l'écran.

Sur ces mots, elle prit le bras de Jay et le conduisit d'autorité jusqu'au pub qui jouxtait le restaurant.

Le White Horse était tenu par Rachel, la tante de Jay. Elle vivait au-dessus de l'établissement avec ses quatre filles, sa petite-fille et le parasite qui, ce mois-là, lui servait de petit ami.

Lorsqu'il entra dans le pub, Jay découvrit des spots et des caméras braqués vers le comptoir. Vêtue d'un short en jean et d'un débardeur jaune, Erin, sa cousine, était installée sur l'un des tabourets.

— Ça y est, je l'ai trouvé ! lança Angie à l'adresse de la cadreuse, du perchiste et d'un second stagiaire présent sur les lieux.

Erin, le visage hâlé, était rayonnante. Jay, qui était complexé par sa maigreur, fit la moue puis se tourna vers la réalisatrice.

— Vous pensez que j'aurais le temps de passer un jean ? demanda-t-il.

Le stagiaire fondit sur lui et commença à lui poudrer le front avec un disque de coton.

— C'est pour éviter que ta peau ne brille à la lumière des spots, expliqua le jeune homme.

La question de Jay demeura sans réponse, et il était trop intimidé pour la formuler à nouveau. Il se retrouva assis sur un tabouret de bar au côté d'Erin, un micro sans fil scotché à son T-shirt et deux caméras pointées dans sa direction.

— Essayez de vous détendre, dit Angie d'une voix apaisante. Je vais vous poser quelques questions concernant vos groupes. Si vous bafouillez ou n'êtes pas satisfaits de vos réponses, recommencez, et nous arrangerons tout ça au montage.

Puis elle se tourna vers les membres de l'équipe.

— Tout le monde est prêt ? Caméra ? Son ? OK, action !

Angie chaussa la paire de lunettes suspendue à son cou et saisit un calepin posé sur le comptoir.

— Vous allez commencer par dire votre prénom, votre âge, le nom de votre groupe et de quel instrument vous jouez.

Les deux adolescents acquiescèrent. Angie désigna Jay d'un hochement de tête. Ce dernier resta pétrifié. Il se sentait totalement dépassé, incapable de se concentrer. Tout était inhabituel : la chaleur dégagée par les projecteurs, les sacs de sable qui assuraient la stabilité des spots, les dizaines de câbles entortillés sur la moquette criblée de brûlures de cigarette.

— Relâche les muscles de tes épaules, murmura Angie. Imagine que nous sommes seuls, toi et moi, autour d'une tasse de café.

Jay avait l'impression qu'il ne lui restait plus une goutte de salive.

— Je m'appelle Jay, bredouilla-t-il. J'ai treize ans et je suis le guitariste de Jet…

Angie leva les pouces.

— Parfait, très naturel, mentit-elle avant de se tourner vers Erin.

— Erin, treize ans. Je chante et je joue de la guitare pour Brontobyte.

— Et comment vous connaissez-vous ? demanda Angie.

— Nous sommes cousins, répondit la jeune fille. Nous n'avons que deux mois d'écart et nous sommes voisins. Alors quand on était petits, on passait tout notre temps ensemble.

— Oh, c'est adorable ! roucoula la réalisatrice. Mais si vous êtes si proches, comment se fait-il que vous jouiez dans des groupes différents ?

— Disons qu'on est toujours proches, mais pas autant qu'avant.

— Les choses ont changé quand on est entrés en sixième, précisa Jay. On a commencé à avoir nos propres amis, et puis… à cet âge, les garçons et les filles ne s'intéressent pas aux mêmes trucs.

— Voilà, c'est ça en gros, confirma Erin.

— Si j'ai bien compris, Jay, tu es un ancien membre de Brontobyte, dit Angie. Peux-tu m'en dire davantage ?

— Eh ben… j'ai fondé Brontobyte avec mes copains Salman, Tristan et son petit frère Alfie. On a joué ensemble pendant deux ans, mais on avait des goûts musicaux différents. Alors j'ai fini par quitter le groupe.

Erin lâcha un éclat de rire.

— Ce n'est pas exactement ce qu'on m'a raconté.

Jay la fusilla du regard.

— Ben quoi ? Qu'est-ce que tu sous-entends ?

— La vérité, c'est que Jay a posé un ultimatum aux autres membres du groupe, expliqua Erin. Soit ils remplaçaient Tristan, le batteur, soit il partait. Alors il s'est fait virer.

Jay était furieux que sa cousine ait évoqué publiquement cette vieille blessure. Angie, elle, était ravie. L'interview prenait exactement le tour qu'elle avait espéré.

— Tristan a voté pour lui-même, expliqua Jay. Et Alfie ne pouvait pas virer son frère, c'est évident.

— Si tu le dis, cousin, ricana Erin en levant les yeux au ciel.

— Tu n'étais pas là quand ça s'est passé ! grogna Jay. Et de toute façon, tu prendras toujours le parti de Tristan, vu que tu sors avec lui.

— C'est bizarre que tu ne puisses pas l'encadrer. Il a quand même été ton meilleur ami pendant, genre… sept ans, c'est ça ?

— Ça n'a rien de personnel, rétorqua Jay. Il se trouve que je prends la musique au sérieux et que Tristan est le pire batteur de l'univers.

— Jay, au cas où tu ne l'aurais pas remarqué, Theo, le chanteur de ton groupe, n'est pas encore tout à fait mûr pour l'opéra de Sydney. Et par ailleurs, si le jeu de batterie de Tristan est aussi nul que tu le prétends, comment expliques-tu que les juges nous aient sélectionnés ?

— Il est inutile de chanter parfaitement juste pour être un bon chanteur de rock, répondit Jay. Kurt Cobain, Bob Dylan, ça te dit quelque chose ? C'est le charisme qui compte. Quant aux raisons pour lesquelles Brontobyte a été sélectionné…

Le visage d'Erin s'assombrit.

— Eh bien, quoi ? Tu vas cracher le morceau ?

Jay haussa les épaules et détourna le regard, signifiant clairement qu'il ne voulait pas en dire davantage devant les caméras.

— Allez, vas-y, explique-moi, insista Erin. Pourquoi a-t-on été sélectionnés, selon toi ?

— OK, si tu tiens absolument à ce qu'on lave notre linge sale en public, c'est comme tu voudras, lâcha Jay. Jet s'est qualifié parce qu'il a gagné le concours Rock the Lock et mis en ligne une super démo de trois titres sur le site Internet. Brontobyte a été sélectionné pour la seule et unique raison que nous sommes rivaux. Avoir deux groupes qui se détestent dans l'émission, voilà tout ce qui intéresse la production.

— Mais écoute-toi, espèce de prétentieux, siffla Erin. La vérité, c'est que tu es jaloux. Ouais, jaloux parce que tu ne fais plus partie du groupe que tu as fondé, jaloux parce que je sors avec Tristan.

Jay ignora cette attaque et poursuivit sur sa lancée.

— En fait, vous êtes les bouffons du programme. Comme cette vieille chanteuse qui tombe sur les fesses dans *Danse avec les stars* ou ce jongleur bigleux qui fait tomber une quille sur deux dans *Incroyable Talent*.

Erin considéra son cousin d'un œil noir.

— Mais comment tu te la pètes ! cracha-t-elle avant de tenter de lui coller une gifle.

En évitant l'attaque, Jay perdit l'équilibre et tomba lourdement de son tabouret.

— Va mourir, sale con ! cria Erin en quittant précipitamment le champ des caméras, renversant un spot sur son passage.

Jay se redressa péniblement, tira sur son T-shirt et réalisa que la caméra tournait toujours.

Angie en profita pour sortir une ultime question de sa manche.

— Jay, les membres de Brontobyte et de Jet vont se côtoyer quotidiennement durant les six prochaines semaines au manoir de la Rock War Academy. Avec toute cette tension entre vous, comment crois-tu que les choses vont se passer ?

Réalisant qu'il avait été manipulé de bout en bout par la réalisatrice, Jay estima qu'il était inutile de verser davantage d'huile sur le feu.

— Ça va être génial, répondit-il. Génial et sanglant.

2. Un portrait fidèle

DUDLEY, PRÈS DE BIRMINGHAM, WEST MIDLANDS

— Bonjour, mon nom est Summer Smith. J'ai quatorze ans et je suis la chanteuse d'Industrial Scale Slaughter... Désolée, est-ce que je peux recommencer ?

— Et pourquoi donc ? demanda Joseph, le réalisateur.

Le petit homme portait une cravate à pois et une barbe de Père Noël. Il mettait autant d'entrain et de passion dans cette séquence de télé-réalité tournée dans une HLM de Dudley que s'il tournait un film digne des Oscars.

— Je ne sais pas. Ma voix n'était pas un peu bizarre ?

— Elle était parfaite, la rassura Joseph. C'est dans la boîte.

— Alors je peux finir de préparer mes bagages ? demanda Summer.

Il hocha la tête, puis s'adressa à son cadreur.

— Il me faut d'autres plans de cette pièce. Les livres sur les étagères, les vêtements éparpillés sur la moquette, les médailles de natation et la photo au-dessus du radiateur.

— Je préférerais qu'on filme sur le balcon, dit Summer. C'est le bazar ici. Je n'ai plus assez de place dans ma penderie pour caser toutes mes affaires. Et je suis en sueur à cause des spots.

Joseph posa une main sur son épaule.

— J'essaie de peindre de toi un portrait fidèle, ma petite, et de raconter un peu ta vie. Cette pièce, tes habits, tes disques, tes posters… Si le monteur est à la hauteur, ces images en diront plus qu'un long commentaire.

Summer détestait l'idée que le public découvre la réalité de son existence, cette petite chambre en désordre, mais elle n'osait pas contrarier le réalisateur en ce premier jour de tournage.

Lorsque ce dernier quitta la pièce pour mettre en place l'équipement dans le salon, le cadreur ôta la caméra de son trépied et la posa sur son épaule. Sur ses indications, Summer esquissa quelques pas de danse devant l'objectif puis s'agenouilla devant les grands sacs Lidl qui lui servaient de bagages.

— S'il vous plaît, ne filmez pas mes sous-vêtements, dit-elle.

Tandis que le technicien détournait l'objectif, elle décrocha du mur la photo de sa mère puis la glissa derrière le lit. Elle redoutait plus que tout qu'on lui pose des questions à son propos.

Quelques minutes plus tard, elle retrouva Joseph dans le salon. Sa grand-mère Eileen était installée dans son fauteuil, un masque à oxygène suspendu autour du cou.

— Ta grand-mère vient de m'expliquer que tu prends grand soin d'elle, dit le réalisateur. Je suis admiratif.

— Courses, lessive et vaisselle, précisa Eileen. Sans son aide, il y a longtemps que je serais six pieds sous terre.

— Ne dis pas de bêtises, soupira Summer.

— Combien de fois as-tu appelé les secours quand mes poumons me faisaient des misères ? La première fois que tu as composé le 999, tu n'avais même pas six ans.

— C'est magnifique, commenta Joseph. Une véritable héroïne. Alors, Eileen, qui va s'occuper de vous pendant que Summer sera à la Rock War Academy ?

— Elle est ma seule famille désormais. Mais Mr Wei, Dieu le bénisse, m'a gentiment offert six semaines dans une jolie maison de repos.

— Et qui est ce Mr Wei ?

— Le père de Michelle et Lucy, deux membres de mon groupe, expliqua Summer. J'ai un peu honte de devoir accepter son argent et de forcer ma grand-mère à vivre un mois et demi loin de chez elle. Mais si elle ne se plaît pas dans cet établissement, je quitterai immédiatement l'émission et reviendrai m'occuper d'elle.

— Je t'ai dit de ne pas t'inquiéter pour moi, ma chérie, intervint Eileen. Je te dois bien ça, après tout ce que tu as fait pour moi. Tout se passera très bien, je te le promets. Maintenant, viens m'embrasser.

Summer se pencha en avant et déposa un baiser sur sa joue. Joseph était sincèrement touché par cette scène, mais en tant que professionnel, il se maudissait de ne pas avoir de caméra sous la main et d'avoir laissé passer ce moment d'émotion authentique.

Le cadreur entra à son tour dans le salon.

— J'ai terminé les plans de la chambre, annonça-t-il.

— Parfait. Maintenant, nous allons filmer les adieux.

— En fait, il est prévu que nous déposions ma grand-mère chez Mr Wei, qui la conduira à la maison de repos, fit observer Summer.

— Oui, je sais, dit Joseph, mais c'est un peu compliqué pour les téléspectateurs. La scène que nous allons tourner leur mettra les larmes aux yeux. Avec un peu de chance, elle sera diffusée en ouverture de l'émission.

— J'ai vu tes vidéos, dit le cadreur. Ta voix est fantastique, tu es jolie et ton histoire a de quoi émouvoir le public. Crois-moi, tu iras loin dans *Rock War*.

— Tu entends ça, ma chérie ? s'exclama Eileen. Tu fais partie des favorites !

— Je crois que tu déformes un peu ses propos…

— Et tous les garçons vont te courir après !

— Grand-mère ! s'offusqua Summer en rougissant jusqu'à la pointe des oreilles.

À cet instant, le stagiaire de l'équipe, un échalas au nez busqué, déboula dans l'appartement.

— Trois types ont menacé de me dépouiller…, dit-il hors d'haleine. J'étais en train de récupérer une batterie dans le van quand ils se sont pointés. Ils m'ont demandé ce qu'on foutait dans le quartier et m'ont traité de fouille-merde. Ils ont exigé que je leur file cinquante livres, et quand j'ai refusé, ils ont cassé un rétroviseur.

— Bande de petits cons, grogna Joseph.

— Il y a quelques années, une équipe télé a tourné un documentaire dans la cité, expliqua Summer. Ils ont fait passer tous les habitants pour des criminels et des assistés. Du coup, maintenant, ils voient rouge dès qu'ils aperçoivent une caméra.

— Je comprends, dit Joseph. Dans ce cas, nous allons tâcher de les raisonner. Suivez-moi.

Mais lorsqu'il essaya de franchir la porte de l'appartement, le cameraman, qui mesurait deux têtes de plus que lui, lui bloqua le passage.

— Et si ça tourne mal ? On ne ferait pas mieux d'appeler les flics ?

— Tu sais pourquoi je suis dans ce métier depuis trente ans ? Parce que je respecte *toujours* les délais de tournage. Si on fait appel à la police, ils se pointeront dans une demi-heure, et ces petits malins se seront fait la malle. Ensuite, on nous demandera sans doute d'effectuer une déposition, et nous perdrons un temps précieux.

Sur ces mots, il sortit sur le palier, suivi de ses collègues et de Summer.

— Soyez prudents ! lança Eileen.

Quatre étages plus bas, Summer ne reconnut pas les trois garçons d'une vingtaine d'années qui rôdaient près du van chargé de matériel.

— Un problème, messieurs ? demanda Joseph en faisant tournoyer sa canne.

— On ne veut pas de vous ici, répondit le colosse au cou de taureau et au crâne rasé qui se tenait devant les portes arrière du véhicule.

Nullement impressionné, Joseph se planta devant lui et lâcha d'une voix blanche :

— Tu me fais perdre mon temps, mon garçon. Recule si tu ne veux pas mourir de honte devant tes petits copains.

Summer n'en croyait pas ses yeux. Joseph avait une soixantaine d'années. Il n'était ni très grand ni particulièrement robuste. Son pantalon en velours était remonté jusqu'aux aisselles, et ses mocassins ressemblaient étonnamment à des chaussons. Était-il inconscient pour se frotter ainsi à un voyou visiblement prêt à en découdre ?

— File-moi cinquante livres, Père Noël, gronda ce dernier.

— Tu n'auras pas un penny, rétorqua Joseph. Maintenant, je te prie de bien vouloir t'écarter.

À l'instant où le jeune homme essaya de poser les mains sur ses épaules pour le repousser, Joseph s'accroupit, crocheta sa cheville avec le pommeau de sa canne et l'envoya rouler sur le sol. Summer était sidérée par l'audace du réalisateur, mais aussi par la facilité avec laquelle il s'était débarrassé de son adversaire, sans effort apparent. Le geste qu'il avait effectué ressemblait davantage à un pas de danse qu'à une véritable contre-attaque.

— Tu vas le regretter, sale con, rugit le jeune homme avant de se redresser d'un bond et de revenir à la charge.

À la manière d'un matador, Joseph esquiva calmement l'attaque en effectuant un élégant pas de côté, puis terrassa son agresseur d'un coup sur la nuque. Enfin, il brandit sa canne à deux mains au-dessus de sa tête.

— Tu veux toujours jouer, gamin ? demanda-t-il, un discret sourire sur les lèvres.

Sa victime se releva péniblement, puis les trois individus, têtes baissées et mains enfoncées dans les poches de leurs hoodies, quittèrent précipitamment les lieux.

— Eh bien, on peut dire que tu caches bien ton jeu, Joseph ! s'esclaffa le cadreur. Où est-ce que tu as appris à faire ça ?

— J'ai servi dix ans dans la Police militaire royale, répondit le réalisateur, canne sous le bras, en gonflant le torse. Je peux te dire que j'en ai maté des plus coriaces.

Sur ces mots, il ouvrit les portes arrière du van.

— *Voilà*[1] ! s'exclama-t-il. Maintenant, récupère les batteries en vitesse et retourne installer les spots dans le salon. Tâchons d'expédier l'interview de la grand-mère avant que ces guignols ne rappliquent avec des renforts.

---

1. En français dans le texte. (*N.d.T.*)

3. Un vrai gentleman

La limousine ralentit le long du trottoir sous les exclamations de la petite foule rassemblée devant le restaurant. Jay fut le premier à embarquer et à se glisser sur le cuir matelassé, chauffé et massant de la banquette arrière. Les vitres étaient si fortement teintées que la lumière du jour ne pénétrait pas dans l'habitacle. Au plafond, des ampoules LED passaient par toutes les couleurs de l'arc-en-ciel. Sur le bar en bois précieux, tous les verres portaient le logo *Rage Cola*.

Adam, quatorze ans, et Theo, qui venait de fêter ses dix-sept ans, s'installèrent à leur tour à l'arrière du véhicule.

— Chauffeur! s'exclama ce dernier. Où sont passées les bouteilles d'alcool?

Ce n'est que lorsque la limousine se mit en route que Jay remarqua un individu de taille minuscule qui, caméra à l'épaule, se tenait debout entre les deux banquettes.

— C'est quoi ton nom, minus? ricana Theo.

Jay, qui réprouvait le comportement grossier de son frère, lui adressa un regard lourd de reproches.

— On m'appelle Shorty, va savoir pourquoi, répondit le cadreur, guère déstabilisé par cette entrée en matière. Ne regardez pas l'objectif. Vous êtes censés vous comporter de façon naturelle, alors faites comme si je n'étais pas là.

Le véhicule n'avait parcouru que quelques dizaines de mètres lorsque la voix d'Angie se fit entendre dans le talkie-walkie posé sur le tableau de bord.

— Il faut la refaire, dit-elle. Recule, s'il te plaît.

— Je ne peux pas faire marche arrière, grommela le chauffeur. J'ai cinquante voitures aux fesses. Je vais devoir faire le tour du pâté de maisons.

Lorsque la limousine eut regagné son point de départ, Angie ouvrit la portière arrière et s'adressa d'une voix aigre aux occupants de la banquette.

— Je sais que c'est votre premier jour de tournage, mais je crois vous avoir dit une bonne dizaine de fois qu'il était interdit de parler aux cadreurs quand la caméra tourne.

— On ne doit pas regarder les mêmes films, ricana Theo. J'en connais où les cameramen n'hésitent pas à poser leur matériel pour faire la fête avec les acteurs…

Adam éclata de rire. Angie, elle, semblait extrêmement contrariée.

— Je n'ai pas le temps de plaisanter, dit-elle. Allez, débarquez. On la refait, et souvenez-vous, pas de regards caméra.

Les trois frères descendirent du véhicule et retrouvèrent leur famille devant le restaurant. Accroché aux jambes de son père Big Len, le petit Hank, six ans, était en larmes.

— Eh, dit Jay en s'agenouillant devant l'enfant. Ne sois pas triste. On sera bientôt de retour.

— Vous allez bien vous amuser alors que moi, je vais rester ici à m'ennuyer, sanglota Hank.

Puis, constatant que l'un des cadreurs braquait sa caméra dans sa direction, il cacha son visage entre ses mains et trouva refuge derrière son père.

— Hé, lâche-le un peu ! lança Jay à l'adresse du technicien. Tu ne vois pas qu'il est triste ?

Big Len posa une main sur son épaule.

— Ça va. Il va s'en remettre. Dans deux jours, il sera sur la Côte d'Azur en train de faire des pâtés de sable, heureux comme un cochon dans son purin.

Angie prit Jay par la main.

— Allez, on rembarque ! cria-t-elle.

Trois caméras immortalisèrent la scène, celle de Shorty à l'intérieur du véhicule, une deuxième devant le capot de la voiture et une troisième braquée sur les membres de la famille.

Kai, le mouton noir du clan, tenait un panneau sur lequel il avait écrit *J'espère que vous perderez.*

— Et moi, j'espère qu'ils garderont cette faute d'orthographe au montage, s'esclaffa Jay en adressant à ses proches un signe de la main.

— Quelle faute ? demanda Theo.

Adam et Jay échangèrent un sourire complice.

— L'orthographe n'est pas ton fort non plus, n'est-ce pas ? demanda ce dernier.

— Non, grogna Theo. Mais je brise les dentiers comme personne.

La limousine parcourut trois cents mètres puis emprunta une rue latérale conduisant à une cité tout proche du restaurant.

— On descend, les garçons, annonça Shorty.

— Ici ? s'étonna Adam. Pour quoi faire ?

Ignorant la question, le cadreur descendit du véhicule, s'accroupit à l'arrière et sortit de son sac à dos un tournevis et un lot de plaques d'immatriculation.

— Vous ne pouvez pas faire ça, fit observer Jay lorsque ses frères le rejoignirent. C'est totalement illégal.

Shorty éclata de rire.

— Détendez-vous. On ne roulera que quelques dizaines de mètres avec cette plaque. Ensuite, je retournerai au White Horse pour filmer le départ d'Erin.

— Et vous reviendrez nous chercher pour nous emmener à la Rock War Academy ? demanda Adam.

Shorty secoua la tête.

— La production loue cette limousine à l'heure, expliqua-t-il en vissant la plaque minéralogique de rechange. Vous voyagerez dans le bus où vous avez mis vos bagages. Le chauffeur est passé chercher Babatunde. Il devrait être ici dans un quart d'heure.

— Ce bus scolaire tout pourri ? s'étonna Jay.

— Comme ils ne servent à rien pendant les vacances, la compagnie de transport propose ses véhicules à la location pour un prix imbattable. Mr Allen en a loué une dizaine pour vous conduire au manoir.

— Je vois. Et je suppose que ce sera le même cinéma à l'arrivée. Une seule limousine dans laquelle nous arriverons à tour de rôle sur le lieu de tournage.

— Bonne idée. Mais ça, c'est encore trop cher pour le patron...

∴

Trois heures et une pause Burger King plus tard, le bus s'arrêta en pleine campagne, devant le portail fermé d'un vaste domaine arboré. Au-delà de la grille, une allée menait à un petit château flanqué d'une extension moderne.

Le chauffeur fit descendre les quatre membres de Jet, leur donna l'ordre de patienter puis se remit en route.

Quinze minutes plus tard, les quatre filles d'un groupe baptisé Dead Cat Bounce les rejoignirent. Une assistante de production leur distribua des sandwichs sous cellophane et des canettes de Rage Cola un peu tièdes. Elle annonça que les candidats feraient leur entrée tous ensemble au manoir de la Rock War Academy afin, selon ses propres termes, de « maximiser l'impact visuel ».

Le soleil tapait dur en ces dernières heures de la matinée. Tandis que les concurrents affluaient au point de rendez-vous, Jay s'étendit sous un arbre, au bord de la route, son sac à dos sous la nuque en guise d'oreiller. Theo, lui, ne tenait pas en place. Il détestait qu'on lui dicte sa conduite, qu'on lui impose son emploi du temps et, plus que tout, qu'on lui demande de patienter. Réalisant un peu tard que son existence serait soumise six semaines durant au bon vouloir de l'équipe de production, il était hors de lui.

Une heure après l'arrivée de Jet, tous les participants de l'émission se trouvaient devant l'entrée du domaine. Erin et ses complices de Brontobyte patientaient à quelque distance de leurs rivaux. Jay fut ravi de retrouver Summer, Michelle, Lucy et Coco, les membres d'Industrial Scale Slaughter, qu'il avait rencontrées quelques mois plus tôt à l'occasion du concours Rock the Lock.

— J'étais super content quand j'ai appris que vous aviez été sélectionnées pour *Rock War*, dit-il en serrant Summer dans ses bras.

Bien qu'elle fût d'un an son aînée et, à l'évidence, bien trop jolie pour envisager un jour de sortir avec lui, il ne pouvait s'empêcher de la trouver irrésistible.

Les deux cousins de Frosty Vader, un autre groupe de Rock the Lock, avaient changé de personnel et embauché deux gamins de Belfast, Sadie, une fille aux cheveux ultracourts, et Noah, un garçon qui se déplaçait en fauteuil roulant.

— Regardez, ils ont pris un éclopé pour attendrir le jury, grogna Theo.

Jay trouvait les propos de son grand frère scandaleux, mais il savait par expérience qu'il valait mieux ne pas le contredire, sous peine de récolter des bleus. Babatunde, le batteur de Jet, ne partageait pas ses craintes.

— Tu sais, Theo, dit-il avec le plus grand calme, tu crois te la jouer rebelle, mais parfois tu te comportes juste comme un connard.

Les deux garçons se jaugèrent en silence. Babatunde était un type mystérieux, peu bavard, qui cachait en toute occasion ses yeux derrière des lunettes de soleil et son crâne sous la capuche de son hoodie. Il était athlétique, mais visiblement pas de taille à se mesurer à Theo, qui pratiquait la boxe à haut niveau et laissait volontiers s'exprimer sa nature agressive.

— Les mecs, intervint Jay qui redoutait qu'une bagarre n'éclate, on ne va quand même pas se disputer avant même d'être entrés dans le manoir, non ?

Pour une fois, Theo sembla battre en retraite.

— Je dis juste qu'un candidat en fauteuil aura la sympathie du public avant d'avoir joué une seule note, rien de plus.

Adam éclata de rire.

— Dans ce cas, on a toutes nos chances, nous aussi. On ramassera un max de votes quand les téléspectateurs découvriront que tu es un débile profond !

À l'instant où Theo s'apprêtait à lui faire payer cette plaisanterie, deux assistantes se présentèrent devant le portail. L'une d'elles, armée d'un bloc-notes, commença à appeler les groupes par ordre alphabétique.

— Crafty Canard, Delayed Gratification...

Lorsqu'elle demanda aux membres de Jet de se joindre à la file d'attente qui s'était formée devant la grille, la seconde assistante remit à Jay un T-shirt bleu marine portant le logo du groupe. Il l'avait dessiné lui-même et l'avait mis en ligne sur leur profil Internet, mais les graphistes de la production l'avaient nettement amélioré. Le voir imprimé sur un vêtement avait quelque chose d'irréel. Les stylistes de l'émission s'étant sérieusement penchés sur la personnalité de chaque candidat, Babatunde reçut un sweat-shirt à capuche. Adam et Theo, eux, héritèrent de débardeurs propres à mettre en valeur leur musculature d'athlète. Enfin, on leur distribua des casquettes de base-ball aux couleurs de Rage Cola.

À ce moment, descendant l'allée du manoir sous les yeux médusés des candidats, Meg Hornby fit son apparition accompagnée d'Angie et d'un cameraman.

Meg s'était fait connaître du grand public au début des années quatre-vingt-dix grâce à son apparition dans une série pour adolescents, puis elle avait révolutionné le monde du mannequinat en arborant tatouages et piercings à une époque où ces pratiques ne s'étaient pas encore banalisées. Depuis que les créateurs de mode avaient cessé de recourir à ses services, elle faisait bouillir la marmite en participant à des jeux télé et en présentant une chronique quotidienne lors d'une émission matinale.

Bien que Meg n'eût rien d'une véritable star, Jay était tout excité de se trouver à moins de dix mètres d'elle. Elle se tourna vers le cadreur qui se trouvait à ses côtés et s'y reprit trois fois pour prononcer sans bafouiller la phrase :

— Bienvenue à la Rock War Academy, et découvrons sans tarder le lieu magique où va se dérouler cette formidable aventure !

D'un geste, Angie ordonna aux assistantes de pousser les portes du domaine. Sous l'objectif de cinq caméras, les quarante-quatre concurrents entrèrent dans le parc, traînant leurs bagages sur l'allée de gravier blanc soigneusement ratissé qui menait à la résidence.

Lorsqu'il réalisa que Summer était la seule à ne pas posséder de bagage à roulettes, Adam se proposa de porter ses sacs de supermarché.

— Oh merci, c'est super gentil, haleta sa protégée.

Mort de jalousie, Jay préféra tourner la tête. Son regard se posa sur Theo qui, sans doute un peu honteux de sa remarque concernant la nouvelle recrue de Frosty Vader, poussait le fauteuil roulant de Noah. En temps normal, ce dernier détestait qu'on le considère comme un invalide, mais ses roues s'enfonçant profondément dans le gravier, il n'avait d'autre choix que de recourir à une aide extérieure.

— Salut, lança Jay. J'ai vu votre vidéo sur le site de *Rock War*. J'adore ce que vous faites, avec les samples et tout ça.

Sadie, la meilleure amie de Noah, marchait de l'autre côté du fauteuil.

— Et toi, tu fais partie de Jet n'est-ce pas ? dit-elle. Votre batteur est *incroyable*. C'est quoi son nom déjà ?

— Babatunde. Et moi, c'est Jay.

— Enchantée, Jay. Je m'appelle Sadie, et lui, c'est mon ami Noah.

— Sadie ? C'est ton vrai prénom ?

— Ben oui, qu'est-ce qui t'étonne ?

— Rien. Tu es juste la première Sadie que je rencontre.

Sans cesser de pousser le fauteuil, Theo se pencha vers Noah.

— Tu as vu ça, mon pote ? Mon petit frère Jayden est complètement nul avec les filles. Je commence à croire qu'il mourra puceau.

Jay leva les yeux au ciel. Noah lui adressa un sourire compatissant mais ne put retenir un bref éclat de rire.

À une vingtaine de mètres de l'entrée du manoir, Angie et ses assistantes demandèrent aux candidats de se rassembler au centre de l'allée et de se tourner vers une large pelouse impeccablement tondue. Elle lâcha quelques mots dans un talkie-walkie puis indiqua aux cameramen l'endroit où ils devaient se positionner.

— Hélico dans deux minutes, annonça-t-elle.

Quelques secondes plus tard, le son lointain d'un rotor se fit entendre puis, frôlant la cime des arbres, un appareil au fuselage noir fit son apparition. À mesure qu'il se rapprochait, Jay put discerner les éléments qui ornaient sa queue : une tête de panda à l'expression maléfique et les mots *Pandas of Doom*.

Bravant la bourrasque produite par les pales, un cadreur s'accroupit pour filmer l'atterrissage de l'hélicoptère. Dès que le copilote eut ouvert la porte de la cabine, quatre adolescents, dont une fille au look gothique et un garçon rondouillard, sautèrent de l'appareil. Ils portaient le même T-shirt rouge frappé du logo de leur groupe et une casquette Rage Cola qu'ils devaient maintenir d'une main pour empêcher qu'elle ne s'envole.

— Ils n'auraient pas comme un léger traitement de faveur ? grommela Sadie. Ces merdeux débarquent en hélico alors que nous, on a pris un vol Ryanair. Je vous raconte pas la galère pour installer Noah dans son siège...

— C'est la première fois que j'entends parler des Pandas of Doom, et j'ai déjà envie de leur coller des tartes, lâcha Theo sans desserrer les dents.

4. Bouc émissaire

Si la production de *Rock War* avait fait des économies de bouts de chandelle en ne louant qu'une limousine pour l'ensemble des concurrents londoniens, elle avait manifestement investi des sommes énormes dans la location et la décoration du manoir.

Après avoir franchi l'immense double porte du bâtiment, les participants découvrirent un hall tapissé de marbre où l'équipe technique avait entreposé d'immenses bobines de câble électrique. Bien entendu, le montage final ne montrerait rien de ce lieu transformé en local technique. Aux yeux des spectateurs, les candidats feraient directement leur entrée dans la salle de bal. Équipé d'un steadicam, Shorty effectua un panoramique sur les nouveaux venus afin de capturer leurs regards émerveillés lorsqu'ils découvrirent cet immense espace encadré de deux niveaux de coursives.

Soutenu par de colossales poutres de chêne, le plafond culminait à une dizaine de mètres. Les deux galeries supérieures, dont les rambardes donnaient sur la vaste salle, desservaient les chambres réservées aux concurrents. La production avait apporté d'importantes modifications à ce lieu de style néoclassique, dont un mur strié de bandes jaunes et noires, et deux toboggans métalliques s'entrecroisant comme une molécule d'ADN qui permettaient de rejoindre le rez-de-chaussée sans emprunter l'escalier.

Au centre de la salle de bal étaient rassemblés des dizaines de poufs portant le logo de Rage Cola. Sur le mur du fond, la rangée d'écrans branchés à une armada de PlayStation 4 diffusait des clips publicitaires vantant les mérites de la marque de soda.

Un premier passage voûté donnait accès à une pièce disposant d'une table de ping-pong, d'un billard et de fauteuils massants. L'autre menait à une salle de sport comprenant un miniterrain de basket *indoor* au revêtement de sol élastique, deux trampolines et une gigantesque piscine à balles.

Angie et ses cameramen se tenaient prêts à filmer la réaction enthousiaste des concurrents, mais les filles, qui avaient patienté des heures durant devant le portail du domaine, formèrent une longue file devant la porte des toilettes. Les garçons, qui s'étaient quant à eux soulagés contre tous les arbres du voisinage, prirent d'assaut les distributeurs de boissons fraîches.

Lorsque Theo réalisa qu'il était filmé, il leva sa bouteille devant l'objectif et s'exclama :

— Rage Cola ! Si frais, si délicieux… et pourtant cent pour cent pisse de babouin !

La cadreuse, une jeune femme aux cheveux violets, éclata de rire, tout comme la dizaine de garçons qui avaient entendu cette provocation. Certains firent la grimace comme s'ils venaient d'avaler du poison. D'autres, langue tirée et main crispée sur la poitrine, simulèrent l'infarctus. Un adolescent un peu enrobé, aux cheveux décolorés fonçant aux racines, bouscula involontairement Jay.

— Excuse-moi, mec, dit-il en lui tendant la main. Je m'appelle Dylan, et je fais partie des Pandas of Doom.

— Moi c'est Jay, et je suis le guitariste de Jet. C'était quoi, cet hélicoptère ?

— C'est un ami de mon père qui a proposé de nous le prêter. On n'était pas forcément emballés, parce qu'on ne voulait pas passer pour des frimeurs, mais l'équipe de production a lourdement insisté. Ils sont passés ce matin pour coller tous ces logos.

— Moi, je ne suis jamais monté dans un hélico. Ça fait quel effet ?

— Il n'y a pas beaucoup de place pour s'asseoir et c'est horriblement bruyant, répondit Dylan. Mais le trajet n'a duré que quatre-vingt-dix minutes, alors qu'on aurait dû se farcir huit heures de train.

Angie fendit la foule, se précipita vers la cadreuse et lui reprocha vivement d'avoir filmé Theo et ses complices tandis qu'ils dénigraient Rage Cola. Puis elle s'adressa à l'ensemble des candidats.

— À présent, dispersez-vous, dit-elle. Explorez les lieux. Ne restez pas plantés là comme des quilles dans un bowling.

Theo leva les yeux au ciel.

— Vous nous avez fait poireauter toute la matinée en plein soleil. On a bien le droit de se rafraîchir un peu ?

Angie posa les mains sur ses hanches.

— Je ne suis pas là pour m'amuser, Theo. Plus vite j'aurai les plans dont j'ai besoin pour l'émission, plus tôt vous serez libres de faire ce que vous voulez.

Sur ces mots, elle tourna les talons et se dirigea vers la salle de jeux. Theo sortit de son sac bandoulière l'un des club-sandwichs qu'on lui avait distribués quelques heures plus tôt, l'écrasa dans la paume de sa main afin de former une boule et le lança de toutes ses forces en direction de la réalisatrice. Le projectile atteignit cette dernière à l'arrière du crâne et explosa en une pluie de dés de jambon et de cheddar râpé.

— Qui a fait ça ? rugit-elle en se retournant vivement, rouge de colère.

Ni les concurrents ni la cadreuse qui avait essuyé ses réprimandes ne pipèrent mot.

— Je sais que c'est toi ! gronda Angie en se plantant devant Theo. Je crois que tu ne te rends pas très bien compte qu'il me suffit de claquer des doigts pour que toi et les membres de ton groupe soyez virés d'ici dès ce soir.

À ces mots, Jay sentit son pouls s'accélérer, mais Theo ne se laissa pas impressionner.

— Vous êtes sur le point de commettre une erreur judiciaire, mademoiselle, dit-il sur un ton innocent, provoquant l'hilarité de ses supporters. Je crois que vous avez été frappée par un vieux sandwich resté collé au plafond depuis des années. Vous n'avez pas eu de bol, c'est tout. Pas la peine de chercher un bouc émissaire.

Angie observa quelques secondes de silence. À en juger par la façon dont ses narines palpitaient, elle semblait éprouver les pires difficultés à garder son calme.

— Je m'occuperai de ton cas plus tard, grogna-t-elle les lèvres serrées. Pour le moment, j'ai d'autres chats à fouetter.

Lorsqu'elle se fut éloignée, les autres membres de Jet fusillèrent Theo du regard.

— Si on est exclus à cause de toi…, commença Adam.

Puis, redoutant que son grand frère ne s'abandonne à un énième accès de violence, il décida sagement de ne pas achever cette phrase.

— Ça va, t'inquiète, dit Theo. Ils ont besoin de douze groupes pour que l'émission fonctionne. Ils ne vireront personne, crois-moi.

— Seuls dix groupes sortiront de la Rock War Academy et intégreront la Rock War Battle Zone en septembre, fit observer Jay. Ton attitude peut nous coûter la qualification.

— Rien à foutre. Je n'ai jamais obéi de ma vie, et ce n'est pas aujourd'hui que je vais commencer.

Les candidats s'étant éparpillés dans les salles du rez-de-chaussée, Angie et son équipe purent enfin filmer les plans prévus lors de la réunion de production du matin : des filles sautant sur les trampolines ; les membres de Brontobyte chahutant dans la piscine à balles ; Adam et Summer, tout sourire, étendus sur des fauteuils massants...

5. L'été de Summer

— Tu crois que ça tourne ? demanda Summer en étudiant le minuscule caméscope que lui avait remis la production.

Dylan jeta un œil au petit écran LCD.

— Oui, regarde. Ça enregistre quand le point rouge passe au vert.

— OK, j'ai pigé, dit Summer en posant l'appareil sur le rebord de la fenêtre.

Elle s'assit sur le lit, jambes croisées, face à l'objectif.

— Alors voilà, on est dans ma chambre. Enfin... la chambre que je partage avec Michelle, une des filles de mon groupe. Je ne sais pas où elle est passée, mais j'en profite pour vous présenter Dylan, de Pandas of Doom. Fais coucou à la caméra, Dylan.

Ce dernier se pencha dans le champ de la caméra et secoua brièvement la main.

— Il est un peu plus de dix-huit heures trente, et nous sommes au manoir depuis trois heures. La chambre n'est pas très grande, mais carrément géniale. J'ai des serviettes hyper épaisses, un peignoir, des savons de toutes les couleurs, des perles de bain qui sentent super bon... Et croyez-le ou pas, la douche est équipée de jets horizontaux, et de tellement de boutons que je n'ai pas réussi à la régler correctement. Oh, et l'autre truc vraiment cool, c'est qu'on a tous reçu un petit caméscope. Le premier épisode de l'émission ne sera diffusé que dans une semaine à la télé, mais chaque concurrent doit tenir un blog vidéo qui sera mis en ligne sur le site de *Rock War*. J'ai intitulé le mien *L'Été de Summer*. Sympa, non ?

Elle se tourna vers Dylan.

— Qu'est-ce que je pourrais bien ajouter ?

Dylan haussa les épaules.

— Je ne sais pas trop… Dis-leur comment tu te sens. Ou ce que tu as fait depuis ton arrivée.

— OK, dit Summer. On nous a fait attendre dehors pendant *des heures* devant le manoir en attendant qu'un *certain* groupe se pointe en hélicoptère.

D'un clin d'œil, elle invita Dylan à prendre la parole.

— Nous, on a poireauté deux plombes pendant qu'un type de Venus TV collait des stickers sur l'hélico de mon père.

Stupéfaite, Summer écarquilla les yeux.

— L'hélico appartient à ton père ?

— Non, ma langue a fourché, mentit Dylan, gêné de s'être trahi. Bien sûr que non. Il connaît un pilote qui fait la navette entre les plateformes pétrolières en mer du Nord. Il lui a juste fait un prix d'ami. En fait, ce n'était pas l'idée du siècle. Maintenant, tout le monde au manoir pense que nous sommes bourrés de fric. Je suis sûr qu'ils nous détestent.

— Je ne te déteste pas, moi. Tu es mon héros !

— Arrête de délirer, s'esclaffa Dylan. Je t'ai juste expliqué comment fonctionnait la douche.

— N'empêche, tu m'as sauvé la vie, roucoula Summer en se tournant de nouveau vers l'objectif. Bref, quand on est arrivés, ils nous ont laissé quartier libre dans la salle de bal, et je crois que tout le monde s'est bien amusé. Ensuite, on a eu droit à une présentation au cours de laquelle on nous a expliqué une foule de choses. Par exemple, il y aura un éducateur des services sociaux vingt-quatre heures sur vingt-quatre, et on nous a recommandé d'aller lui parler si notre famille nous manque ou si on est victime de harcèlement. On nous a aussi indiqué les endroits où on doit se regrouper en cas d'alerte incendie. On devra aussi respecter un tas de règles pour protéger notre petite santé et surtout, ne jamais employer de gros mots devant la caméra.

— C'était interminable…, soupira Dylan. J'ai failli crever d'ennui.

Summer approuva d'un hochement de tête.

— Après la réunion, on nous a laissé faire ce qu'on voulait, alors je suis montée ici pour me reposer. J'ai appelé ma grand-mère, qui a passé sa première journée en maison de retraite. Finalement, elle a l'air de s'y plaire. Elle a joué au Scrabble tout l'après-midi… Sinon, qu'est-ce que je pourrais ajouter ?

Elle marqua une pause puis s'exclama :

— Ah oui ! On a rendez-vous sur la terrasse à dix-neuf heures quarante-cinq. On ne nous a pas dit pourquoi, mais on nous a demandé de porter ce qu'on a de plus classe. Ce qui est plutôt stressant, à vrai dire, vu que je n'ai pas grand-chose à me mettre. D'ailleurs, il faut que je vous laisse pour fouiller dans mes bagages.

Sur ces mots, elle adressa un sourire à la caméra puis se leva pour la récupérer.

— Ça ira, tu crois ? demanda-t-elle à Dylan. Ce n'était pas trop long ?

— Ne t'en fais pas pour ça. Ils couperont les passages soûlants au montage.

À l'instant où elle posait les mains sur le caméscope, Michelle, sa camarade de chambre, déboula dans la pièce en agitant les bras en tous sens, bondit sur le lit et effectua un saut périlleux avant.

— Rock'n'roll ! hurla-t-elle. Eh, tu as déjà ramené un beau gosse, espèce de catin !

— Attends une seconde que j'arrête l'enregistrement, dit Summer, un peu secouée par cette intrusion.

— Non, continue à tourner ! Je suis à fond, là. Je sens que je vais me taper un bon délire.

De fait, Michelle était toujours *à fond*, et Summer se désespérait de devoir partager sa chambre avec elle. Hélas, Coco et Lucy, les deux autres membres d'Industrial Scale Slaughter, qui étaient amies depuis le CE1, ne lui avaient guère laissé le choix.

— Tu es sûre que tout va bien ? demanda-t-elle. Tes yeux sont un peu bizarres…

— J'ai bu deux bouteilles de Rage Blue, expliqua Michelle. Ça file une de ces patates !

— Rage Blue ?

— C'est la version *energy drink* de Rage Cola, le truc que s'envoient les étudiants qui veulent réviser leurs examens toute la nuit ou faire la fête jusqu'au matin.

— Tu n'as aucun besoin de caféine et de taurine, Michelle, soupira Summer. Tu es déjà une vraie pile électrique. Par pitié, va prendre une douche froide et tâche de te calmer.

— N'importe quoi, je suis au top ! s'exclama Michelle en se précipitant vers la fenêtre ouverte.

Elle se pencha dangereusement dans le vide et hurla :

— Hé, Theo, tu prétends toujours que je suis une dégonflée ?

Summer avait observé le comportement de Theo à Rock the Lock, puis devant le portail et lorsqu'il avait lancé le sandwich en direction d'Angie. De son point de vue, ce genre de garçon qui passait son temps à provoquer des incidents et à impliquer tous ceux qui l'entouraient était une source intarissable d'ennuis. L'idée qu'il puisse se lier à Michelle lui donnait des sueurs froides.

Redoutant qu'elle ne bascule par la fenêtre, Summer l'attrapa par les épaules.

— Il faut vraiment que tu descendes en pression, supplia-t-elle. Cette saloperie t'a rendue complètement dingue.

Mais Michelle, ruisselante de sueur, était incontrôlable. Summer jeta un coup d'œil à la fenêtre : hilares, Theo, Adam, les garçons de Half Term Haircut et deux cameramen étaient rassemblés au pied du bâtiment, deux étages plus bas, sur le chemin dallé qui longeait les murs du manoir.

— Alors vas-y, montre-nous de quoi tu es capable ! cria Theo.

Piquée par cette provocation, Michelle attrapa l'écran télé LCD accroché au mur et le tira si brutalement qu'elle en arracha tous les câbles.

Si cette attitude demeurait un mystère pour Summer, Dylan comprit aussitôt ce qu'elle avait en tête. Son père était le fondateur d'un groupe légendaire baptisé Terraplane, une institution du rock qui, selon certaines sources bien informées, détenait le record du nombre de chambres d'hôtel saccagées et de jets de télévision par la fenêtre.

— Chaud devant ! hurla Michelle. Et rappelez-vous que personne n'est autorisé à me traiter de poule mouillée !

L'écran plat Sony n'avait pas le charme des vieilles télés à tube cathodique qui, durant l'âge d'or du rock'n'roll, explosaient au contact du sol. Lorsqu'il heurta les dalles, il se contenta de se briser et d'expulser des morceaux de plastique dans toutes les directions. Alertés par ce fracas, d'autres candidats se pressèrent sur les lieux du sinistre. Tandis qu'ils scandaient son nom et l'invitaient à balancer tout ce qui lui passait sous la main, Michelle boxa triomphalement les airs.

Summer et Dylan ne savaient trop comment réagir pour éviter la mise à sac de la chambre. Par chance, deux éducateurs y firent irruption et ordonnèrent à Michelle de reculer, de s'asseoir sur le lit et de respirer à fond jusqu'à ce qu'elle ait retrouvé son calme.

Quelques secondes plus tard, le célèbre Zig Allen, créateur de *Rock War* et propriétaire de la société de production Venus TV, franchit la porte à son tour. De l'avis général, il était bien trop vieux pour son jean slim et ses cheveux hérissés à grand renfort de gel effet béton.

— À quoi tu joues, ma grande ? demanda-t-il en se plantant devant Michelle. Pourrais-tu m'expliquer pourquoi cette télé est passée par la fenêtre ?

— Ça va, détends-toi, ricana l'intéressée. Trois caméras me filmaient au moment où j'ai balancé cet écran. Ça vous fera une scène culte pour le premier épisode de l'émission.

— Elle n'a pas tort, fit observer Dylan. L'année dernière, Unifoods a réalisé dix milliards de chiffre d'affaires. Ils devraient bien trouver de quoi remplacer ce LCD sur le budget marketing de Rage Cola.

— Sauf que l'essentiel de ce budget est passé dans la réfection du château, rétorqua Zig Allen. Lorsque leur ligne de crédit sera épuisée, c'est ma société, Venus TV, qui devra allonger le reste. En clair, je devrai remplacer cette télé à mes frais. Franchement, est-ce que j'ai l'air d'un millionnaire, selon vous ?

Certain d'avoir mouché Michelle et Dylan, il se tourna vers les éducateurs.

— Quant à vous, je ne vous paie pas pour squatter le bureau de permanence. Votre rôle consiste à empêcher ces morveux de provoquer une émeute, et j'ai la vague impression que vous n'êtes pas à la hauteur.

L'un des individus mis en cause semblait plus préoccupé par les yeux exorbités de Michelle que par le discours de son patron.

— Tu as pris de la drogue ? demanda-t-il. Réponds-moi, s'il te plaît. Je te promets que tu n'auras pas d'ennuis.

— De la drogue ? glapit Zig. J'espère que c'est une plaisanterie ! Si ça se confirme, Rage Cola se retirera de la production plus vite qu'un guépard avec un pétard planté dans le derrière !

— Mr Allen, dit fermement l'éducateur, qui s'inquiétait de l'état de Michelle, je vous demande de quitter cette chambre. Votre attitude hostile n'est pas adaptée à la situation.

— Comme vous voudrez ! beugla l'intéressé. Mais tâchez de remettre cette fille sur le droit chemin ou je me chargerai de vous trouver un remplaçant.

Dès qu'il fut sorti de la pièce, Michelle bredouilla quelques propos incompréhensibles. Summer, qui avait déjà bien cerné sa personnalité, était convaincue qu'elle en rajoutait des tonnes.

— Tu n'as rien à craindre, je te le jure, dit l'éducateur. Je veux juste que tu me dises ce que tu as pris.

Alors, Michelle ouvrit la bouche, adressa un clin d'œil furtif à Summer puis, se courbant en avant, vomit tripes et boyaux sur les cuisses de son bienfaiteur.

6. Bombe

Tandis qu'assistants et stagiaires, sur l'ordre de Zig, couraient aux quatre coins du manoir afin de faire disparaître toutes les bouteilles de Rage Blue des distributeurs automatiques, des minibars et des placards, les candidats de *Rock War* se rassemblèrent dans la salle de bal.

Joseph, qui avait pris le relais d'Angie, dirigeait une équipe composée de trois cameramen, d'autant de preneurs de son, de deux éclairagistes et d'une poignée de stagiaires.

Michelle, qui avait reçu l'ordre de demeurer dans sa chambre afin d'éviter tout scandale télévisuel, s'était rebellée contre cette décision avec tant d'énergie que Zig avait dû poster un éducateur devant sa porte pour prévenir toute tentative d'évasion.

— Quand est-ce qu'on bouffe ? demanda Adam. Je suis debout depuis cinq heures du matin et j'ai terminé tous mes sandwichs.

Au même instant, il vit Summer glisser sur un toboggan puis se joindre discrètement aux participants. Il la trouvait magnifique, avec son top rayé et sa minijupe noire.

Summer, elle, se trouvait absolument pathétique en comparaison de ses concurrentes aux brushings sophistiqués et aux maquillages outranciers.

— Tu as vu cette fille des Messengers ? chuchota Coco à son oreille. Je te jure, je n'ai jamais vu des talons aussi hauts. Et ces bas, sans déconner ! Ces meufs sont censées jouer du rock chrétien, mais je trouve leur look très peu évangélique…

— Et c'est quoi, ce truc sur sa tête ? ajouta Lucy. Sans déconner, on dirait un rat crevé saupoudré de paillettes…

Summer réprima un éclat de rire lorsque Meg Hornby lui planta un micro sous le nez. Le cameraman qui l'accompagnait écarta les garçons qui se trouvaient dans le champ de son objectif.

— Alors, Summer, comment as-tu trouvé ton premier jour au manoir ?

— Eh ben, en fait, c'est presque trop. Tout ce luxe, toutes ces nouvelles règles à assimiler… J'avoue que je suis un peu dépassée.

— Et selon toi, qu'est-ce qui vous attend sur la terrasse ?

Summer demeurant silencieuse, Coco s'autorisa à intervenir.

— De la bouffe, j'espère ! Si on ne me nourrit pas dans les minutes qui viennent, je crois que je vais me laisser tenter par le cannibalisme.

— Eh bien, nous n'allons pas faire durer le suspense plus longtemps ! s'exclama Meg en adressant un clin d'œil à la caméra.

Un stagiaire aida Noah à fixer son fauteuil au monte-escalier que la production avait fait installer à sa seule intention, puis, tandis que la plateforme glissait lentement le long de la rambarde, les candidats impatients gravirent les marches derrière lui. Le contraste entre filles et garçons était frappant : les premières étaient vêtues, coiffées et maquillées comme si elles se rendaient à un événement mondain ; les seconds portaient pour la plupart un short, un T-shirt et une banale paire de baskets.

Parvenus sur la terrasse de l'extension moderne du manoir, Noah et Sadie furent les premiers à découvrir ce qui les attendait : une vaste piscine de forme ovale et un jacuzzi fumant, éclairés par un océan de bougies. Au centre d'une cuisine de plein air dressée à l'écart, un chef coiffé d'une toque se tenait bras croisés, un large sourire aux lèvres.

— Bon sang, je le crois pas, lâcha Sadie. C'est Joe Cobb !

Noah reconnut le jeune cuisinier qui s'était rendu célèbre en participant à de nombreux concours télévisés. Il n'était pas particulièrement fan de ce genre de programme, mais sa mère possédait tous ses livres.

— Bienvenue dans mon restaurant éphémère ! lança Joe Cobb en posant une énorme côte de bœuf sur la grille d'un barbecue. Qu'est-ce qui vous ferait plaisir ?

S'efforçant d'ignorer la caméra placée à quelques centimètres de son visage, Noah étudia les ingrédients exposés sur le plan de travail.

— Et comme poulet, vous avez quoi ? demanda-t-il.

— Je peux te préparer des aiguillettes marinées au citron et au yaourt. Ou aux herbes et au beurre au basilic. À moins que tu ne préfères le Caribbean Jerk, délicieux mais très épicé.

— Ça, c'est exactement ce qu'il me faut, se réjouit Sadie.

Après avoir longuement tergiversé, Noah commanda un filet de saumon grillé et un cheeseburger. Lorsqu'on leur eut remis leur plat et l'inévitable canette de Rage Cola, ils s'installèrent à l'écart, près d'un des parapets de la terrasse, et regardèrent les centaines de chandelles se refléter à la surface de la piscine.

— C'est bon ? demanda Meg en brandissant son micro.

— Excellent, répondit Noah.

— Parfait ! dit Sadie en léchant un doigt baigné de sauce. J'ai vraiment cru que j'allais mourir de faim.

— Désolé maman, dit Noah en fixant l'objectif, mais je suis bien obligé d'admettre que Joe Cobb cuisine mieux que toi.

— Tu risques de regretter ces paroles quand tu rentreras à la maison, fit observer son amie.

Puis, s'adressant à la caméra, elle ajouta :

— Vous êtes la meilleure, Mrs Wilton, et vous pouvez m'inviter à dîner quand vous voulez.

Joseph, qui suivait Meg comme son ombre, éclata de rire.

— Vous crevez l'écran, mes enfants, dit-il. Vous êtes drôles, vifs, efficaces. Félicitations, c'est ce genre de séquences dont j'ai besoin.

Tandis que Joseph et Meg se dirigeaient vers un groupe d'adolescents, une stagiaire prénommée Lorrie les débarrassa de leurs assiettes.

— Ça va chercher dans les combien, un dîner préparé à domicile par Joe Cobb ? lui demanda Sadie.

Lorrie, l'une des plus jeunes collaboratrices de l'émission, semblait ravie qu'on lui demande son avis.

— Dans notre cas, ça ne nous coûte absolument rien, répondit-elle. C'est un échange de bons procédés. Son émission est produite par Venus TV. Alors il est venu faire une apparition dans *Rock War*, et dans quelques semaines, les plus populaires d'entre vous participeront à *Cobb's Kitchen*.

— Je vois, dit Noah. Cobb drague le public jeune qui lui fait défaut, et *Rock War* se fera de la publicité auprès des ménagères accros aux émissions de cuisine.

— Exactement, confirma Lorrie. Gardez ça pour vous mais j'ai bossé à la production de *Cobb's Kitchen*. Vous n'imaginez même pas ce que ces chefs sont prêts à faire pour s'offrir de la com. La vérité, c'est qu'ils ne se font pratiquement pas payer pour leurs prestations télé. Ils se rattrapent sur la vente de livres et les contrats signés avec l'industrie agroalimentaire.

Après une deuxième tournée de grillades et une part de crumble, Noah et Sadie, un peu comateux, empruntèrent une rampe pour rejoindre une dizaine de garçons rassemblés au bord de la piscine. Ils avaient avalé une telle quantité de nourriture qu'ils semblaient à peine capables de parler ou de se mouvoir.

Sadie ôta ses Converse et plongea les pieds dans l'eau. Noah, lui, se laissa glisser hors de sa chaise et s'assit à côté d'elle. Derrière eux, en position du lotus, une fille au look caricaturalement gothique caressait les cheveux de son copain dont la tête reposait sur ses cuisses. Apparemment insensible à la chaleur ambiante, elle portait un épais legging noir, des Dr. Martens montantes et un top en laine noir à manches longues.

— Moi, c'est Dylan, dit le garçon. Et elle, c'est Eve, ma copine.

— Je vois, lâcha Noah en pinçant les lèvres. Les fameux Pandas of Doom.

— On vous a vus débarquer en hélico, ajouta Sadie sur un ton un peu aigre.

Dylan se frappa le front et soupira :

— Ce truc va nous coller à la peau jusqu'à la fin des temps ?

Des cris retentirent de l'autre côté du bassin. Lorsque Noah tourna la tête, il vit Alfie, le bassiste de Brontobyte, arroser copieusement ses camarades de groupe à l'aide d'un pistolet à eau sophistiqué.

— Où a-t-il trouvé ce flingue ? s'étonna Dylan.

Alfie, qui venait de fêter ses douze ans, était le benjamin de *Rock War*. Malgré sa petite taille et sa constitution frêle, il se débattit sauvagement lorsque Tristan, son grand frère, tenta de lui arracher son arme.

— Donne-le-moi ou je te massacre, gronda ce dernier.

À peine eut-il lancé cette menace qu'Erin, sa petite amie, s'accroupit derrière lui et baissa son short d'un coup sec.

— C'est dans la boîte ! s'esclaffa Jay en désignant le cadreur qui venait d'immortaliser la scène. Super slip, Tristan ! C'est ta maman qui te l'a offert ?

Déstabilisé par les rires de l'assistance, Tristan laissa échapper son petit frère, qui en profita pour se jeter à l'eau afin de remplir le réservoir de son pistolet.

— Tu vas me le payer, Erin ! tempêta Tristan.

La jeune fille n'essaya ni de fuir ni de se soustraire à son étreinte. En moins de temps qu'il n'en faut pour le dire, ils basculèrent tous deux dans la piscine.

Tandis qu'elle ceinturait Tristan et essayait de l'entraîner vers le fond, la course à l'armement faisait rage autour du bassin : comme par magie, un panier d'osier monté sur roulettes bourré de pistolets à eau était apparu près du plongeoir, et les candidats jouaient des coudes pour se partager cet arsenal.

D'un commun accord, ceux qui étaient parvenus à s'équiper prirent pour cibles les filles les plus endimanchées. Celle dont la chevelure évoquait à s'y méprendre un cadavre de rongeur se retrouva bientôt à genoux, trempée jusqu'aux os, partagée entre le rire et les larmes. Après avoir vainement tenté de lancer une chaussure au visage de son assaillant le plus proche, elle se rua vers la cage d'escalier.

— Je file mettre un maillot de bain et je reviens vous botter le cul, bande de salauds !

Au même instant, Dylan reçut en plein visage une puissante giclée lâchée par son camarade de chambre Leo, une agression caractérisée qui le contraignit à sortir de sa neutralité et à se lancer à son tour dans la bataille. Alors que la plupart des concurrents s'étaient mis à l'eau et que les combats se généralisaient, Noah, furieux que personne ne daigne l'arroser sous prétexte qu'il était invalide, roula sur le flanc et se laissa tomber dans la piscine.

Ce qu'ignoraient ses camarades, c'est qu'il nageait plusieurs fois par semaine et que ses bras extrêmement musclés lui permettaient de se maintenir à flot sans difficulté. Après avoir nagé entre deux eaux, il émergea soudainement devant Summer et lui flanqua une trouille bleue.

— Hé ! s'étrangla-t-elle en braquant vers lui son pistolet à eau. Qu'est-ce que tu fiches ici ?

Noah s'accorda un instant de réflexion puis estima qu'il n'était pas assez intime avec elle pour tenter de la déposséder de son arme. Par chance, Sadie lui lança un pistolet avant de le rejoindre dans la piscine. Tandis qu'il en remplissait le réservoir, il vit une silhouette filer sur sa droite et tourna vivement la tête.

Il aperçut alors un individu portant un short à motif Union Jack et une toque de cuisinier en suspension au-dessus du bassin, les genoux rassemblés sous le menton.

— Bombe ! cria Joe Cobb avant de percuter la surface, soulevant une énorme vague d'eau chlorée.

Lorsqu'il émergea, il prit Noah dans ses bras et entama une danse étrange qui, à l'évidence, démontrait qu'il n'avait pas bu que du Rage Cola.

— Ça, c'est le truc le plus cool que j'ai jamais vu de ma vie ! s'exclama Sadie, hilare et ruisselante, en faisant irruption dans le champ de la caméra qui filmait cette étreinte insolite.

7. Misérable

Sadie et Noah s'étaient levés à trois heures du matin pour se rendre à l'aéroport de Belfast, mais ils ne se mirent au lit qu'à minuit passé. La journée avait été encore plus longue pour les techniciens et les membres de l'équipe de production. Ils avaient sillonné le Royaume-Uni en un temps record pour filmer les adieux des candidats à leur famille et immortaliser leur découverte du manoir. Lorsque ces derniers avaient regagné leur chambre, ils avaient dû éteindre les bougies et démonter la cuisine portative de Joe Cobb.

Par voie de conséquence, la journée du samedi démarra sur un train de sénateur. Noah et Sadie, qui occupaient la seule chambre du rez-de-chaussée, se présentèrent les premiers au réfectoire peu avant midi et trouvèrent les deux chefs installés à une table, en train de lire les journaux du matin. Ces derniers leur proposèrent des œufs et du bacon, mais les deux adolescents, qui s'étaient empiffrés la veille de façon éhontée, n'avaient pas beaucoup d'appétit. Sadie se contenta d'un bol de céréales et Noah de deux toasts tartinés de Marmite[2], puis ils se rendirent dans la salle de bal, où seuls sept candidats — dont Dylan et Summer — les avaient précédés, effondrés sur des poufs devant la rangée d'écrans LCD.

---

2. Pâte à tartiner salée très populaire au Royaume-Uni. (*N.d.T.*)

À sa grande stupéfaction, Noah se reconnut sur l'un d'eux, roulant vers la porte de l'aéroport international George Best de Belfast.

— C'est quoi ce truc ? s'étrangla-t-il.

— Les rushes de la quotidienne, répondit une fille de Delayed Gratification. Un stagiaire a apporté le DVD il y a une heure.

Aux yeux des concurrents accoutumés à des programmes calibrés, ces images sans commentaire ni musique, aux niveaux de son variables et aux couleurs non étalonnées, respiraient l'amateurisme. Tous éclatèrent de rire quand ils virent Sadie pousser accidentellement le fauteuil de Noah contre un présentoir à lunettes, dans la zone *duty free* de l'aéroport. Puis Jay et Erin apparurent à l'écran, assis sur les tabourets du White Horse.

— *En fait, vous êtes les bouffons du programme. Comme cette vieille chanteuse qui tombe sur les fesses dans* Danse avec les stars *ou ce jongleur bigleux qui fait tomber une quille sur deux dans* Incroyable Talent.

Cet extrait suscita un mélange de cris d'indignation et d'applaudissements enthousiastes.

— Ouh, ça clashe dur ! s'exclama Dylan, après s'être assuré qu'aucun membre de Jet et de Brontobyte ne se trouvait dans la salle.

— Hier soir, ils n'ont pas arrêté de se friter, dit Sadie. Je ne serais pas surprise que ça dégénère en baston générale avant la fin du tournage.

— Sur le plan musical, Jet est largement supérieur à Brontobyte, dit Summer. Et Theo a une présence dingue !

— Mais carrément ! s'exclama la fille de Delayed Gratification. Il m'a sauté dessus dans la piscine, et je peux vous dire qu'il est super bien foutu.

Dylan était perdu dans ses pensées. Il ne voyait que les jambes de Summer, ses orteils adorables, sa poitrine divine, son sourire un peu las dessiné par des lèvres qu'il brûlait d'embrasser.

Depuis qu'il l'avait rencontrée, il n'éprouvait plus aucun intérêt pour Eve. Au fond, cette dernière n'avait été qu'un pis-aller, la première fille qui s'était présentée lorsqu'il avait quitté son pensionnat pour garçons. Objectivement, elle était sinistre, franchement dérangée, et sa propension à l'automutilation était carrément flippante. C'était une relation sans fondement ni avenir, à laquelle il avait tout intérêt à mettre un terme au plus vite.

Cependant, il était déterminé à remporter *Rock War*, et cette séparation risquait de créer des frictions au sein des Pandas of Doom.

— Où est-ce que tu vas ? demanda Leo lorsqu'il se leva et se dirigea vers l'escalier.

— Désolé, mais je crois que ça ne te regarde pas vraiment, fit observer Dylan.

Lorsqu'il entra dans la chambre d'Eve, il la trouva assise sur son lit, les jambes croisées, la sangle d'une guitare acoustique passée autour du cou.

— Salut ! lança-t-elle sur un ton joyeux.

— Tu es toute seule ? demanda Dylan.

— Max est dans la salle de bains. Grande nouvelle, l'une des maquilleuses lui a ordonné de raser sa vieille moustache d'ado.

— Excellente initiative, ricana Dylan en faisant courir une main dans ses cheveux. Dis-moi, je voulais te dire un truc…

— Je sais. Tu veux rompre avec moi.

Sous le choc, Dylan marqua un temps d'arrêt.

— Quoi ? Qu'est-ce qui te fait dire ça ?

— Je me trompe ?

— Non… c'est vrai, bredouilla Dylan. Mais comment tu as compris ?

Eve haussa les épaules puis posa la guitare sur le lit.

— La semaine dernière, tu ne m'as pratiquement pas touchée, sauf le jour où tu as bu la moitié de cette bouteille de whisky piquée dans le bar de ton père et que tu t'es pointé dans ma chambre en disant que tu voulais t'envoyer en l'air.

— Je me suis déjà excusé pour ça.

— Je sais. Ça m'a touchée. Surtout quand tu t'es mis à pleurer et à dire que tu étais désolé.

— On avait pas mal picolé, Max, Leo et moi. J'étais complètement déchiré.

— Ouais. Mais hier soir, à la piscine, j'ai bien vu la façon dont tu regardais cette fille. Tu sais, la blonde un peu débraillée. Sarah, je crois…

— Summer, rectifia Dylan.

— Alors tu confirmes ?

— Ouais, j'avoue. Tu m'as démasqué.

Eve esquissa un vague sourire.

— Tu es honnête, dit-elle. Je crois que c'est ce que j'aime le plus chez toi.

— Je n'ai aucun mérite. Si je dis toujours la vérité, c'est parce que je ne sais pas mentir. Alors, tu n'es pas trop triste ? Ça ne va pas causer des tensions au sein du groupe ?

— Ça ira, dit Eve en entortillant nerveusement une mèche de cheveux autour de son index. Je sais bien que ton pensionnat est une bulle et que tu n'as pas eu beaucoup d'occasions de rencontrer des filles.

— Mais tu as dû te sentir humiliée quand tu as remarqué que je regardais Summer. Si c'est le cas, je te supplie de m'en excuser. Et comme je sais que tu gardes toujours tout pour toi… si tu veux pleurer ou me hurler dessus, laisse-toi aller, mais s'il te plaît, ne recommence pas à te couper.

Eve posa une main sur le manche de la guitare.

— Ne t'inquiète pas pour moi. Je dois apprendre la chanson que Max a composée. C'est un duo acoustique, sans basse ni batterie.

Dylan lui adressa un sourire embarrassé, quitta la chambre et rejoignit la coursive. Il eut beau essayer de se convaincre que le dossier était clos, il savait qu'il avait blessé Eve. Et pour cette raison, il se sentait misérable…

8. Contre-exemple

Après le déjeuner, les concurrents transportèrent étuis, claviers et éléments de batterie jusqu'aux anciennes écuries, où avaient été aménagés douze locaux de répétition. Quelques groupes en profitèrent pour répéter, mais la plupart des résidents du manoir passèrent le reste de la journée à se reposer dans la salle de bal ou autour de la piscine.

Le lendemain, premier jour officiel d'apprentissage, les candidats furent répartis en quatre équipes, dont l'une était constituée de Jet, d'Industrial Scale Slaughter et des Pandas of Doom. En milieu de matinée, ils se rassemblèrent dans une petite salle de cours disposant de chaises, d'un bureau et d'un paperboard. Comme c'était à prévoir, Michelle et Theo s'installèrent côte à côte au dernier rang.

— Je m'ennuie déjà, dit ce dernier en lançant son crayon vers le faux plafond en polystyrène.

Puis une femme d'une cinquantaine d'années entra dans la pièce. Chacun reconnut immédiatement Helen Wing, ancienne présentatrice vedette de la météo reconvertie dans le media training. Depuis qu'elle avait quitté la télévision, elle dispensait ses conseils à d'importants chefs d'entreprise qui souhaitaient améliorer leurs prestations télévisées. Guère habituée à s'adresser à un public aussi jeune, elle leur expliqua quelques principes de base. Certains de ses élèves, comme Jay et Summer, l'écoutaient attentivement et prenaient des notes, mais les autres jouaient discrètement avec leur téléphone ou fabriquaient des avions en papier avec les feuilles qui leur avaient été distribuées.

— Si j'avais su qu'il y avait des cours, je serais resté chez moi, grogna Theo lorsque, au bout d'une heure, Helen Wing annonça une pause de cinq minutes. Eh, Michelle, si on se tirait ?

Leurs camarades intervinrent pour les en dissuader, leur rappelant que les incidents auxquels ils avaient été mêlés leur avaient déjà attiré les foudres de la production.

— Vous allez finir par tous nous faire virer, résuma Lucy, la sœur de Michelle. Et si ça se produit, je vous garantis que je vous le ferai regretter.

Au bout du compte, Theo et Michelle furent raccompagnés *manu militari* jusqu'à la salle pour assister à la deuxième partie du cours. Par chance, la leçon prit un tour beaucoup plus intéressant. Helen Wing invita les participants à la suivre en silence jusqu'à une pièce contiguë, où deux plateaux avaient été aménagés. Le premier, constitué de deux canapés et d'une table basse, évoquait les talk-shows télé du matin ; le second, une table circulaire hérissée de micros et entourée de chaises, reproduisait un studio de radio.

Dès que les candidats furent entrés, Meg Hornby, qui se tenait au centre du dispositif, s'adressa à la caméra.

— À la Rock War Academy, on ne fait pas que de la musique, dit-elle. On y apprend aussi toutes les facettes du métier de star. Car être célèbre n'a pas que des bons côtés. Dans un monde connecté vingt-quatre heures sur vingt-quatre, il faut être capable de gérer la pression médiatique et de répondre avec calme et naturel aux journalistes les plus insistants. Croyez-moi, c'est aussi important que de chanter juste ou de connaître la gamme pentatonique !

Elle resta figée pendant quelques secondes, le visage éclairé d'un sourire fabriqué, puis elle parla au cadreur à voix basse.

— C'est quoi la suite, déjà ?

— *Aujourd'hui, les douze groupes…*, souffla le technicien.

— Ah oui, zut, désolée, dit Meg, avant de retrouver son ton professionnel. Aujourd'hui, les douze groupes vont participer à un atelier média dirigé par la célèbre Helen Wing. À l'issue de ces sessions, les six meilleurs élèves seront récompensés : ils recevront un bon d'achat de cent livres offert par le magasin Eldridge et se rendront à Londres pour assister à la fête de lancement de Channel 3 !

Un second cadreur effectua un panoramique afin de capturer la réaction de candidats. Le résultat n'était pas à la hauteur de ses attentes. Ils semblaient sonnés, amorphes, comme si cette annonce peinait à se frayer un chemin dans leurs neurones.

— OK Meg, dit le premier cameraman. Recommence encore une fois depuis le début. Quant à vous, les enfants, tâchez d'avoir l'air un peu plus enthousiaste quand elle vous dévoile la récompense.

Tandis que la présentatrice répétait son texte, Helen Wing prit Jay à l'écart et lui remit une liste de questions.

— Tu vas jouer le rôle du journaliste, dit-elle. Ce script te donne quelques indications, mais tu peux improviser en fonction des réponses, si tu penses que c'est judicieux.

Lorsque Meg en eut terminé avec son discours d'introduction et eut quitté la pièce, Helen s'adressa à l'ensemble du groupe.

— Maintenant que nous avons survolé la partie théorique — la plus ennuyeuse, j'en suis bien consciente —, vous allez être mis en situation. J'ai plusieurs scénarios à vous soumettre, de l'interview radio classique au guet-apens dressé par un journaliste de presse écrite, qui vous coince devant le domicile de vos parents au moment où vous partez chercher du pain chez Tesco. Nous commencerons par une apparition à la fin d'un journal d'informations, comme *Newsnight* ou *Channel 4*

News. Jay tiendra le rôle du présentateur, et vu qu'il a suivi le cours avec *tellement* d'attention, Theo jouera l'invité.

Des rires fusèrent tandis que Jay et Theo prenaient place sur le plateau.

— C'est quand vous voulez, dit Helen.

Jay esquissa un sourire gêné, redressa le dos, puis s'efforça de parler d'une voix grave.

— Ce soir, notre premier invité est Theo Richardson, l'un des concurrents de la toute nouvelle émission de télé-réalité *Rock War*. Bonsoir Theo.

— Salut mec ! s'exclama ce dernier.

Helen lui lança un regard réprobateur.

— Theo, pouvez-vous nous dire quelques mots sur *Rock War* ?

— Eh ben, euh... c'est comme... un concours, quoi. Une sorte de télé-crochet. Mais centré sur le rock.

Helen leva une main pour interrompre l'exercice et se tourna vers ses autres élèves.

— Selon vous, qu'est-ce qui ne va pas chez Theo ?

— Il est moche, répondit Adam, soulevant l'hilarité générale.

— Il aurait dû préparer ses réponses, dit Summer.

— Exactement, confirma Helen. Et c'est pourquoi, tout à l'heure, je vous ai demandé de réfléchir aux quatre questions qui avaient le plus de chances d'être posées. Je suppose que la plupart d'entre vous ont deviné que le journaliste demanderait à son invité de définir le concept de l'émission. Seulement, Theo n'écoutait pas. En conséquence, s'il s'était trouvé en situation réelle, un million de personnes l'auraient entendu bredouiller comme un imbécile. Jay, question suivante.

Ce dernier s'éclaircit la voix.

— Cela fait plus de quinze ans que les programmes de télé-réalité occupent la case du samedi soir, et leurs audiences sont en baisse constante. *Rock War* ne risque-t-elle pas d'être l'émission de trop ?

— Vous pouvez penser ce que vous voulez, grogna Theo. On est en démocratie.

Jay était ravi d'avoir mis son grand frère dans une position délicate. Il en profita pour s'écarter du script.

— Merci pour cette réponse d'une haute portée intellectuelle, ironisa-t-il. Theodore, *Rock War* est un programme destiné à la jeunesse qui devrait, par définition, donner l'exemple à ses téléspectateurs. Or, selon nos informations, vous avez été exclu de trois établissements scolaires pour motif disciplinaire, et vous avez été reconnu coupable de nombreux délits.

Theo bondit de sa chaise et hurla :

— Si tu ne fermes pas ta gueule, tu feras ta prochaine interview les deux bras dans le plâtre !

— Bravo, intervint Helen. Je crois que nous avons là un parfait contre-exemple. Vous avez pu constater que ceux qui négligent le media training peuvent passer un très mauvais moment devant la caméra. Selon vous, qu'aurait pu répondre Theo à cette question embarrassante ?

— Il aurait dû noyer le poisson, répondit Coco d'Industrial Scale Slaughter. Répondre à la première partie de la question et ignorer la seconde.

— Exact, dit Helen. Qu'est-ce que ça aurait pu donner ?

— Un truc du genre : *Contrairement aux autres émissions de télé-réalité,* Rock War *exige beaucoup d'efforts et d'investissement. Ce sont pour moi des valeurs très positives pour la jeunesse. Au bout du compte, ceux qui auront travaillé le plus dur seront récompensés.*

— C'est parfait, s'enthousiasma Helen. Il est important de rester calme lorsqu'un journaliste essaie de vous intimider. Vous n'échapperez pas à ce genre de snipers qui n'ont que des questions négatives à la bouche. Il est important de leur faire comprendre dès la première attaque que vous n'êtes pas impressionnés.

Sur ces mots, d'un geste, elle invita Jay et Theo à quitter le plateau.

— À présent, nous allons travailler un scénario un peu plus tranquille : une interview de groupe, comme celles qui sont diffusées dans les émissions du matin. Industrial Scale Slaughter, installez-vous sur le canapé. Eve et Max, vous tiendrez le rôle des journalistes.

9. Chute libre

Assis au bord de son lit, Jay, armé de son caméscope, filmait son reflet dans le miroir de la penderie.

— Le cours de media training était sympa, et j'ai bien aimé les jeux de rôle. Helen nous a appris plein de trucs auxquels je n'aurais jamais pensé. Maintenant, je me sens prêt à affronter n'importe quel journaliste. Ensuite, on a été convoqués à un cours de danse.

» Quand on nous a annoncé ça, il a failli y avoir une émeute. En fait, la plupart d'entre nous considèrent que la danse et le rock sont deux choses totalement incompatibles. Alors le prof nous a forcés à regarder des vidéos de Queen et de Guns N'Roses sur scène. OK, ils ne suivaient pas un enchaînement précis façon Gangnam Style, mais si on les regarde avec attention, leurs mouvements étaient carrément chorégraphiques. Si vous en doutez, regardez Freddie Mercury délirer avec son pied de micro ou Axl Rose enchaînant les *high kicks*.

» Il faut reconnaître que le prof de danse était hyper marrant. À la fin, il a voulu qu'on essaie de faire le grand écart. Vu que je ne fais jamais de sport, ça n'a pas été une franche réussite. Mes frères, en revanche, s'en sont mieux sortis et Theo a fait son show devant la caméra. Quant à la pauvre Summer, elle a craqué son pantalon devant tout le monde. Bref, je n'aurais jamais cru dire une chose pareille, mais j'ai trouvé ça super sympa. Le prochain cours aura lieu jeudi, et j'avoue que je suis presque impatient d'y être.

» Cet après-midi, on va travailler nos instruments par pupitres. Il y a plein de rumeurs qui circulent parmi les guitaristes, parce qu'il paraît que notre prof est un musicien extrêmement célèbre. Certains parlent même de Keith Richards, des Rolling Stones. Sérieusement, quelles sont les chances qu'un milliardaire du rock débarque dans le Dorset pour nous donner un cours de gratte ?

» C'est cool, toutes ces activités. On a un emploi du temps chargé, mais on n'a pas pour autant l'impression d'être au collège, parce qu'on a tous la musique en commun et que personne ne nous bassine avec des disciplines pénibles comme les maths, l'histoire ou la chimie. Ici, j'apprends des choses qui m'intéressent vraiment, on ne nous donne pas de devoirs et on a plein de temps libre pour taper le bœuf ou faire les cons en salle de répète.

Estimant avoir fait le tour de la question, Jay mit fin à l'enregistrement. Il se sentait un peu coupable d'avoir traîné au lit alors que Babatunde, son compagnon de chambrée, était descendu tôt au réfectoire afin de pouvoir travailler son instrument avant le début des cours.

Après avoir enfilé une vieille paire de Crocs et tenté de mettre un peu d'ordre dans ses cheveux, Jay ouvrit la porte donnant sur la coursive du deuxième étage. Aussitôt, il fut aveuglé par deux spots braqués sur son visage. C'est à peine s'il put identifier Summer et Michelle lorsqu'elles se ruèrent vers lui en brandissant des seaux en plastique et l'arrosèrent de la tête aux pieds d'un liquide poisseux. Puis une seconde vague d'assaillants passa à l'action, le couvrant de farine et de boules de polystyrène extraites d'un des poufs de la salle de bal.

Après avoir titubé à l'aveuglette pendant quelques secondes sous les rires hystériques de ses agresseurs, il sentit des mains le saisir par les épaules et les chevilles, le soulever sans ménagement puis lui imprimer un dangereux mouvement de balancier au-dessus du vide.

— À la une ! lança Theo.

— À la deux ! s'exclama Adam.

Jay tenta vainement de se dégager.

— Lâchez-moi, bande de malades ! hurla-t-il.

Bien entendu, il ne craignait pas réellement d'être précipité deux étages plus bas. Ses frères, aussi dingues fussent-ils, n'étaient pas des psychopathes.

— À la trois ! crièrent-ils en chœur en le jetant par-dessus la rambarde.

En proie à la terreur la plus absolue, Jay eut l'impression que le temps se figeait.

Comment peuvent-ils faire ça ? Est-ce que je vais me briser la colonne vertébrale ? Est-ce que je vais mourir ? Non, c'est impossible. Je dois être en train de rêver.

Après trois secondes de chute libre, il n'atterrit pas sur le carrelage en damier de la salle de bal, mais pile au centre d'un trampoline déplacé depuis la pièce voisine. Il rebondit trois fois avant de s'immobiliser, ouvrit les yeux puis poussa un juron lorsqu'il aperçut la dizaine d'individus ricanants penchés six mètres plus haut, téléphones et caméras braqués dans sa direction.

— Vous êtes complètement dingues ! s'étrangla-t-il. Je vais vous massacrer !

Lorsqu'il s'assit, il vit Joseph et Zig Allen, hilares, approcher sous l'objectif de la cadreuse. Enfin, Babatunde lui tendit la main pour l'aider à descendre du trampoline.

— Désolé mec, mais c'était une idée de la prod pour te punir d'avoir loupé la première heure de cours.

— Qu'est-ce que tu racontes ? protesta Jay. Il est neuf heures et quart.

Babatunde secoua la tête.

— Non. Il est dix heures et demie.

— Mais j'ai vérifié l'horloge de la chambre avant de sortir…

— Alors il faut croire que quelqu'un a dû la bricoler. Ainsi que ton iPhone, d'ailleurs.

Jay n'en croyait pas ses oreilles.

— Espèce de salaud, grogna-t-il les jambes tremblantes.

Il venait de vivre l'expérience la plus terrifiante de son existence. Il aurait voulu hurler sa colère, mais les nombreuses caméras qui filmaient la scène l'en dissuadèrent. Il s'efforça alors de faire bonne figure et de laisser croire qu'il avait trouvé cette petite acrobatie plutôt grisante.

Adam et Theo empruntèrent un toboggan jusqu'au rez-de-chaussée. Malgré leur nature peu affectueuse, ils suivirent les indications de Joseph et prirent l'un après l'autre Jay dans leur bras, tachant à leur tour leurs vêtements de farine.

— Je vous déteste *tellement*, dit ce dernier, provoquant un éclat de rire général.

Tandis que les stagiaires se pressaient dans la salle pour évacuer et nettoyer le trampoline, on le conduisit à l'extérieur pour le doucher au jet d'eau. Alors qu'il s'apprêtait à regagner sa chambre, Meg l'intercepta et braqua un micro sous son nez.

— Alors Jay, c'était comment? demanda-t-elle.

— Eh ben, euh…

Aussitôt, il imagina Helen Wing le fusillant du regard pour avoir répondu à la question d'une journaliste par ces pathétiques bredouillements. Il se reprit aussitôt.

— Disons que c'était une façon très originale de commencer la journée.

— À quoi as-tu pensé pendant que tu tombais? demanda Meg.

— J'avais la trouille. Avec du recul, il est évident que mes frères ne m'auraient pas jeté dans le vide sans filet de protection, mais je n'ai pas vraiment eu le temps de réfléchir.

Et il faut bien avouer que Theo fait des trucs complètement dingues, de temps à autre.

Meg éclata de rire.

— Eh bien, on peut dire que tu as bon caractère, Jay ! Pour la peine, tu vas sans doute être heureux d'apprendre que tu es l'un des six candidats choisis pour assister à la fête de lancement, aujourd'hui même. Alors, qu'est-ce que tu penses de ça ?

— C'est cool, répondit Jay sur un ton faussement enthousiaste.

La vérité, c'est qu'il détestait les fêtes et s'y sentait toujours affreusement mal à l'aise. En outre, il était dégoûté de rater le cours de guitare de fin d'après-midi.

— Et maintenant, si vous n'y voyez pas d'inconvénient, je vais retourner dans ma chambre et tâcher de trouver une tenue digne de cet événement.

10. Ultrachic

Le front posé contre la vitre fumée de la limousine, Summer regardait défiler les rues de Londres pour la première fois. Jay, qui vivait dans cette ville depuis toujours, s'efforçait d'afficher un air blasé, même s'il n'avait pratiquement jamais mis les pieds dans le quartier ultrachic de Mayfair. Theo, lui, s'intéressait surtout aux voitures de luxe garées le long des trottoirs. Il était intarissable sur le sujet.

— ... et puis le problème, quand tu piques une Mercedes, c'est le frein à main sous forme de pédale, dit-il. La première fois, j'ai mis tellement de temps à comprendre ça que j'ai failli me faire gauler par le propriétaire.

Noah adorait les histoires de Theo. Il souffrait du manque d'indépendance à laquelle le condamnait son handicap. Ces récits mêlant vols, sexe et bagarres étaient comme une fenêtre ouverte sur un monde libre et sauvage.

— Dis-moi, Theo, intervint Jay, tu réalises que tu viens d'avouer une vingtaine de crimes en dix minutes ?

— Et alors ? Il n'y a pas de caméras dans cette bagnole, que je sache.

Jay désigna une petite demi-sphère noire fixée au plafond du véhicule.

— Ah bon, tu es sûr ?

Theo s'approcha du dispositif et l'étudia d'un œil suspicieux.

— C'est de l'espionnage, protesta-t-il. Une violation de la vie privée.

— Angie nous a expliqué qu'on serait filmés sur le trajet, mais tu étais trop occupé à draguer la fille de Delayed Gratification.

Theo fixa la caméra.

— Vous m'entendez là-dedans ? Ouais, c'est vrai. J'ai piqué toutes ces bagnoles. Et si vous, les monteurs, vous utilisez ces séquences, je vous retrouverai, je vous couperai les bijoux de famille et je les filerai à bouffer à mes chiens.

Quelques secondes plus tard, la limousine s'immobilisa devant le grand magasin Eldridge, puis deux employés en uniforme ouvrirent les portières.

À l'évidence, en dépit des déclarations officielles, les six candidats n'avaient pas été choisis en raison de leur réussite aux exercices de media training, mais dans le seul but de gonfler les audiences. Theo s'était planté en beauté, mais la production misait sur son physique et son attitude rebelle. Alfie, le bassiste de Brontobyte, était le plus jeune concurrent en compétition. Avec son visage enfantin, on lui donnait à peine dix ans. Summer était la fille fauchée plongée dans un univers glamour, Eve l'Écossaise emo un peu snob, Noah le garçon handicapé qui faisait face aux difficultés avec un optimisme à toute épreuve. Jay, quant à lui, peinait à comprendre ce qu'on pouvait bien lui trouver de remarquable…

Après trois jours passés à la Rock War Academy, ils s'étaient habitués à être filmés, mais ce tournage dans un lieu public constituait une expérience inédite. Le directeur du magasin leur serra chaleureusement la main puis leur remit les bons d'achat promis. Enfin, ils formèrent des binômes puis s'éparpillèrent dans l'établissement, pris en chasse par trois cadreurs. Noah et Theo filèrent droit vers le rayon jeux vidéo, Eve et Summer vers l'étage dédié à la mode féminine, et Jay se retrouva seul en compagnie d'Alfie. Ils s'étaient à peine adressé la parole depuis que Jay avait été exclu de Brontobyte et ils se sentaient tous deux un peu mal à l'aise.

— Ça va, toi ? demanda Alfie.

— Ouais, super, répondit Jay. Je ne t'en veux pas, tu sais. J'ai parfaitement conscience que tu as voté contre moi parce que tu avais peur de Tristan.

— Et aussi parce que c'est mon frère. Ma mère n'arrête pas de me répéter que les membres d'une même famille doivent toujours rester soudés, quelles que soient les circonstances.

— Alors, comment ça se passe pour Brontobyte ? Les répétitions et tout ça ?

— C'est cool, répondit Alfie. Les autres me laissent un peu plus de liberté. Je joue de la guitare et même de la batterie sur certains morceaux, quand Tristan fait les chœurs avec Erin.

— Je suis content pour toi. Je t'ai toujours trouvé bien meilleur que Salman et Tristan.

— Il a toujours la rage contre toi. Il dit qu'il t'aurait cassé la gueule depuis longtemps si tu n'étais pas constamment avec tes grands frères.

Les deux garçons firent halte devant un interminable mur de baskets. Jay s'offrit des Converse et de nouvelles chaussures de piscine pour remplacer ses Crocs défoncées. Alfie choisit une paire de Nike, mais le vendeur l'informa que sa pointure n'était disponible qu'au rayon enfant.

En chemin, ils essayèrent tous les nouveaux gadgets en exposition au rayon jouets. Jay acheta des petits cadeaux pour Hank, June et Patsy, les plus jeunes enfants de son clan. Alfie fit l'acquisition d'un jeu d'éveil Fisher Price.

— Tristan va adorer, ironisa Jay. Sans blague, c'est pour qui ?

— Tu n'es pas au courant ? Ma mère est enceinte. C'est pour novembre.

— Sans déconner ? C'est dingue. Je n'avais pas réalisé qu'elle pouvait encore avoir des enfants à son âge...

Ne disposant que de quatre-vingt-dix minutes pour utiliser leurs bons d'achat, ils dépensèrent à la hâte ce qui leur restait au rayon papeterie, puis ils retrouvèrent leurs camarades près de l'entrée principale.

Un cadreur les filma en train de franchir la porte à tambour encombrés de sacs violets ornés du logo Eldridge puis marcher en file indienne jusqu'à la limousine stationnée le long du trottoir.

— C'était génial, s'exclama Summer lorsque le véhicule se remit en route.

Puis, sur un ton coupable, elle ajouta :

— Je n'arrive pas à croire que je viens de dépenser quatre-vingt-dix livres en parfum. À la maison, ça équivaut à deux semaines de nourriture.

— Mais tu sens déjà tellement bon, dit Jay, qui ne pouvait s'empêcher de l'imaginer nue.

— Merci, roucoula-t-elle en baissant les yeux.

Dix minutes plus tard, ils débarquèrent à Savile Row[3] et empruntèrent un escalier menant au salon d'essayage d'un tailleur. La production n'ayant pas pris en compte le handicap de Noah, Theo dut le porter sur ses épaules.

— C'est l'actrice de *Pebble Cottage*, chuchota Summer en croisant une élégante femme d'une quarantaine d'années à l'entrée de l'atelier.

— De qui de quoi ? demanda Theo.

— C'est un soap opera qui passe sur Channel 3. Ma grand-mère ne rate jamais un épisode.

Deux essayeuses accueillirent les candidats. L'une d'elles accompagna les filles dans la pièce voisine, l'autre consulta son bloc-notes.

— *Rock War* ? s'étonna cette dernière. Jamais entendu parler. C'est une nouvelle émission ?

Alors que Jay s'apprêtait à répondre, Theo lui grilla la politesse.

---

3. Rue de Londres mondialement célèbre pour ses boutiques de tailleurs haut de gamme.

— Ouais. Comme son nom l'indique, c'est un concours télévisé qui désignera le meilleur géologue du Royaume-Uni. On doit creuser des trous, trouver le minerai le plus rare possible puis se jeter des cailloux à la tronche. Le premier candidat assommé sera livré en pâture aux pandas du zoo d'Édimbourg.

Alfie et Noah éclatèrent de rire, mais la femme les fusilla du regard.

— Je n'ai pas le temps de plaisanter, jeune homme, dit-elle en ôtant la housse d'une penderie roulante.

Dans la famille de Jay, le port du costume était réservé aux mariages et aux comparutions devant le tribunal. Lorsqu'il eut revêtu la tenue qui lui était proposée, il étudia son reflet dans le miroir : chemise bleu ciel, cravate en soie, pantalon à pinces gris ardoise et veste en tweed rouge foncé. Il se trouvait absolument irrésistible.

— Alors, qu'en dis-tu ? demanda la femme.

— C'est super, dit Jay, hypnotisé par sa propre image. Je n'aurais jamais choisi ces couleurs, mais j'avoue qu'elles vont très bien ensemble.

— Contente que ça te plaise, dit la femme en posant un genou à terre.

Elle passa près de dix minutes à poser des épingles et à tracer des marques à la craie de couturier.

— Les vêtements retouchés seront livrés à votre hôtel vers dix-sept heures, expliqua-t-elle.

Theo se montra moins docile. Il se plaignit de son col trop étroit et affirma par provocation avoir besoin de plus d'espace au niveau de l'entrejambe.

— Ouille, gémit-il, lorsque l'essayeuse le piqua – accidentellement ou pas – avec une épingle.

— Je suis désolée, dit-elle sur un ton amusé. Mais si vous ne restez pas parfaitement immobile, ça risque de se reproduire.

À cet instant, la porte de la pièce voisine s'ouvrit et Summer fit son apparition. Elle portait une robe courte en soie blanche dépourvue de bretelles, des bottes western en peau de serpent et un pendentif en forme de croix ornée de douze énormes diamants. Aux yeux de Jay, elle était sublime, époustouflante, à la fois rock et glamour.

— Wow ! lâcha-t-il. Tu es *incroyable*.

— C'est gentil, soupira modestement Summer. Mes cheveux sont encore un peu en vrac, mais quelqu'un viendra nous coiffer à l'hôtel.

— Nom de Dieu ! s'étrangla Theo. Tu es tellement canon ! Est-ce que tu accepterais de m'épouser ?

Mais à peine eut-il formulé cette question qu'un nouveau coup d'épingle mal placé lui arracha un cri perçant…

11. Champagne

Telle une star hollywoodienne, le cou scintillant de diamants, Summer descendit de la limousine. Eve, gainée dans une robe de cuir noir zébrée de fermetures Éclair, la rejoignit sur le trottoir.

Jay, qui se trouvait fière allure, apparut à son tour. Le coiffeur avait désépaissi sa chevelure, passé ses tempes à la tondeuse et formé des pointes à l'aide de gel extrafort.

Quelques dizaines de flashs crépitèrent, mais sur les trois journalistes postés le long du tapis rouge, un seul s'approcha pour brandir son micro au visage de Jay.

— Vous avez l'air en pleine forme, dit-il. Avez-vous complètement récupéré depuis le tournage?

— Euh... ouais.

Une nouvelle fois, Jay se remémora les conseils dispensés par Helen Wing : *sourire, se montrer enthousiaste, éviter les* euh *et les* ouais.

— Nous avons passé une excellente journée, se reprit-il. La balade à Londres en limousine était très agréable, notre hôtel est fantastique et nous sommes impatients de rencontrer les stars de Channel 3.

— Il paraît que vous vous êtes fait mal au dos en tournant *Les Voyages de Gulliver.* Est-ce que ça va mieux?

— Qu'est-ce que... qu'est-ce que vous voulez dire?

— Vous êtes Hugo Portman, n'est-ce pas? Le comédien?

— Non... non, pas du tout. Je suis Jay Thomas, de *Rock War.*

— Ah… Je vois… Vous voulez parler de cette nouvelle émission de télé-réalité…

— Voilà, c'est ça ! se réjouit Jay.

Mais son interlocuteur, sans ajouter un mot, tourna les talons et rejoignit ses collègues. Quelques instants plus tard, une autre limousine ralentit devant l'entrée du Muséum d'histoire naturelle. Lorsqu'un homme d'une trentaine d'années en descendit, quelques fans massés derrière les barrières prirent des photos et tendirent leur carnet d'autographes. Jay eut beau se creuser la cervelle, il fut incapable de mettre un nom sur son visage.

À l'entrée du musée privatisé pour la nuit, les six candidats de *Rock War* retrouvèrent l'attachée de presse de Venus TV, une jeune femme prénommée Jen.

— Je vais tâcher d'organiser des interviews avec les journalistes, alors restez dans les parages, que je n'aie pas à vous courir après toute la soirée.

Dans le hall baigné d'une lueur verte assez macabre, ils trouvèrent un buffet dressé au pied d'un imposant squelette de diplodocus. Theo vida coup sur coup deux coupes et en attrapa une troisième. Ses camarades, plus prudents, vérifièrent à plusieurs reprises qu'ils n'étaient pas observés avant d'oser tremper leurs lèvres dans le champagne.

— Je me demande à quoi pouvait bien ressembler une merde de dinosaure, dit Theo en considérant le squelette. Au moins de la taille d'une Mini, je dirais…

N'ayant aucune intention d'engager un débat à ce sujet, Jay fit mine de n'avoir rien entendu et se perdit dans la foule, constituée majoritairement de journalistes et de professionnels de la publicité. Jen, l'attachée de presse, entraîna Noah et Summer à l'écart pour répondre à l'interview d'un magazine pour adolescents. Eve se fit alpaguer par un individu à l'haleine alcoolisée et à la cravate tachée qui prétendait travailler à la production de *Pebble Cottage*, un raseur dont elle eut toutes les peines à se débarrasser.

Après avoir sifflé sa quatrième coupe de champagne, Theo sentit la tête lui tourner. Il entama une discussion avec la présentatrice de l'émission pour enfants *Sunshine City*, une fille aux traits juvéniles qu'il avait souvent vue faire des bonds en salopette rose sur la télé du salon familial. Ils ne tardèrent pas à flirter outrageusement, à chahuter et à se montrer leurs tatouages.

Jay, lui, se retrouva seul, assis devant une table couverte de dossiers de presse consacrés aux divers programmes de Channel 3. La qualité de ces documents traduisait l'importance du budget alloué à leur promotion : celui d'une série policière allemande dont la diffusion était fixée à deux heures du matin tenait en deux feuilles A4 réunies par une agrafe ; ceux des programmes les plus favorisés par la chaîne ressemblaient à des brochures publicitaires pour véhicules de luxe.

Le dossier de presse de *Rock War* était une banale chemise en carton orange ornée d'un autocollant. Tandis que Jay le feuilletait, cherchant sa photo dans les pages dédiées aux candidats, un échalas à lunettes s'empara d'un autre exemplaire du document.

— Tu as entendu parler de ça ? dit-il à la femme qui l'accompagnait. C'était censé être le programme phare de la rentrée. Rage Cola a investi des millions en sponsoring. Mais quand KT a signé pour une nouvelle saison, l'émission a été reprogrammée à dix-sept heures trente, dans la case réservée aux préados.

Summer s'assit à côté de Jay et posa sa coupe vide sur la table.

— C'est la première fois que je bois du champagne, dit-elle d'une voix un peu traînante. C'est délicieux, mais ça m'est monté directement à la tête.

— Et l'interview, comment ça s'est passé ?

— Pas mal, dit-elle en attrapant à son tour un dossier de presse. C'était un magazine pour gamins. *Mad House* ou *Mad Hat*, un truc comme ça.

— Jamais entendu parler, dit Jay.

— Pourquoi notre dossier de presse se trouve-t-il parmi ceux des émissions jeunesse ? s'étonna Summer.

Ce détail avait jusqu'alors échappé à Jay : le document consacré à *Rock War* était rangé avec les dossiers de présentation de *Panda Club* et de *Ferry Belle Island*.

— Ah ouais, dit-il en fronçant les sourcils. Il y avait un type ici, il y a quelques instants, qui disait que la diffusion de *Rock War* serait à dix-sept heures trente.

— Même pas en *prime time*, dit Summer l'air déçu. Et s'ils visent un public aussi jeune, on peut oublier ce que nous a dit Zig Allen sur la priorité donnée à la musique et le côté un peu sauvage du programme.

Soudain, la pénombre se fit, puis un homme en costume gris, micro en main, grimpa sur une petite scène dressée dans un angle de la salle. Le logo de Channel 3 apparut sur les deux écrans qui l'encadraient.

— Eh bien, nous y voilà, dit l'individu. Il y a huit ans, les spécialistes des médias estimaient qu'il n'y avait pas de place pour une sixième chaîne de divertissement au Royaume-Uni. Aujourd'hui, Channel 3 est rentable, innovante, et elle offre les tarifs publicitaires les plus compétitifs.

Quelques applaudissements résonnèrent sur les murs de pierre de la salle.

— Une émission est emblématique de notre percée dans le marché de l'audiovisuel, la première à s'être hissée dans le top dix. C'est le tremplin qui a allumé la flamme de nos équipes créatives, qui a forgé le rapport de confiance qui nous unit depuis à nos partenaires commerciaux. Il y a deux ans, lorsque ce programme s'est interrompu, nous avons tous eu l'impression qu'un chapitre de notre histoire se refermait à jamais...

L'homme observa un silence théâtral puis s'exclama :

— Mais ce soir, je suis en mesure de vous annoncer officiellement que *Pop Machine* sera de retour sur Channel 3 cet automne !

S'ensuivit un vacarme infernal où se mêlaient applaudissements, exclamations enthousiastes et manifestations de stupeur.

Se souvenant des propos de l'homme aux lunettes, Jay comprit aussitôt ce que signifiait ce discours : *Rock War* avait cédé sa place en *prime time* pour permettre le grand retour de *Pop Machine*, le plus grand succès de l'histoire de Channel 3...

12. Pop Machine

— Mais je pense avoir suffisamment abusé de votre patience, dit l'homme au micro. Chers partenaires et collègues, je vous demande d'accueillir sans plus tarder la seule, l'unique, l'irremplaçable… Karen Trim !

Une petite femme aux épaules larges et aux traits masculins sauta sur la scène. Surnommée « le Tank » par les membres de la profession, elle avait la réputation de tout écraser sur son passage. Elle avait amassé une fortune considérable en développant des émissions de télé-réalité dont les concepts avaient été vendus dans le monde entier. *Pop Machine* était sa réussite la plus éclatante.

Elle avait fait partie du jury durant les quatre premières saisons. Ses remarques acides, souvent humiliantes, avaient brisé bon nombre de candidats. Une compilation de ses attaques les plus violentes avait généré plus de cinquante millions de vues sur YouTube.

— Je suis de retour, mes petits chéris ! hurla-t-elle les bras levés, en adressant à l'assistance son sourire le plus carnassier. Et comme les discours m'ennuient, je vais vous laisser poser vos questions.

Journalistes et photographes jouèrent des coudes au pied de la scène.

— Ferez-vous de nouveau partie du jury ? demanda une jeune femme en brandissant un petit enregistreur numérique.

— Oui, vous pouvez compter sur moi ! Les noms des deux autres jurés seront annoncés dans les jours à venir.

— Et qu'en est-il de la version américaine de l'émission ?

— Nous avons signé pour trois saisons supplémentaires et développons un programme entièrement consacré à la country music qui sera diffusé sur CMTV au printemps 2016.

— Pourquoi ressusciter *Pop Machine* ? demanda Noah, qui s'était placé sur un flanc de la scène. Channel 3 n'a-t-il pas supprimé l'émission il y a deux ans parce que les audiences étaient en chute libre et que tout le monde jugeait le format démodé ?

Karen Trim regarda son interlocuteur droit dans les yeux, se tourna vers l'assistance et décocha un sourire maléfique.

— Je suis de retour ! répéta-t-elle. Qu'on se le dise !

— Pourquoi vous ne répondez pas à ma question ? insista Noah.

Karen lui tourna ostensiblement le dos, remit son micro à un assistant puis quitta la scène, l'air renfrogné.

Tandis que les journalistes et les photographes se dispersaient dans la salle, Theo rejoignit Noah et lui en tapa cinq.

— Tu as assuré, mec ! dit-il en lui tendant une coupe de champagne. Tu l'as carrément fait fuir !

— Où est passée ta nouvelle copine ?

— Elle a dû partir répondre à une interview, répondit Theo en brandissant son téléphone. Mais elle m'a filé son numéro !

— Je suis content pour toi, dit Noah, qui ne pouvait pour autant s'empêcher de jalouser son camarade.

Summer et Jay vinrent à leur tour le féliciter.

— La tête qu'elle a faite ! s'esclaffa ce dernier. Je te jure, c'était tordant !

Fendant la foule comme une furie, Jen semblait beaucoup moins enthousiaste.

— Nom de Dieu, mais qu'est-ce qui t'a pris, Noah ? Karen était censée répondre aux questions des journalistes pendant dix minutes, et tu as foutu la conférence de presse en l'air ! Je peux te dire que les directeurs d'antenne sont absolument furieux.

Puis elle remarqua la coupe de champagne que tenait Noah.

— Oh, ne me dis pas que tu as bu !

— C'est du jus de pomme pétillant, mentit Noah, sans parvenir à réprimer un sourire.

— Je ne suis pas stupide, tu sais ? gronda Jen en lui arrachant son verre. Vous tous, je vous défends de boire une goutte de plus. Vous n'imaginez pas les problèmes que je vais avoir avec mon boss dès demain matin.

— Quelque chose me dit que nous ne sommes pas les seuls responsables de votre mauvaise humeur, dit Jay en haussant un sourcil. Il paraît que *Rock War* va être transformée en émission pour enfants, maintenant que cette sorcière a signé pour une nouvelle saison de *Pop Machine*.

L'expression de Jen traduisait un profond embarras.

— Il est vrai que la case de dix-sept heures trente n'est pas aussi prestigieuse que celle prévue à l'origine, mais nous n'avons pas l'intention d'apporter des changements au programme.

— Ça craint, dit Theo d'une voix un peu pâteuse, les yeux rivés au décolleté de Jen.

— Mon Dieu, tu es complètement soûl, soupira Jen. De quoi vais-je avoir l'air si je te décroche une interview et que tu bredouilles comme un ivrogne ?

Noah désigna la foule des invités qui se pressaient au fond de la salle pour emprunter la sortie de secours.

— Ça m'étonnerait que ça arrive, dit-il. Tous les journalistes sont déjà en train de lever le camp. Il est évident qu'ils ne s'intéressent qu'au retour de *Pop Machine*.

— Il n'y a pas que les journalistes, dit Jen. *Rock War* est une émission à gros budget, et comme elle a été décalée à un horaire moins profitable, nous devons aussi réduire les sponsors et les annonceurs. Je vais tâcher de vous présenter des personnes importantes, mais je vous supplie de vous comporter correctement.

— Et sinon ? grommela Theo. Vous comptez avoir recours aux châtiments corporels ? Désolé, mais je n'ai pas signé pour traîner dans ce genre de pince-fesses. Cette soirée est à peu près aussi rock qu'une soirée de première à l'opéra.

— Très bien, faites ce que vous voudrez ! tempêta Jen. Vous pouvez saboter l'émission si ça vous chante. Moi, je m'en lave les mains.

Sur ces mots, elle tourna les talons puis disparut parmi les invités en pianotant nerveusement sur son téléphone.

— Quelqu'un aurait-il la gentillesse d'aller me chercher une petite coupe ? demanda Noah.

— Ça, c'est une idée, dit Theo.

— Il faut que j'aille aux toilettes, dit Summer avant de s'éloigner d'une démarche légèrement hésitante.

Theo posa une main sur l'épaule de Jay.

— Tu devrais l'accompagner, dit-il.

— Elle n'est pas soûle à ce point. Elle se débrouillera très bien toute seule.

— La vache, tu ne comprends vraiment rien aux filles… Tu ne vois donc pas qu'elle craque pour toi ?

— Summer ?

Theo leva les yeux au ciel.

— Non, le pape.

— Vraiment ?

— Dis-moi, tu n'es pas censé être le plus intelligent de la famille ? Mais ça crève les yeux, mec ! Elle te cherche tout le temps du regard, elle n'arrête pas de te sourire et elle a même posé une main dans ton dos sans raison valable. Tu es aveugle ou quoi ?

— Je n'ai absolument rien remarqué, dit Jay, plongé dans un abîme de perplexité.

— Babatunde, Adam et la moitié des mecs du manoir lui tournent autour. Si tu ne saisis pas ta chance ce soir, tu pourrais le regretter jusqu'à la fin de tes jours.

— Alors qu'est-ce que je fais ?

— Sans blague, il faut vraiment que je te fasse un dessin ? Tu es déjà sorti avec une fille, n'est-ce pas ?

— Bien sûr, confirma Jay sur un ton qui se voulait détaché.

En vérité, sa seule expérience en la matière tenait en un unique baiser sur les lèvres qui n'avait pas duré plus de cinq secondes.

Le cœur battant, il se dirigea vers la porte des toilettes pour femmes, où Summer s'était déjà engouffrée. Il patienta dans le couloir pendant de longues minutes, si longtemps qu'il finit par se persuader qu'ils s'étaient manqués et qu'elle avait déjà regagné la salle.

— Dieu merci, tu es ici ! s'étrangla-t-elle, l'air affolé, lorsqu'elle sortit enfin.

— Qu'est-ce qui t'arrive ? C'est… c'est du sang sur ta robe ?

— Celui d'Eve, pas le mien, expliqua Summer avant de le prendre par la main et de l'entraîner dans les toilettes.

Lorsqu'elle poussa la porte de la cabine centrale, Jay découvrit Eve en larmes, affalée sur la cuvette, une masse de papier-toilette taché de sang plaquée sur son ventre.

— Qu'est-ce qui s'est passé ?

— Je crois… je crois qu'elle s'est fait ça elle-même, bredouilla Summer.

Sur le carrelage, Jay découvrit un petit morceau de métal — sans doute une pièce arrachée au distributeur de papier.

— Eve, qu'est-ce que tu as fait ? demanda-t-il glacé d'effroi.

— Je ne me sentais pas bien…, sanglota-t-elle. Trop de champagne, trop de bruit, trop de gens autour de moi… Et Dylan m'a plaquée, vous savez ? Alors je me suis coupée. Je fais souvent ça quand je suis mal.

Jay était sous le choc. Il n'y comprenait strictement rien.

— Automutilation, dit Summer, le regard sombre.

— Il faut appeler les secours.

— Ne fais pas ça, supplia Eve. S'ils découvrent ce qui s'est passé, la prod pensera que je suis folle et je serai obligée de quitter la compétition, ainsi que tous les autres Pandas of Doom.

— Elle a raison, dit Summer. On pourrait peut-être la raccompagner discrètement à l'hôtel.

— Et si elle a besoin de points de suture ? Et si la blessure s'infecte ?

— Ça ne risque rien, assura Eve. C'est superficiel. J'ai encore trente livres sur moi, largement de quoi prendre un taxi.

Jay et Summer échangèrent un regard inquiet.

— Eve, dit cette dernière, j'ai du sang plein ma robe et je ne suis pas certaine que tu sois en état de marcher.

— Il fait sombre dans la salle, répondit sa camarade. Personne ne nous remarquera, je t'assure. On va sortir d'ici, suivre le tapis rouge et prendre un taxi à la station située juste en face du musée.

— Très bien, dit Jay en invitant Eve à placer un bras autour de son cou. Summer, prends son sac et marche juste derrière nous de façon à ce que personne ne voie les taches sur ta robe…

∴

Lorsque Jay se réveilla dans sa chambre d'hôtel, l'horloge affichait dix heures. Échaudé par la blague de la veille, il jeta un œil à Sky News pour en avoir le cœur net. Theo ne se trouvait pas dans le lit voisin.

Il se traîna jusqu'à la salle de bains et étudia son reflet dans le miroir. Ses cheveux, si savamment hérissés la veille, formaient désormais une masse plate et brillante de gel. Après s'être vidé la vessie, il regagna la chambre, prit son téléphone et se connecta au réseau Wi-Fi de l'hôtel. Il consulta ses messages WhatsApp puis ouvrit l'article Wikipedia consacré à l'automutilation.

> L'**automutilation** *désigne un désordre psychologique consistant à s'infliger intentionnellement des blessures sans intention suicidaire.*

Jugeant le reste de la page un peu trop scientifique à son goût, il consulta plusieurs blogs tenus par des jeunes filles victimes de ce trouble. Il eut beau lire ces témoignages, il ne parvenait pas à comprendre que l'on puisse apaiser son mal-être par la douleur.

Enfin, il effectua une recherche par images, mais détourna rapidement le regard devant les photos affreuses qui s'affichèrent à l'écran. Il ferma le navigateur et se promit de garder un œil sur Eve durant leur séjour à la Rock War Academy.

Le service du petit déjeuner étant terminé et le retour au manoir prévu pour onze heures, il décida de prendre une douche puis de s'offrir un McMuffin au McDonald's situé en bas de la rue. À l'instant où il retirait son T-shirt, la porte de la chambre s'ouvrit à la volée.

— Salut tombeur ! s'exclama joyeusement Theo. Je suis tellement fier de toi !

Vêtu d'un short Jack Wills, il portait son maillot d'entraînement à la main. Son torse ruisselait de sueur.

— Wow, tu schlingues, grogna Jay en se pinçant le nez.

— J'ai fait un peu de muscu à la salle de gym, puis j'ai couru cinq kilomètres sur le tapis de course. C'est le meilleur remède contre la gueule de bois.

— Il faut dire que tu n'étais pas frais hier soir. Je ne savais pas que tu avais une telle descente.

— Je ne suis pas du genre à cracher sur du champagne gratuit, ricana Theo. Et toi ? Comment ça s'est passé ? Tu as fait des folies de ton corps, espèce de dépravé ?

— Je ne sais pas de quoi tu parles.

Il n'était pas question pour Jay de lui dire un mot de ce qui s'était passé la veille car son grand frère était aussi discret que le carillon de Big Ben.

— Allez, quoi, raconte, insista ce dernier. Tu es allé retrouver Summer, et on ne vous a plus revus du reste de la soirée.

Ébranlé par le drame de la veille, il n'avait pas préparé d'explication pouvant justifier cette disparition.

— C'était ta première fois ? demanda Theo très enthousiaste. Ne t'inquiète pas si ça ne s'est pas super bien passé. Ça arrive à tout le monde, tu sais.

— Ne t'emballe pas, dit Jay. On a juste discuté. On était tous les deux furieux à cause de l'annonce du retour de *Pop Machine.* On n'avait pas envie de retourner faire la fête.

— Vous avez *discuté* ? répéta Theo l'air incrédule. Je te branche sur une fille sublime, et toi, tu *discutes* ? Je te jure, des fois, j'ai honte d'être ton frère.

— De toi à moi, faire partie de ta famille n'est pas toujours non plus un motif de fierté.

Theo fronça les sourcils et brandit un poing serré. Jay, qui connaissait par cœur ces manœuvres d'intimidation, savait qu'il n'avait rien à craindre.

— Bon, il faut que je prenne une douche, dit Theo.

— Justement, j'étais sur le point de…

Jay reçut le maillot trempé de sueur en plein visage, une attaque déloyale qui le dissuada d'achever sa phrase.

— *Discuter*, soupira Theo, affligé, en s'enfermant dans la salle de bains. Je crois qu'il va te falloir une formation accélérée si tu veux avoir une chance de ne pas mourir puceau, jeune padawan !

13. Légendaire

LE CHOIX DU JOUR : Rock War Academy, jeudi 6 août, 19 h 00, sur 3point2

Il y a quelques mois, Channel 3 annonçait le lancement de Rock War, *l'émission qui, à en croire ses porte-parole, devait enrayer la baisse constante de ses audiences. Passée au second plan dès l'annonce du retour surprise de* Pop Machine, Rock War *devra se contenter d'un lancement limité sur une chaîne obscure du réseau câblé. Dans ces conditions, elle risque fort de finir au cimetière des programmes d'été.*

Le premier volet de l'émission, baptisé Rock War Academy, *est censé aiguiser l'appétit du public et le préparer à* Rock War Battle Zone, *une série d'émissions en direct diffusées sur Channel 3 dès le mois de septembre.*

En dépit de quelques maladresses, comme la présence sur chaque plan de l'envahissant logo du sponsor Rage Cola et une scène d'un goût douteux où un candidat a été jeté du haut d'une coursive, ce programme n'a pourtant pas que des défauts. Si le style documentaire façon caméra à l'épaule n'a pas le glamour des productions Karen Trim, on se laisse volontiers captiver par les tribulations très réalistes de ces quarante-huit aspirants rock stars.

TV Week Magazine

DIX JOURS PLUS TARD

Theo n'avait aucun don particulier pour le chant, mais sa présence scénique et sa tenue vestimentaire provocante compensaient amplement cette lacune.

Babatunde aurait pu jouer dans n'importe quel groupe professionnel. Sa frappe était monstrueuse, à tel point que les techniciens avaient dû installer un paravent insonorisé en Plexiglas autour de sa batterie.

Adam, le bassiste, jouait parfaitement en place, avec rigueur et précision.

Jay n'avait pas osé ôter son T-shirt. Il ruisselait littéralement de sueur.

Tandis que les membres de Jet jouaient les dernières notes de leur reprise de *Sweet Emotion* d'Aerosmith, Theo, électrisé, renversa violemment son pied de micro. Shorty eut beau faire un pas d'écart, le dispositif lourdement lesté l'atteignit à la jambe.

Les autres techniciens présents dans le local de répétition se tournèrent vers Joseph, qui leur fit signe de continuer à tourner.

— *Yeah!* lança Jay en lançant l'ultime accord.

— Eh, mais c'est qu'on deviendrait presque bons, dit Adam. Qui aurait cru qu'il suffisait de bosser pour progresser ?

Il régnait dans le studio une chaleur étouffante. Babatunde, qui n'ôtait jamais la capuche de son hoodie, sentait la tête lui tourner. Il bondit de son tabouret et enjamba les câbles d'alimentation de l'éclairage. Il attrapa une bouteille d'eau minérale puis, dès qu'il eut franchi la porte donnant vers l'extérieur, la vida sur sa tête jusqu'à la dernière goutte.

Après avoir vérifié que sa caméra n'était pas endommagée, Shorty étudia sa jambe et constata qu'une longue coupure barrait son tibia.

— Tu es malade ou quoi ? cria-t-il en lançant à Theo un regard assassin. Tu aurais pu m'assommer, espèce d'abruti ! Et je te signale que cette caméra coûte six mille dollars !

Theo haussa les épaules et afficha un sourire narquois.

— Je te fais marrer ? gronda Shorty. Je travaille, moi, espèce de sale petit con irresponsable.

— Eh bien, tu n'as qu'à changer de job si tu n'es pas content, rétorqua Theo. Il paraît qu'ils cherchent des équipiers chez McDonald's, mais je doute que tu aies la taille minimum requise.

Joseph était partagé. En tant que cadre de l'équipe de production, il devait veiller à la sécurité des techniciens et des candidats, mais en tant que réalisateur, il était chargé de produire des images spectaculaires. Or, de ce point de vue, Theo était le client idéal, et il ne souhaitait pas vraiment dompter son tempérament explosif.

— Ça va aller, dit-il d'une voix apaisante en posant une main sur l'épaule de Shorty. Theo s'est un peu laissé griser, voilà tout. Il n'y a vraiment pas de quoi en faire un drame. Pourquoi ne pas rentrer au manoir pour désinfecter la plaie et te servir une tasse de thé ? Ne t'inquiète pas, j'aiderai les autres à remballer le matériel.

— Une tasse de thé ? s'étrangla le cadreur. Ce crétin a failli me tuer !

Tandis que Joseph s'efforçait de calmer son collègue, les membres de Jet quittèrent le studio et rejoignirent l'ancien paddock colonisé par les herbes folles et les pissenlits. Jay s'étendit sur le dos, une main sur les yeux pour se protéger du soleil. Une sourde cacophonie s'échappait des salles de répétition.

— Je vais chercher de l'eau, dit Adam en brandissant sa bouteille en plastique vide. L'un de vous a-t-il besoin de refaire le plein ?

— Cool, merci, répondit Jay en lui lançant sa bouteille presque vide.

Babatunde s'étira puis bâilla à s'en décrocher la mâchoire.

— On n'est pas bien comme ça ? demanda-t-il. C'est presque dommage qu'on soit en compétition. Les profs sont cool, la plupart des candidats sont sympas. Même la météo est géniale.

Theo, à quelques mètres de là, se soulageait dans un massif de fleurs.

— Sans déconner, tu ne peux pas aller pisser un peu plus loin ? protesta Jay. Il y a des toilettes juste derrière les écuries.

— Ça va, calme-toi. C'est ma façon de lutter contre la sécheresse.

— C'est une vraie maladie chez toi. Tu pisses partout. Dans le métro. Dans les cages d'escalier. Sur les voitures. Tu as même été exclu de l'école primaire pour avoir pissé depuis le plongeoir de cinq mètres en pleine kermesse de fin d'année.

Babatunde éclata de rire.

— C'est vrai ?

— Tu m'as déjà entendu citer une anecdote concernant Theo qui ne soit pas véridique ?

Alors qu'Adam revenait vers eux chargé de deux bouteilles d'eau, le silence se fit presque simultanément dans tous les studios de répétition.

Les filles d'Industrial Scale Slaughter furent les premières à quitter leur local.

— Qu'est-ce qui se passe ? demanda Theo.

— C'est horrible, s'exclama Michelle en roulant des yeux épouvantés. Le réchauffement climatique nous mène droit à la catastrophe !

Jay se pencha à l'oreille de Babatunde.

— Cette meuf est complètement cinglée, chuchota-t-il.

Summer apporta une explication plus cohérente.

— Vous n'avez pas reçu le SMS ?

Le téléphone de Jay avait émis un signal sonore une minute plus tôt, mais il l'avait ignoré. Seule sa mère lui adressait des messages pour s'assurer qu'il ne manquait pas de sous-vêtements de rechange et que Theo se comportait comme un être vaguement civilisé. Il sortit l'appareil de sa poche et lut le SMS à haute voix.

— Tous les candidats doivent se rendre immédiatement dans la salle de bal pour une annonce importante.

— Ils ont peut-être arrêté le cuisinier qui a préparé le hachis parmentier de mardi soir, suggéra Adam.

— Si vous n'aimez pas la viande de chien, n'en dégoûtez pas les autres, ricana Jay.

Les groupes se dirigèrent en procession vers le manoir sous l'objectif des cadreurs puis se rassemblèrent dans la salle de bal.

Surgie de nulle part, Meg, l'air faussement enthousiaste, sauta littéralement sur Jay.

— Alors, quelle est cette grande surprise, selon toi ? demanda-t-elle.

— Je ne sais pas. Peut-être une célébrité va-t-elle nous rejoindre pendant un jour ou deux.

— Moi, je parie sur une gigantesque orgie sexuelle ! piailla Michelle en se plaçant face à la caméra.

— J'ai un scandale à révéler ! s'écria Theo en se glissant à ses côtés. Boire du Rage Cola m'a fait pousser les seins !

Lorsque Adam émit un beuglement rauque, Meg, de guerre lasse, ordonna à son cadreur d'arrêter de filmer.

Angie était chargée d'organiser le tournage de la séquence. Lorsqu'elle eut supervisé le réglage des spots, elle fit asseoir les candidats sur les poufs multicolores. Ce rassemblement était le premier depuis l'ouverture de la Rock War Academy, deux semaines plus tôt, et cette nouveauté suscitait une vive curiosité.

— On est prêts, cria Angie à l'adresse de son assistant. Tu peux le faire entrer.

Alors, un homme aux cheveux gris en bataille portant un blouson en cuir clouté entra dans la salle et vint se planter devant les concurrents. À voir la façon dont il oscillait d'une jambe sur l'autre, chacun comprit aussitôt qu'il était fin soûl. Il pointa un doigt en direction de la caméra et bredouilla :

— *Tiger Bright*, mon nouvel album, sort en mai chez Clarkson Records. Faites en sorte que ce soit au montage car c'est la seule raison pour laquelle…

Les paupières de l'homme papillonnèrent. Il n'acheva même pas sa phrase.

Angie avait l'air consterné.

— C'est qui ? chuchota Jay.

Ses voisins le considérèrent d'un œil vide.

— *Tiger Bright* ! répéta l'homme.

Meg, tout sourire, vint se placer à ses côtés.

— Bonjour tout le monde ! dit-elle joyeusement. Merci d'avoir été aussi patients. Très chers résidents du manoir, je vous demande de faire un triomphe au légendaire guitariste Sammy Barelli !

Jay était l'un des rares concurrents à connaître Sammy Barelli, célèbre musicien de studio crédité sur plusieurs albums entrés dans l'histoire du rock. Seulement, le jeune homme figurant sur les pochettes de ces disques avait beaucoup perdu de sa superbe, et il était parfaitement méconnaissable.

— Sammy qui ? cria l'un des candidats, alors que les applaudissements attendus tardaient à se faire entendre.

— Ce n'est pas le type qui nettoie les salles de bains ? demanda Noah.

Vexé par la froideur de l'assistance, l'homme piqua un fard. Meg, en professionnelle aguerrie, poursuivit comme si de rien n'était.

— Sammy, je crois que vous avez une nouvelle importante à nous communiquer.

— Allez tous vous faire foutre ! hurla le guitariste avant de pivoter sur les talons, de perdre l'équilibre et de buter contre une plante verte. Qu'est-ce que je fous ici bordel ? *Tiger Bright*, chez Clarkson Records ! Achetez-le ou je tuerai vos animaux de compagnie !

Avant que l'homme ne soit raccompagné de façon plutôt musclée par deux stagiaires, Meg glissa une main dans la poche de son blouson et en sortit l'enveloppe de papier doré qu'il était censé ouvrir devant les candidats.

— Nous y voilà, dit-elle l'air un peu gêné.

Elle en sortit un bristol blanc qu'elle lut à haute voix à la place du sinistre Sammy Barelli.

— Félicitations, chers élèves de la Rock War Academy ! Les efforts que vous avez accomplis au cours des deux semaines écoulées ont porté leurs fruits. Selon vos professeurs, vous avez tous beaucoup progressé, et il est temps maintenant de montrer ce dont vous êtes capables devant un public digne de ce nom. Ce week-end, les douze groupes joueront devant quatre-vingt-dix mille spectateurs au Rage Rock Festival de Sheffield Park. De plus, vous recevrez des pass VIP qui vous permettront de vous déplacer librement en coulisses. Ce sera pour vous une chance unique de côtoyer vos groupes favoris et de rencontrer leurs membres en chair et en os.

Cette annonce souleva enfin un concert de cris et d'applaudissements. Ravi, Jay se tourna vers Summer et la trouva d'une pâleur effrayante.

— Tout va bien ? demanda-t-il.

— J'ai vomi cinq fois avant de chanter devant cent cinquante personnes au Old Beaumont, dit-elle. Qu'est-ce que ça va être devant quatre-vingt-dix mille ?

14. Rage Rock

Le festival de Medway avait lieu chaque année depuis plus de vingt ans, mais il avait été rebaptisé Rage Rock Festival en 2014, date à laquelle Rage Cola en était devenu le sponsor principal, une décision qui avait soulevé une longue polémique.

Serré contre Summer dans la cabine de l'hélicoptère, Jay regardait défiler les cités populaires et les sites industriels en friche. Lorsque l'appareil se trouva à proximité d'une gare, il vit un flot de passagers descendre d'un train et investir le quai. Au-delà, les bas-côtés de la route menant à Sheffield Park étaient noirs de festivaliers. Devant les portes du site, ils formaient une foule compacte et ne franchissaient qu'au compte-gouttes les portails de sécurité installés pour l'occasion.

— Il y a un monde fou, hurla Summer de façon à se faire entendre malgré le vacarme produit par le moteur de l'appareil.

Jay souleva une oreille de son casque antibruit.

— Hein ?

— Je dis qu'il y a un monde fou ! répéta Summer.

Jay hocha la tête tandis que l'hélicoptère, perdant de l'altitude, survolait un champ couvert de tentes. L'ancienne aciérie de Sheffield Park avait été reconvertie en usine de munitions durant la Seconde Guerre mondiale. Il ne restait de cette installation que deux cheminées en brique et une piste d'atterrissage désaffectée zébrée de fissures. Cette bande de béton d'environ un kilomètre et demi séparait les deux grandes scènes du festival.

L'appareil survola la plus imposante d'entre elles, où s'affairait une armée de techniciens et de roadies, puis se posa sur un héliport flambant neuf. Summer et Jay débarquèrent puis, se baissant pour se soustraire aux fortes turbulences provoquées par la rotation des pales, se dirigèrent vers le village VIP, une zone séparée du reste du site par une palissade de quatre mètres de haut. Les nombreux spectateurs enthousiastes qui patientaient le long des barrières dans l'espoir de recevoir un autographe affichèrent ostensiblement leur déception quand ils aperçurent les deux candidats de *Rock War* accompagnés d'Angie, de trois cadres du service marketing de Rage Cola et des deux gagnants d'un concours radiophonique.

Ayant trois heures à tuer avant le début du premier concert, Summer et Jay déambulèrent dans le vaste chapiteau où un buffet et un bar avaient été dressés. Jen, l'attachée de presse, leur remit un pass qui leur permettait d'accéder à toutes les installations, les gratifia d'un long laïus sur les dangers de l'alcool, de la drogue et des relations sexuelles non protégées, puis les présenta à l'individu qui avait annoncé le come-back de *Pop Machine* lors de la soirée de lancement de Channel 3.

— Voici Mitch Timerwolf, directeur de la chaîne, dit-elle, visiblement intimidée de se trouver en sa présence. Et Rophan Hung, le directeur des ventes et du marketing de Rage Cola Europe.

— Vous faites du bon travail, les enfants, dit Mitch. Nous sommes plutôt satisfaits des audiences des trois premiers épisodes diffusés sur 3point2.

— Et ça n'arrête pas de grimper, ajouta Rophan. C'est la preuve que le bouche à oreille commence à fonctionner.

— Et combien de personnes nous regardent, exactement ? demanda Jay.

— Environ vingt mille, répondit Mitch. Ce qui n'est pas trop mal pour un programme de fin d'après-midi diffusé sur une chaîne du câble. Et ce chiffre ne tient pas compte des internautes qui regardent les épisodes en replay.

— Le buzz sur les réseaux sociaux est très satisfaisant, et votre présence au festival va nettement augmenter votre visibilité, dit Rophan.

Jay afficha un air suspicieux.

— Et combien de spectateurs pour *Pop Machine* ?

Les deux hommes échangèrent un regard embarrassé.

— La dernière saison de *Pop Machine* a réalisé une moyenne de huit virgule six millions de téléspectateurs, répondit Mitch. Mais n'oubliez pas que l'émission était diffusée en *prime time* sur une chaîne généraliste gratuite et que *Rock War* n'en est encore qu'à ses débuts. Lorsque les éliminatoires commenceront sur Channel 3, nous tablons sur deux millions.

— Ce qui est plutôt ambitieux pour la case de dix-sept heures trente…, fit observer Rophan.

— Mais soyez assurés que nous sommes à fond derrière cette émission, soutint Mitch.

— Je viens juste d'atteindre mille abonnés à mon journal vidéo sur YouTube, intervint Summer. C'est un peu la guerre au manoir pour savoir qui aura le plus de followers.

— Et qui est en tête ? demanda Rophan.

— Theo. Je ne suis que troisième.

Jay aurait préféré que ce sujet ne soit pas abordé. En dépit du soin maniaque qu'il avait apporté à la réalisation de son blog vidéo, il n'avait jusqu'alors réuni qu'une soixantaine de fidèles.

Un ange passa, puis Mitch adressa à Jen un regard qui signifiait très clairement que la conversation devait se poursuivre entre adultes. Cette dernière tira littéralement ses protégés vers la tente voisine.

— Ici, les sanitaires, dit-elle en désignant une dizaine de toilettes chimiques et autant de cabines de douche portatives. Vos dortoirs se trouvent juste derrière, les filles à gauche, les garçons à droite.

Jay accéda à un pavillon hexagonal garni de cinq lits superposés disposés en cercle. Le plancher était recouvert de tapis et de coussins. Au centre de cet espace trônait une canette de Rage Cola géante, un réfrigérateur bourré de canettes de soda doté dans sa partie supérieure de prises USB permettant de recharger téléphones portables et tablettes numériques.

Jay, qui avait emprunté le dernier hélicoptère de la flotte réquisitionnée par Channel 3, se demandait où avaient bien pu passer ses camarades.

— *Toc toc*, dit Jay en se présentant à l'entrée de la tente des filles.

— Non, n'entre pas ! glapit Michelle. On est en train de faire une bataille de chatouilles toutes nues !

Il leva les yeux au ciel et entra dans le pavillon. Il surprit Summer un bras en l'air, en train de s'asperger l'aisselle de déodorant.

— Où sont les autres ? demanda-t-il en détournant le regard, affreusement gêné.

— Ils sont partis explorer le site, répondit-elle en lui tournant précipitamment le dos. Mais on a rendez-vous pour dîner au stand de burritos à dix-huit heures trente.

— Et les techniciens ?

— Zig a encore fait son radin, ricana Michelle. Les équipes de tournage n'arriveront que demain.

— Cool, on est libres ! s'exclama Jay, qui avait de plus en plus de mal à supporter l'omniprésence des caméras.

— Oui, tellement libres ! se réjouit Summer en laissant tomber sa bouteille de déodorant dans son sac à main.

...

À l'exception de deux filles qui avaient opté pour un stand végétarien, les candidats se réunirent à l'heure dite pour déguster des burritos géants accompagnés de frites au fromage et au piment.

Les employés appliquant à la lettre les règles rigoureuses imposées par la direction du festival, Theo, malgré toutes ses tentatives, ne parvint pas à se faire servir une bière.

Au soleil couchant, les concurrents se dirigèrent vers la scène principale. La plupart exhibèrent leur pass afin d'assister au concert depuis les coulisses, mais Jay, Dylan et Alfie préférèrent se mêler à la foule plutôt qu'aux as du marketing qui sirotaient du vin millésimé sans quitter leur téléphone des yeux.

Ils jouèrent des coudes pendant vingt minutes avant de trouver un poste d'observation acceptable, à l'instant où un chanteur de rap quittait la scène sous les applaudissements un peu tièdes du public. La bruine se mit à tomber au moment où l'un des groupes majeurs de la soirée lança ses premiers accords.

— Ma mère serait tellement flippée si elle savait où je me trouve en ce moment, s'amusa Alfie.

Jay avait déjà assisté à plusieurs concerts en compagnie de son beau-père Big Len, mais à rien d'aussi spectaculaire. Pendant une heure et demie, il sauta sur place comme un possédé, reçut sans broncher un nombre incalculable de coups de coude et se laissa emporter par la foule en délire, si bien qu'il se trouva séparé de ses camarades.

Le deuxième groupe de la soirée était une formation trash metal norvégienne baptisée Brother Death qui avait connu un certain succès commercial au cours des deux dernières années. De son répertoire, Jay ne connaissait que le tube joué en rappel.

Peu après minuit, les roadies préparèrent la scène pour l'auteur-compositeur-interprète britannique encensé par la presse hipster que les organisateurs avaient choisi pour clôturer la soirée. Lorsque Jay tomba sur Alfie à une centaine de mètres de là, il le trouva blême, dégoulinant de sueur, et ses baskets neuves maculées de boue.

— Tu vas bien ? demanda Jay.

— C'est du délire ! répondit Alfie au comble de l'excitation. Je n'ai jamais vu autant de filles torse nu ! Tu n'aurais pas vu Dylan et Adam ?

— Ils m'ont dit qu'ils préféraient voir le groupe sur la scène numéro deux. Bon, il faut que j'aille pisser. Tu m'attends ici ?

— Si j'étais toi, j'éviterais les toilettes publiques. C'est un vrai marécage.

Après un passage par les sanitaires de la zone VIP, ils se dirigèrent vers la scène numéro deux où se produisait un groupe baptisé Urban Fox. L'ancienne piste d'atterrissage était encadrée de stands proposant toutes sortes de produits et de services, du cheeseburger à la consultation médiumnique en passant par le tir à la carabine à plombs sur ballons de baudruche.

À mi-chemin, une odeur de brûlé chatouilla les narines de Jay, et Alfie fut pris d'une brève quinte de toux.

— Il y a un truc qui me pique la gorge, dit-il.

Devant eux, les festivaliers en migration vers la scène numéro deux s'immobilisèrent. Puis une annonce braillée dans un mégaphone invita la foule à s'écarter des lieux.

En se hissant sur la pointe des pieds, Jay aperçut un véhicule en flammes à quelques dizaines de mètres, à droite de la piste.

— Eh, je crois qu'un camion de bouffe est en train de cramer ! s'exclama-t-il.

Une fraction de seconde plus tard, une puissante détonation se fit entendre. Un vent de panique s'empara des spectateurs, qui commencèrent à refluer vers la scène principale.

— C'était quoi, ce truc ? s'étrangla Alfie.

Deux filles fendaient la foule dans leur direction.

— Une bouteille de gaz a explosé dans une camionnette à beignets ! répondit l'une d'elles, l'air affolé. Personne n'a été blessé, mais ça a fait un de ces boucans !

— Eh, tu es VIP ? s'exclama sa camarade en découvrant le pass suspendu autour du cou de Jay.

Toutes deux portaient le maillot d'une équipe de football orné de l'écusson Bamford FC et du logo des salons de coiffure Harris.

— Ben, ouais, répondit Jay. En fait, on joue ici demain.

— Sans blague ? Comment s'appelle votre groupe ?

— On appartient à deux groupes différents. On participe tous les deux à *Rock War*, sur Channel 3.

Les deux inconnues demeurèrent silencieuses, sans réaction. À l'évidence, elles n'avaient jamais entendu parler de l'émission.

— Et vous, vous jouez dans une équipe de foot ? dit Alfie, impatient de dissiper le léger malaise qui s'était installé.

— Ouais, pour celle de notre paroisse, répondit la plus petite des filles. Moi, c'est Lucy, et elle, c'est Freya.

— Moi, c'est Alfie, et lui, c'est Jay.

— Toute votre équipe est là ou vous n'êtes que toutes les deux ? bredouilla ce dernier, bravant sa timidité maladive.

— On a toutes fait le déplacement, les titulaires et les remplaçantes, expliqua Freya. Cette visite au festival est notre récompense pour avoir gagné le championnat et la coupe du comté.

— *We are the champions, my friend* ! entonna Lucy.

— Et si on s'écartait un peu avant qu'une autre bombonne n'explose ? suggéra Alfie.

— En fait, on a perdu notre groupe, expliqua Freya. On était censées rejoindre nos tentes pour une soirée jeux de société à vingt-deux heures trente, mais on n'arrive plus à se repérer.

— Ce qui tombe plutôt bien, en fait, minauda Lucy. À vrai dire, on espère rester introuvables aussi longtemps que possible.

— Cool, lâcha Jay.

— Alors, ça vous dirait qu'on traîne tous les quatre ? roucoula Freya.

15. Rock nordique

— Salut, c'est moi, Theo Richardson, champion de boxe et sex-symbol. Je n'ai rien posté sur mon blog depuis quelques jours parce qu'une fille de Half Term Haircut a balancé ma caméra dans la piscine sous prétexte que *j'aurais* mis en ligne une vidéo de son postérieur accompagnée de la chanson *Fat Bottomed Girls*[4] de Queen. Ce qui est parfaitement calomnieux, inutile de le préciser.

» Il est onze heures du matin, et tout le monde pionce, ici, au festival. Du coup, je vais en profiter pour vous faire visiter notre tente.

» Comme vous le savez, tous les candidats de *Rock War* sont mineurs. Et comme ils mettent un point d'honneur à respecter la loi, ils ne consomment jamais d'alcool. Tout ce qu'ils veulent boire, ce sont les merveilleuses boissons de la marque Rage Cola, propriété de Unifoods Corporation, État du Delaware, USA.

» Seulement, selon certaines sources bien informées, un événement particulièrement choquant se serait produit hier soir. *Quelqu'un* aurait découvert dans quelle tente était stocké l'alcool réservé aux VIP, s'y serait introduit en découpant la toile et aurait piqué un certain nombre de bouteilles de bière et de champagne millésimé.

— Tu oublies les verres en plastique et les serviettes en papier, fit observer Noah.

---

4. Littéralement, *Fille aux grosses fesses*. (*N.d.T.*)

Theo tourna brièvement la caméra dans sa direction.

— Salut toi ! s'exclama-t-il. Bref, après enquête, je suis en mesure de confirmer que ce butin a bel et bien été dérobé, mais je réfute les rumeurs prétendant qu'un fauteuil roulant aurait été utilisé pour le transporter.

» À présent, cher public, observons un peu la tente où nous nous trouvons. Il semblerait que la nuit ait été un peu agitée. Martin, de Reluctant Readers, s'est endormi entièrement nu sur le parquet, et vous constaterez comme moi qu'une main criminelle a dessiné des cœurs sur ses fesses. Ici, c'est le lit de mon frère Jay, sur lequel Dylan, dans un moment d'égarement, a peut-être un petit peu vomi… Mais la bonne nouvelle, c'est que Jay n'y a pas passé la nuit, ce qui pourrait laisser supposer que ce misérable avorton se serait subitement métamorphosé en homme à femmes.

» Ici, près de l'entrée et au sommet de la canette géante, vous pouvez observer d'autres souvenirs émouvants des aventures gastriques de notre cher Dylan.

Theo effectua un zoom sur une couette et des coussins tachés de sang abandonnés sur le sol entre deux lits.

— Et voilà ce que je tenais absolument à vous montrer. Le sang d'une authentique star du rock nordique. Apprenez, chers internautes, que nous avons eu la chance de passer une partie de la soirée avec les trois membres de Brother Death, de joyeux drilles, je dois le reconnaître ! Seulement, aux alentours de deux heures du matin, Asbjørn, le guitariste, sans doute sous l'empire de la boisson, a eu un comportement quelque peu inconvenant à l'égard de notre chère Sadie, de Frosty Vader. Malgré les protestations de cette dernière, et le fait qu'elle n'a que quatorze ans, il s'est montré si pressant qu'en preux chevalier, j'ai estimé qu'il était de mon devoir de venir au secours de cette demoiselle en détresse.

Theo sortit quelque chose de sa poche et le montra à la caméra.

— Voici donc une authentique incisive de rock star norvégienne. Pour ne rien vous cacher, j'ignore encore si je vais la vendre sur eBay ou me la monter en pendentif.

— Ils ne te laisseront jamais mettre ça en ligne, dit Noah. Angie et Joseph visionnent tous les rushes.

Theo interrompit l'enregistrement.

— Pourtant, mon clip de *Fat Bottomed Girls* a passé le filtre de la censure, objecta Theo.

— Ah oui, c'est vrai…, dit Noah l'air perplexe. Comment tu t'es débrouillé ?

— C'est très simple : les mots de passe qui leur permettent d'accéder à nos blogs sont affichés sur un mur du bureau de production. J'y ai fait un tour, il y a quelques nuits, ce qui m'a permis de poster ce que je voulais. Le temps qu'ils virent la vidéo, elle était déjà devenue virale. Tiens, au fait, tu sais quels mots de passe ils nous ont attribués ?

— Non, mais je sens que je ne vais pas tarder à le savoir…

— Moi, je suis *psychopathe*, et toi, *culdejatte*.

— Les salauds ! s'exclama Noah. Ils ne perdent rien pour attendre. Je te promets que ma prochaine vidéo va faire mal, très mal…

•:•

Jay était étendu dans l'herbe, au sommet de la colline qui dominait le bivouac des festivaliers. Tard dans la nuit, Freya et lui s'étaient tenu la main, s'étaient embrassés et avaient échangé des caresses un brin audacieuses sans pour autant retirer leurs vêtements. Plus à l'aise que lors de sa première expérience, il s'était senti cette fois-ci assez détendu pour y prendre plaisir.

— Réveil ! cria Alfie en lui touchant doucement l'épaule.

Jay ouvrit les yeux, mais il lui fallut quelques secondes pour comprendre où il se trouvait et pourquoi des fourmis se déplaçaient en procession sur son bras droit. Il les chassa d'un revers de main puis secoua ses cheveux pleins de brindilles, se redressa et regarda autour de lui.

— Elles sont parties, dit Alfie.

— Oh, soupira Jay sans chercher à dissimuler sa déception. Elles ont dit quelque chose ?

— Non. Quand je me suis réveillé vers quatre heures, elles s'étaient déjà barrées. En revanche, Jen m'a envoyé un paquet de SMS. Je crois que toute la prod est à notre recherche.

Jay regarda les brins d'herbe couchés, à l'endroit où Freya s'était étendue à ses côtés, puis y fit glisser la main.

— Alors je ne la reverrai sans doute jamais, soupira-t-il l'air mélancolique.

Alfie, lui, ne tenait pas en place.

— La vache, j'y crois pas ! s'écria-t-il. Je suis sorti avec une fille ! J'ai embrassé Lucy avec la langue, et tout, et elle m'a même laissé toucher ses seins. Tu le diras à Tristan, hein ? Si c'est moi qui lui raconte, il me traitera de mytho…

Jay hocha la tête puis étudia l'écran de son iPhone.

— Sept SMS, trois appels en absence, dit-il. Je crois qu'on ferait mieux de retourner rapidement en zone VIP.

— Tu penses qu'on va avoir des problèmes ? demanda Alfie.

— Je ne crois pas qu'on risque grand-chose. Et Theo est le paratonnerre parfait. Je te parie n'importe quoi qu'il a fait un truc dix fois pire que nous.

La colline était jonchée de gobelets en plastique, de mégots de cigarettes et de fêtards alcoolisés qui n'avaient pas réussi à regagner leur tente au cours de la nuit.

— C'est dégueulasse, dit Alfie en enfilant ses Nike. Ces gens sont des animaux.

— Et encore, ce n'est que le deuxième jour du festival. Imagine un peu à quoi ressemblera cet endroit lundi matin.

En chemin, ils s'offrirent une barquette d'œufs au bacon et deux gobelets de thé, puis ils se présentèrent à l'entrée de la zone VIP.

Une foule d'invités de Unifoods discutaient finances et marketing autour du buffet. Jay et Alfie se dirigèrent droit vers la tente des garçons. À l'instant où ils écartèrent les pans de la toile, une odeur infecte, mélange d'alcool, de sueur et de vomissures, les saisit à la gorge.

— Nom de Dieu, gémit Jay en se couvrant le nez.

En l'absence des candidats, trois stagiaires avaient été chargés de faire disparaître toute trace des abominations qui s'étaient déroulées en ces lieux au cours de la nuit.

— Bon, ben au moins, personne ne pourra nous accuser d'avoir semé le chaos dans ce dortoir, dit Alfie en tirant son T-shirt sur son visage.

— Eh, ma couette est couverte de gerbe ! s'étrangla Jay.

Lorrie, la plus jeune des stagiaires, passait sur le parquet une serpillière imbibée de produit désinfectant.

— On vous a cherchés partout, dit-elle. Ils sont en train de filmer le tirage au sort, dans le dernier chapiteau, tout au bout de l'allée. Vous feriez mieux de vous dépêcher.

— Quel tirage au sort ? demanda Alfie en suivant Jay hors du pavillon.

Ils trouvèrent Jen devant l'entrée de la tente, en train de tirer sur une cigarette. Lorsqu'elle les aperçut, elle souffla la fumée par les narines à la manière d'un dragon.

— Qu'est-ce que vous foutiez ? cracha-t-elle. Vous étiez tous censés rester ensemble.

— On a essayé, plaida Jay. Mais il y a eu de tels mouvements de foule qu'on a fini par perdre les autres de vue.

— J'ai essayé de vous joindre toute la nuit, dit Alfie, mais pas moyen d'accrocher le réseau.

— Et je crois que mon téléphone s'est mis en mode silencieux pendant qu'on dansait comme des dingues, à la fin du concert.

— Alors du coup, comme on était perdus et sans moyen de communication, je me suis souvenu de ce que j'ai appris quand j'étais chez les scouts : quand il fait nuit, il vaut mieux établir le camp là où on se trouve plutôt que d'essayer de retrouver son chemin dans l'obscurité.

— C'est l'une des excuses les plus absurdes qu'on m'ait jamais servies, dit Jen en écrasant sa cigarette. Quoi qu'il en soit, je vous rappelle que je suis responsable de vous jusqu'à votre retour au manoir. J'étais vraiment morte d'inquiétude.

Jay n'était pas dupe. Il savait pertinemment que l'attachée de presse ne s'était pas fait de souci pour leur sort, mais pour son plan de carrière.

Lorsqu'ils entrèrent sous le chapiteau, ils découvrirent un plateau de tournage constitué d'un tapis de sol bleu électrique, de quelques spots et d'un fond de scène orné du logo *Rock War*. Meg Hornby se tenait devant un globe de Plexiglas contenant douze boules blanches. Les candidats étaient alignés derrière elle, impatients de savoir ce que leur réservait le sort. On leur avait recommandé d'avoir l'air dynamique et joyeux, mais la plupart, à l'évidence, manquaient cruellement de sommeil.

— Aujourd'hui, les douze groupes vont faire leurs grands débuts en public au Rage Rock Festival ! s'exclama Meg avec un enthousiasme plus factice que jamais. Mais sur quelle scène ? Telle est la question ! Six d'entre eux joueront sur la scène du chapiteau Rage Cola, un lieu destiné aux nouveaux talents qui peut accueillir six cents personnes. Quatre autres tenteront de séduire les vingt mille spectateurs de la scène numéro deux cet après-midi, ce qui ne sera pas une mince affaire. Enfin, les deux groupes les plus chanceux se produiront sur la scène principale devant près de cent mille fans !

— Coupez ! cria la cadreuse.

Hors d'elle, Meg leva les yeux au ciel.

— Qu'est-ce qui cloche encore ? rugit-elle.

— Il y a eu un énorme reflet dans la boule quand ces deux-là sont entrés.

Angie et tous les membres de l'équipe technique se tournèrent vers Jay et Alfie.

— Désolé, dit Jay d'une voix à peine audible.

— Est-ce qu'un stagiaire pourrait rester devant l'entrée du chapiteau ? gronda Angie. Que personne n'entre ni ne sorte, par pitié !

Puis elle considéra les deux nouveaux venus d'un œil accusateur.

— Je suis heureuse de constater que vous êtes encore vivants, dit-elle en leur faisant signe de rejoindre leurs camarades. Et je ne veux même pas savoir pourquoi tu as l'air si content, Alfie !

Lorsque Meg eut enregistré une deuxième prise, le tournage s'interrompit une minute, le temps pour le chef éclairagiste de modifier son dispositif. Sur le plan suivant, le visage de la présentatrice était éclairé de bas en haut au travers de la sphère transparente, ce qui lui conférait une expression plutôt inquiétante.

— Je n'ai pas trop l'air d'une sorcière ? demanda-t-elle en découvrant son image sur un mini-écran de contrôle.

— Pas plus que d'habitude, répondit Theo.

— Est-ce que tout le monde peut rester concentré plus de deux secondes ? tempêta Angie. Nous ne pouvons utiliser ce chapiteau que pendant trente minutes. Zig va m'étrangler si la direction du festival lui facture un dépassement. Meg, tu es prête ?

Cette dernière hocha la tête puis fixa de nouveau la caméra.

— Je vais à présent tirer au sort les quatre groupes qui joueront sur la scène numéro deux, dit-elle.

Elle piocha une boule dans le globe de Plexiglas puis déchiffra le morceau de papier qui se trouvait à l'intérieur.

— Et le premier est... Crafty Canard !

Un cadreur filma les quatre membres du groupe, qui semblaient raisonnablement satisfaits de leur sort.

Puis Meg désigna I Heart Death, Frosty Vader — le groupe de Noah — et Half Term Haircut.

— Il ne reste plus que huit boules, rappela Meg. Je vais maintenant désigner les deux groupes qui se produiront sur la scène principale.

Lorsqu'elle glissa une main dans la sphère, tous les candidats, sans exception, se demandèrent s'ils souhaitaient vraiment jouer en première partie, une place toujours ingrate, devant une foule aussi nombreuse.

— Et le premier d'entre eux est Brontobyte !

Malgré leurs doutes, Alfie, Tristan, Erin et Salman firent ce qu'Angie avait demandé : ils sortirent des rangs, poussèrent des cris perçants puis se sautèrent au cou les uns des autres.

— Alors ma grande, pas trop nerveuse ? demanda-t-elle avant de tendre un micro à Erin.

— Pas du tout. Je me sens invincible. On va tout déchirer !

D'un geste, Angie fit signe aux membres de Brontobyte de sortir du champ de la caméra, puis Meg choisit une autre boule.

— Le dernier groupe qui jouera ce soir sur la plus grande scène du festival est… Industrial Scale Slaughter !

Alors que Coco et Lucy exprimaient leur joie en bondissant aux quatre coins du plateau, Summer sentit son sang se glacer dans ses veines. Michelle, elle, sauta sur le dos de Meg Hornby qui, prise par surprise, s'effondra sous son poids, puis elle s'empara de la sphère de Plexiglas, en vida les boules qui s'y trouvaient, avant d'y introduire sa tête comme s'il s'agissait d'un casque d'astronaute.

— Eh, regardez, je suis un poisson rouge ! s'esclaffa-t-elle.

Sur ces mots, elle écarta une caméra d'un coup de tête puis essaya de retirer le globe, qui resta bloqué à hauteur de ses oreilles.

— À l'aide ! cria Michelle. Je suis coincée dans mon bocal !

Alors que les candidats et l'équipe technique se tordaient de rire devant ce spectacle surréaliste, sa sœur Lucy tenta en vain de la délivrer.

— Ça ne passe pas, dit-elle. Est-ce que quelqu'un pourrait aller chercher du beurre au buffet ?

— Non, je vous défends de l'aider ! rugit Meg en arrachant son micro-cravate. Quant à moi, il est hors de question que je travaille une minute de plus avec une bande de morveux complètement cinglés ! Je démissionne, vous m'entendez ? Je démissionne !

Tandis que la présentatrice quittait le chapiteau, Lucy tira une nouvelle fois sur le globe, qui se détacha en produisant un son semblable à celui d'un bouchon de champagne. Le lobe de l'oreille en sang, Michelle tituba en arrière et s'écroula dans un flightcase rempli de câbles électriques.

— Et… coupez, soupira Angie en levant les yeux au ciel. Bon, ce n'est pas exactement ce que j'avais en tête, mais je crois qu'on tient quelque chose…

16. Fans

À l'exception de Theo, les membres de Jet se dirigeaient vers le chapiteau de Rage Cola. Si Jay était déjà très concentré sur sa prochaine performance, Babatunde et Adam n'avaient d'yeux que pour les filles.

— À deux heures, rouquine, short en jean, huit sur dix, dit Babatunde.

— Six, grand maximum, le contredit Adam. Et celle avec le cornet de glace ?

— Elle n'a même pas douze ans mec !

— Mais non, beaucoup plus ! Tu as besoin de lunettes mon pote.

— Jay, on a besoin de ton arbitrage, dit Babatunde. Elle a quel âge, selon toi ?

Jay, qui trouvait cette discussion parfaitement dénuée d'intérêt, fut soulagé lorsque Zig Allen vint à leur rencontre. Ce dernier, d'ordinaire si sombre, revêche et anxiogène, arborait un sourire radieux.

— Quel temps superbe ! s'exclama-t-il en passant un bras autour du cou de Jay. Mon copain et moi, on est venus assister à ce festival en 96, et on a eu de la boue jusqu'aux genoux pendant tout le week-end.

— Ça a dû être marrant.

— Oui, pendant une heure. Ensuite, on a passé notre temps à grelotter.

Jay ne savait trop quoi dire. C'était la première fois que Zig lui adressait la parole, et il n'était pas préparé à cette rencontre.

— Vous... vous n'avez pas l'air trop touché par la démission de Meg, bredouilla-t-il.

— Au contraire. Elle nous coûtait *une fortune*. Rage Cola a insisté pour qu'une célébrité présente l'émission, mais j'ai toujours considéré qu'une fille plus jeune aurait mieux convenu à notre public. Meg pensait que j'allais la supplier de rester. Vous auriez dû voir sa tête quand j'ai récupéré son pass VIP !

— Et je suppose qu'une présentatrice moins connue vous permettrait de réaliser des économies, fit observer Adam en adressant un clin d'œil discret à Babatunde.

— Exact ! répondit Zig. Avec un peu de chance, on devrait pouvoir respecter le budget.

Sur la scène du chapiteau Rage Cola, les Pandas of Doom jouaient une reprise de *It's True That We Love One Another* des White Stripes, avec Coco d'Industrial Scale Slaughter en guest au micro. Derrière sa batterie, Eve était rayonnante, une vision qui réchauffa le cœur de Jay.

Le public extrêmement clairsemé était essentiellement constitué d'adolescents venus se restaurer à l'abri du soleil. Alors que les membres de Jet se rapprochaient de la scène, sept filles accoururent depuis l'extrémité opposée du chapiteau.

— Oh, mon Dieu ! s'étrangla une gamine d'une douzaine d'années portant un T-shirt des Ramones. C'est Babatunde !

— Jay, tu es le meilleur ! s'exclama une fille un peu plus âgée.

— Vous... vous êtes des fans de *Rock War* ? demanda Adam, qui n'en croyait pas ses oreilles.

— On est tombées sur l'émission par hasard, ma sœur et moi, dit une adolescente aux joues criblées de taches de rousseur. Maintenant, on ne peut plus s'en passer.

— Il faudrait que l'émission passe plus de deux fois par semaine, dit une autre fan.

— Tous les jours, ce serait parfait. On regarde tous les blogs vidéo et on vous suit sur Twitter.

— C'est bizarre qu'il n'y ait pas plus de monde, fit observer une petite brune. Je croyais qu'on allait devoir se battre pour entrer ici. Une fois, à Londres, j'ai poireauté cinq heures pour obtenir un autographe de Taylor Swift.

Jay éclata de rire.

— Je ne sais pas si vous avez remarqué mais on n'est pas tout à fait aussi célèbres que Taylor Swift.

— Pas *encore* aussi célèbres, précisa Adam, soulevant l'hilarité des filles.

— Jay, tu peux signer mon T-shirt ? demanda l'une d'elles en brandissant un marqueur.

Bientôt, une file se forma, et les membres de Jet apposèrent leur signature sur des vêtements, des cahiers et des avant-bras. La plus jeune des fans, trop timide pour prononcer un mot, remit à Jay un dessin du groupe dans le style manga. Le trait n'était pas très assuré, mais il se reconnut au premier coup d'œil. Quantité de détails étaient reproduits avec soin, comme les tatouages de Theo et le logo figurant sur la peau de grosse caisse de Babatunde.

— Wow, il est super, dit-il. Je crois bien que c'est la première fois que quelqu'un me dessine. Tu permets que je le prenne en photo avant qu'on le dédicace ?

Enfin, les fans prirent la pose avec les membres du groupe, une scène que le père de l'une d'elles immortalisa avec son téléphone portable.

— Est-ce que Summer va vous rejoindre ? demanda une fille. J'aimerais tellement la rencontrer…

— J'ai adoré le moment où elle dit au revoir à sa grand-mère, dans le premier épisode. J'en avais les larmes aux yeux.

— C'est votre préférée, si je comprends bien…, dit Babatunde l'air faussement contrarié.

— Summer jouera ce soir sur la scène principale, expliqua Jay. Pour le moment, elle est morte de trac.

Le père qui avait pris la photo s'approcha pour serrer la main des trois garçons.

— Je tenais à vous remercier, dit-il. Grâce à votre émission, ma fille a laissé tomber les boys bands et s'est mise à écouter de la musique digne de ce nom.

— Tais-toi, papa…, chuchota l'intéressée. Tu me fous la honte…

Les Pandas of Doom ayant achevé leur prestation, Jen et un membre de l'équipe technique invitèrent Jay et ses camarades à franchir le rideau qui séparait les coulisses de l'espace réservé au public. Derrière le plateau, ils retrouvèrent Theo qui, par miracle, s'y était présenté en avance. Sur scène, des techniciens changeaient les micros et ajustaient la batterie pour convenir aux exigences de Babatunde.

— Ça sonnait super bien, dit Jay à Dylan, qui s'épongeait le front à l'aide d'une serviette.

— Figure-toi qu'on a des fans, s'amusa ce dernier. Au moins sept.

— Je sais, on les a rencontrées. Bon, ce n'est pas le genre de groupies sexy que j'avais imaginées, mais au moins ça prouve que des gens regardent l'émission.

— Allez, on se bouge ! intervint Jen en poussant les membres de Jet vers les trois marches métalliques menant à la scène. On n'est pas en avance, les garçons !

Le cadreur posté au pied de la scène leva un pouce. Theo se planta devant le micro.

— Salut à tous, dit-il. Nous sommes Jet, de *Rock War*.

Les sept fans donnèrent de la voix.

— On t'aime, Jay ! cria l'une d'elles.

— Theo, Theo, Theo ! scandèrent les deux sœurs.

— Notre première chanson a été écrite par mon petit frère Jay. C'est l'histoire d'un mec en galère parce qu'il a perdu son chargeur USB. Ça s'intitule… ben, *Où est-ce que j'ai foutu mon chargeur USB ?*

17. Gospel

Zig avait eu beau multiplier les coups de téléphone, il n'était pas parvenu à dénicher une présentatrice professionnelle disposée à interrompre son week-end pour se rendre d'urgence sur le site du festival et travailler pour un salaire ridicule.

Depuis trois semaines, une armée de stagiaires bénévoles changeait les draps des concurrents, portait leur équipement, passait la serpillière et débouchait les toilettes. Nombre d'entre eux, recrutés pour une période d'un mois, avaient quitté le manoir au bout de quelques jours de travaux forcés. Pour pallier ces défections, Zig n'avait eu qu'à piocher dans les dizaines de candidatures que lui adressaient quotidiennement des étudiants rêvant de faire leurs premiers pas dans le milieu très fermé de la télé.

Lorrie était l'une des seules stagiaires à être demeurée à son poste depuis le premier jour. Âgée de vingt et un ans, elle prenait des cours de comédie et étudiait la production audiovisuelle à l'université de Durham.

À la faveur de cet heureux concours de circonstances, elle avait troqué son jean déchiré et le polo de rugby de son ex pour une combinaison moulante et un micro. Avec son maquillage et sa coupe de cheveux sophistiquée, elle était transfigurée.

Elle adressa un regard grave à la caméra.

— Les coulisses où nous nous trouvons grouillent de rock stars, et l'atmosphère est absolument électrique ! Et pour cause : la direction du festival estime que cent mille spectateurs sont rassemblés pour assister au concert. J'ai à mes côtés le chanteur de Brontobyte qui s'apprête à monter sur scène. Bonsoir Salman.

— Bonsoir Lorrie.

— Alors, comment te sens-tu à quelques minutes du grand saut ?

— J'ai grave la trouille, mais sinon c'est cool. Je me dis qu'on a répété dur avec des profs géniaux au manoir, alors tout devrait très bien se passer.

Lorrie tendit son micro en direction d'Alfie.

— Alfie, tu es le plus jeune candidat de *Rock War*. Est-ce que tu te sens capable de dompter cette énorme foule qui se moque éperdument des premières parties ?

Alfie haussa les épaules puis esquissa un sourire enfantin.

— Ça, on le saura dans quelques minutes.

— Bon esprit ! s'exclama Lorrie. Dans ce cas, je vous laisse, les garçons. Et j'espère que vous allez faire un malheur !

— Et… coupez ! lança Angie en levant les pouces. Lorrie, ma chérie, tu étais *fabuleuse*. On dirait que tu as fait ça toute ta vie.

— Oui, c'était excellent, confirma Zig Allen.

Lorrie avait vaguement conscience que la production lui avait offert la chance de sa vie, mais elle était si fatiguée qu'elle n'arrivait même pas à s'en réjouir. Elle n'avait pas dormi plus de quatre heures par nuit depuis que les candidats avaient investi le manoir.

De part et d'autre de la scène, deux écrans géants diffusèrent une vidéo promotionnelle de *Rock War* dans l'indifférence générale.

— … *et les dix groupes qui sortiront de la Rock War Academy s'affronteront dans la Battle Zone*, annonça la voix off. *Rendez-vous sur Channel 3, samedi 13 septembre, pour la grande première.* Rock War, *le seul concours musical diffusé à fond les gamelles ! En partenariat avec Rage Cola, la boisson dangereusement rafraîchissante…*

Lorsque la bande-annonce s'acheva, les spots éblouirent les quatre musiciens présents sur scène : Salman au chant, Alfie à la guitare, Erin à la basse et Tristan à la batterie. Ce dernier donna quatre coups de baguettes puis un déluge de décibels jaillit des hauts murs d'amplis qui encadraient la scène.

La fugue de Jay et Alfie avait conduit la production à confiner tous les concurrents dans la zone VIP. C'était l'occasion pour Jay de découvrir l'envers du décor et d'apercevoir les stars du festival dans les coulisses de la grande scène.

Smudger, groupe culte des années quatre-vingt-dix, était la tête d'affiche du jour. Il se produisait au Royaume-Uni pour la première fois depuis sept ans, raison pour laquelle les billets s'étaient écoulés en moins d'une heure sur Internet.

Après avoir fureté autour de l'espace privatif réservé aux trois membres de Smudger, Jay trouva une fente entre deux panneaux de contreplaqué. En y collant un œil, il aperçut les stars en compagnie de leurs épouses, de leurs enfants et d'un chien de berger à poils longs.

— Qu'est-ce que tu regardes ? demanda Lucy, d'Industrial Scale Slaughter.

— Les mecs de Smudger, répondit Jay. C'est plutôt décevant. Damien Smith a pris beaucoup de poids. Ils parlent des écoles de leurs gosses. Tout ce que ces mecs ont de sauvage, c'est leur chien.

— Laisse-moi voir, dit Lucy en l'écartant d'un coup d'épaule. Et tu devrais aller trouver Summer. Elle a besoin de toi.

— Comment ça, besoin de moi ? s'étonna Jay.

— Tu te rappelles la façon dont tu as réussi à la calmer avant qu'on monte sur scène à Rock the Lock ? Elle est de nouveau morte de trac, alors si tu pouvais tenter quelque chose…

— Mais qu'est-ce que je suis censé faire ?

— Je ne sais pas, moi. Comme l'autre fois, j'imagine. En tout cas, vu son état, ça ne pourra pas être pire. Allez, bouge-toi !

La loge d'Industrial Scale Slaughter était fonctionnelle, lambrissée de bois clair et intégralement meublée en Ikea. Un peu gêné, Jay s'efforça d'ignorer les bas roulés en boule sur le sol et le soutien-gorge suspendu au dossier d'une chaise. Affalée dans un fauteuil, Coco feuilletait un magazine. Michelle dessinait sur un miroir avec un bâton de rouge à lèvres.

— Où est Summer ? demanda Jay.

Michelle n'avait pas essayé de masquer sa blessure au lobe de l'oreille. Au contraire, elle portait deux pansements orange fluo disposés en croix.

— Au fond à gauche, répondit-elle sans même tourner la tête.

Jay trouva Summer sur un petit canapé, dans une alcôve située au bout de la loge en forme de L.

— Alors, ça ne va pas très fort à ce qu'il paraît ?

— Comme l'autre fois, soupira-t-elle, les joues striées de traces de larmes. Maintenant, au moins, une chose est sûre, c'est que je ne risque plus de vomir.

— Tu as eu ta grand-mère au téléphone, aujourd'hui ? Ça pourrait peut-être te faire du bien.

Summer esquissa un sourire.

— Je ne vais pas l'embêter avec mes problèmes. En fait, je crois qu'elle adore sa maison de repos. C'est la première fois depuis des années qu'elle passe un peu de temps avec des gens de son âge.

— Tu ne lui as pas dit que tu allais jouer sur la grande scène ?

— Non. Elle sait à quel point j'ai le trac. Je ne veux pas l'inquiéter.

— Tout à l'heure, pendant notre concert, j'ai fixé un point dans le vide et j'ai imaginé que j'étais dans notre local, dans la cave du restau de mes parents.

— Tout le monde prétend avoir un truc pour se calmer, maugréa Summer. Genre *respire à fond*, *essaie de te détendre*, *pense à autre chose*... Franchement, comment peut-on penser à *autre chose* quand on est debout sur une scène, avec deux cents projecteurs dans les yeux, devant cent mille personnes ?

— Tu sais bien que Michelle va faire un truc complètement dingue pour attirer l'attention, sourit Jay. Avec un peu de chance, personne ne remarquera ta présence.

Summer éclata de rire. Puis elle prit la main de Jay et posa la tête sur son épaule.

Frappé par ce rapprochement inattendu, ce dernier demeura pétrifié.

Il brûlait d'envie de l'embrasser, mais compte tenu de leur position, c'était techniquement irréalisable. Ils demeurèrent immobiles et silencieux pendant près d'une minute, et il finit par se convaincre que Summer avait juste besoin d'un peu de réconfort.

— C'est quoi, ces taches noires dans ton cou ? demanda Summer.

— Des taches ? Quelles taches ?

En tirant sur l'encolure du T-shirt de Jay, elle découvrit sur son torse des caractères à demi effacés.

— C'est de l'encre, mais l'inscription a bavé. Il y a un F… et un Y, je crois. Et puis il y a une série de chiffres, mais la moitié sont illisibles.

Jay comprit alors que Freya avait noté son numéro de téléphone sur sa peau à l'aide d'un marqueur.

— Zut, ce doit être à cause de la sueur… Tu es sûre que tu ne peux rien déchiffrer ?

Summer plissa les yeux.

— Un sept… et deux zéros… Malheureusement, ça ne suffira pas. C'est quelqu'un que tu as rencontré la nuit dernière ?

— Ouais, on a traîné avec deux filles, Alfie et moi. C'était plutôt cool.

— Et vous êtes restés avec elles toute la nuit ? s'étonna Summer. Mmmh, tu caches bien ton jeu. Tu es moins timide que tu n'en as l'air…

Jay éclata de rire. Summer se redressa et déposa un baiser sur sa joue.

— Je comprends cette fille. Tu es un type bien, Jay.

Ce dernier se sentait complètement perdu. Que pouvaient bien signifier ce baiser et les mots qu'elle avait prononcés ? Qu'il lui plaisait et qu'elle aurait aimé se trouver à la place de Freya ? Ou qu'elle était contente pour lui parce qu'elle le considérait jusqu'alors comme un cas désespéré ?

Alors qu'il était plongé dans ses pensées, Coco débola dans l'alcôve.

— Ça va bientôt être à nous, dit-elle. Tu te sens d'attaque, ma chérie ?

— Absolument pas, mais je ne vais pas vous laisser tomber, répondit Summer. Jay, tu viens assister au concert ?

Brontobyte jouait les dernières mesures de leur troisième et dernier morceau. Les voix de Salman et d'Erin, qui chantaient en duo, s'harmonisaient à la perfection, mais le jeu de batterie de Tristan était désastreux.

Jay, qui avait accompagné les filles d'Industrial Scale Slaughter à proximité de la scène, jeta un œil par une ouverture pratiquée dans la toile de fond. La foule immense ne manifestait aucun signe d'enthousiasme. Venus assister au grand retour de Smudger, les spectateurs semblaient contrariés et frustrés de devoir écouter un groupe d'adolescents venu faire la promotion d'une émission de télé-réalité à l'audience confidentielle.

Jay avait quitté le groupe à cause des lacunes de Tristan, et ce qu'il avait toujours prédit était en train de se produire devant ses yeux : affligé d'un batteur aussi limité, Brontobyte fleurait l'amateurisme et n'avait tout simplement pas sa place dans un événement aussi prestigieux que le Rage Rock Festival. Mais était-il seulement possible de gagner les faveurs de ce public ? N'allait-il pas rejeter Summer – un échec qui la plongerait dans un abîme de doute et de tristesse ?

Les membres de Brontobyte quittèrent la scène dans une relative indifférence, et c'est à peine si l'on entendit quelques sifflets se mêler à de maigres applaudissements. Salman gardait la tête basse ; Erin était rouge de colère ; Alfie avait les larmes aux yeux. Lorsqu'il aperçut Tristan, Jay ne put résister au plaisir de le provoquer.

— Tu as assuré comme un dieu, mon pote, ironisa-t-il.

Son rival lui sauta littéralement à la gorge.

— Cette fois, tes frères ne sont pas là pour te sauver la peau, cracha-t-il en le frappant plusieurs fois à l'épaule.

Erin s'élança entre les deux garçons et les percuta si violemment qu'ils perdirent l'équilibre et titubèrent dans deux directions opposées. Avant qu'ils n'aient pu se rétablir, deux videurs accoururent sur les lieux et les ceinturèrent.

Alors que la foule faisait un accueil tiède aux filles d'Industrial Scale Slaughter, le chef de la sécurité ordonna que les membres de Brontobyte soient escortés jusqu'aux coulisses, puis il s'adressa à Jay.

— Qu'est-ce que tu fiches ici, toi ?

— Ben, je suis un candidat de *Rock War*...

L'homme étudia le pass de Jay.

— Tu ne figures pas sur la liste des musiciens programmés sur cette scène.

Puis, s'adressant au videur, il ajouta :

— Foutez-moi ce petit con dehors. Je ne veux pas de perturbateurs en backstage.

L'agent de sécurité ne se fit pas prier. D'un coup de pied, il ouvrit la porte anti-incendie la plus proche puis poussa Jay à l'extérieur des coulisses.

— Et que je ne te revoie pas ici ! rugit-il en claquant le panneau de métal d'un coup sec.

Lorsqu'il reprit ses esprits, Jay réalisa qu'il se trouvait sur le palier d'un escalier extérieur dont la trentaine de marches descendait vers le village VIP.

Des papillons de nuit se jetaient comme des kamikazes sur l'immense écran placé au-dessus de sa tête. Cette position lui offrait une vue imprenable sur la scène et les spectateurs venus assister au concert de Smudger.

D'un pas mécanique, Summer vint se poster devant le micro puis, tandis que la guitare de Coco lançait les accords d'introduction de *Because the Night* de Patti Smith, elle prit une profonde inspiration.

Alors, le miracle se produisit.

Les spectateurs pouvaient voir la frêle silhouette d'une adolescente de quatorze ans à l'avant de la scène, mais la voix amplifiée par la monstrueuse sono était celle d'une chanteuse de gospel dans la fleur de l'âge aux formes plus qu'épanouies.

Lorsque Summer poussa la dernière note de la chanson d'ouverture, Jay entendit distinctement la foule frémir puis, cette rumeur grossissant à chaque seconde, laisser éclater son enthousiasme en un déluge de cris et d'applaudissements.

Il éprouvait un sentiment étrange, presque violent, où la fierté le disputait à l'émotion. Il aurait voulu que tout le monde sache qu'il l'avait tenue dans ses bras quelques minutes avant qu'elle ne monte sur scène.

Avisant Noah en bas de l'escalier, il dévala les marches et s'agenouilla devant son fauteuil.

— Elle est fantastique ! s'exclama-t-il, extatique. Elle a retourné le public en une chanson !

Mais son camarade, le visage fermé, ne semblait pas partager cet enthousiasme.

— Qu'est-ce qui ne va pas ? s'inquiéta Jay.

— Tu as raison mec, elle est fantastique, lâcha Noah. Et je crois bien que nos chances de remporter *Rock War* viennent de s'envoler…

18. Quatrième semaine

Alors que la luxueuse voiture de location filait dans la campagne anglaise, Coco filmait Summer avec son caméscope.

— Le plus dingue, c'est que je ne me souviens même pas avoir été sur scène. Je vous jure ! J'étais en loge avec Jay, puis les gens m'applaudissaient comme des dingues. Entre les deux, le trou noir !

» À mon avis, nous devons cette réussite à Mo, le directeur musical de *Rock War*, qui nous a aidées à choisir les morceaux. Avant de venir au manoir, je n'avais jamais entendu *Because the Night*, et il faut bien avouer que c'est une super chanson. Le plus fort, c'est que Mo a changé notre programme à la dernière minute afin de caser *Dumb Luck* de Smudger, qu'on jouait en répète pour se détendre. Ça, c'était vraiment l'idée du siècle. C'est comme ça qu'on s'est mis définitivement les spectateurs dans la poche.

» C'est dingue, quand j'y pense… Je me souviens que je fredonnais cette chanson dans mon bain, quand j'avais genre… cinq ans. Eh bien, quand on est retournées en coulisses après notre set, Chris et Damien, les deux fondateurs de Smudger, m'ont serrée dans leurs bras, puis ils nous ont toutes invitées dans leur loge. Du coup, après le concert, on a passé du temps avec eux et leur famille. On a même joué aux Kapla avec les enfants, vous pouvez le croire ? Franchement, maintenant que j'ai vécu ça, je me fiche pas mal d'être éliminée de *Rock War*, parce que cette soirée était officiellement la plus géniale de toute ma vie.

Michelle surgit dans le champ de la caméra.

— Et Miss Superstar, ici présente, tient à remercier ses trois copines géniales d'avoir rendu tout cela possible !

Malgré le ton blagueur de sa camarade, Summer percevait chez elle une pointe de jalousie.

— Évidemment, s'exclama-t-elle. Sans elles, je serais en train de suivre l'émission depuis ma cité de Dudley. Vous n'imaginez pas à quel point elles ont dû insister pour que je rejoigne le groupe… Je leur dois tout, sans blague, ainsi qu'à leur père, qui a proposé de financer le séjour de ma grand-mère dans une maison de repos. Si vous regardez ça, Mr Wei, sachez que je vous adore !

Sur ces mots, Summer souffla un baiser en direction de l'objectif.

— Eh, elle embrasse notre père ! hoqueta Michelle. C'est dégueulasse !

— Nous aussi on t'aime, papa ! s'exclama Lucy. Et en passant, n'oublie pas que j'ai bientôt dix-sept ans et que j'aurai besoin d'une voiture avec un coffre assez grand pour y ranger ma batterie.

— Surtout ne lui offre pas de bagnole ! criailla Michelle. Garde cet argent pour moi ou je saboterai les freins de ton fauteuil roulant quand tu seras vieux.

∴

Techniciens et candidats étant sortis lessivés des trois jours de tournage au Rage Rock Festival, Zig Allen leur offrit un jour de congé. Les stagiaires, eux, ne firent pas relâche. Dès leur retour au manoir, ils durent nettoyer et ranger le matériel, tondre les pelouses, laver une montagne de vêtements souillés de boue, acheter de quoi nourrir les résidents et rassembler les effets de Meg afin qu'ils puissent être rapatriés à Londres.

Les concurrents profitèrent de ce lundi chômé pour rattraper leurs heures de sommeil en retard, traîner au bord de la piscine et disputer des tournois de PlayStation 4. Ils demandèrent l'autorisation d'organiser leur propre barbecue, mais Zig Allen, qui redoutait de voir son cheptel décimé par un lot de saucisses mal cuites, préféra passer une commande monstre à la pizzeria la plus proche.

Theo se réveilla peu avant dix heures dans le lit *emperor size* de l'ancienne suite de Meg située dans l'annexe moderne. Il se tourna vers Lorrie, qui dormait nue à ses côtés, souffla doucement sur sa nuque et fit courir une main dans son dos.

À ce contact, la jeune femme tressaillit puis se cogna le front contre la tête de lit en bois précieux.

— Bon sang, j'ai la bouche sèche et un mal de crâne épouvantable…, gémit-elle.

Puis les événements de la veille lui revinrent en mémoire.

Après deux jours passés à jouer la doublure de Meg, Lorrie avait repris son job de stagiaire et travaillé deux fois plus dur pour prouver à ses collègues qu'elle n'avait pas pris la grosse tête. Hélas, la production l'ayant convoquée à plusieurs reprises pour enregistrer des voix off pendant qu'ils tondaient les pelouses sous un soleil de plomb, sa popularité était en chute libre.

Se sentant incapable de passer une énième soirée à l'arrière du manoir à les écouter balancer des horreurs les uns sur les autres, elle était allée faire un tour dans le parc pour se changer les idées. C'est là qu'elle avait croisé Theo, sorti fumer à l'abri des caméras. Ils avaient partagé une bouteille de bourbon volée dans le stock des VIP de Rage Rock. L'alcool lui montant à la tête, elle avait fini par lui trouver une étonnante ressemblance avec le garçon sur lequel elle avait craqué lorsqu'elle était en terminale. Aux alentours de minuit, ils avaient forcé la porte de la chambre de Meg, ôté précipitamment leurs vêtements et s'étaient offert une mémorable partie de galipettes.

Hélas, l'ivresse ayant fait place à un sévère état de déshydratation, elle voyait la situation sous un jour plus réaliste.

Elle n'avait que trois ans de plus que Theo, et il avait atteint l'âge légal de consentement, mais elle avait l'impression d'avoir commis un acte moralement condamnable. En tant que membre de l'équipe de production, elle n'avait sans doute pas davantage le droit de coucher avec un candidat qu'un prof avec son élève.

De plus, Theo n'était pas du genre discret. Si les stagiaires apprenaient ce qui s'était passé, sa réputation serait définitivement détruite.

— Eh, je ne mords pas, dit son amant d'un soir tandis qu'elle se dérobait à son étreinte pour enfiler son jean.

— C'était cool, cette nuit, le rassura Lorrie. On remettra ça, si ça te branche, mais tu ne dois parler à personne de ce qui nous est arrivé, pas même à tes frères, OK ?

En vérité, elle n'avait aucune intention de *remettre ça*, mais elle pensait que cette promesse en l'air le convaincrait de garder le silence.

Elle sortit son iPhone de sa poche arrière et consulta ses notifications.

Un appel en absence d'un numéro non enregistré.

Un SMS de sa mère lui rappelant qu'elle devait se trouver une robe pour le mariage de son cousin.

Un mail de son petit ami répétant pour la centième fois à quel point elle lui manquait, une affirmation en parfaite contradiction avec les selfies qu'il postait sur Facebook depuis Miami, cocktail à la main, en compagnie de filles court-vêtues.

Un message rédigé en ces termes :

Pourquoi tu n'es pas encore là ?
Viens dans mon bureau DQTRCM.

— Ça veut dire quoi, « DQTRCM » ?

— *Dès que tu reçois ce message.* Je n'ai pas droit à un petit câlin ?

Constatant que le SMS lui avait été envoyé vingt minutes plus tôt, elle enfila son top et attacha ses cheveux en arrière.

— Il faut que je file, dit-elle en donnant à Theo une claque sur les fesses. Si j'étais toi, je me rhabillerais en vitesse avant qu'un stagiaire débarque pour ranger la chambre.

En sortant de la suite, elle jeta un coup d'œil à gauche et à droite puis emprunta l'étroit escalier menant aux combles du quatrième étage qui, jadis, avait abrité un atelier d'artiste.

Elle traversa le studio de montage, entra dans le bureau de la direction et y trouva Zig Allen en compagnie d'Angie et Joseph.

— Entre, dit-il. Il faut qu'on parle.

Lorrie était convaincue qu'il était déjà au courant pour son histoire avec Theo. Il ne lui restait plus qu'à faire profil bas et à accepter sa sanction sans broncher.

— Alors, demanda Zig, comment as-tu vécu ta première apparition de l'autre côté de la caméra ?

— C'était une super expérience, bredouilla-t-elle. Je veux dire… je sais que c'était loin d'être parfait, mais je pense que mes cours de comédie m'ont été très utiles.

— Présenter une émission dans les conditions du direct est un exercice d'équilibriste. Il faut s'efforcer de ne pas trop penser tout en évitant de raconter n'importe quoi. J'estime que tu t'en es très bien tirée.

— Angie et Joseph m'ont donné un sacré coup de main, dit Lorrie en leur adressant un sourire reconnaissant. Ils ont tout fait pour que je me sente à l'aise.

— Et maintenant ? Préfères-tu continuer dans cette voie ou reprendre ton boulot de stagiaire ?

— J'aimerais rester à la présentation… évidemment, répondit-elle.

À sa grande surprise, Zig posa sur le bureau un document et dévissa le bouchon de son stylo-plume.

— Voici ton contrat, annonça-t-il. Je te propose de devenir le nouveau visage de la Rock War Academy, mais j'ai besoin d'une réponse immédiate.

— Et je serai payée ?

Zig éclata de rire, comme s'il s'agissait de la question la plus absurde qu'on lui ait jamais posée.

— Mon ange, tu as accepté de nettoyer des toilettes et de porter du matériel à titre bénévole, et tu voudrais être payée pour porter un soutien-gorge pigeonnant et sourire à l'objectif ?

— Eh bien… Il me semble que Meg recevait un salaire, non ?

Zig frappa du poing sur le bureau.

— Quand tu es arrivée ici, tu aurais été ravie d'ajouter la ligne *présentatrice* à ton CV, n'est-ce pas ?

— Tu devrais saisir cette chance, ma chérie, intervint Angie, qui désapprouvait l'attitude de Zig. Après tous les caprices que Meg nous a fait subir, c'était un régal de travailler avec toi. Tu seras défrayée, et nous nous arrangerons pour que tu puisses garder tous les vêtements de créateurs que tu porteras à l'écran.

Zig adressa un regard hostile à Angie, passa une main dans ses cheveux puis hocha lentement la tête.

— Très bien, soupira-t-il. OK pour les fringues et les défraiements. Mais pas de remboursement des notes de mini-bar quand tu logeras à l'hôtel. Si Elvis Presley ressuscitait et souhaitait présenter *Rock War*, je le paierais un million de dollars par émission. Mais s'il tenait absolument à dépenser dix livres pour un sachet de cacahuètes, il devrait les sortir de sa poche !

Interloqués par cette tirade absurde, les deux réalisateurs échangèrent un regard embarrassé.

— Vois-tu, Lorrie, j'estime que tu as beaucoup de chance, dit-il en posant un doigt sur le contrat. Si je n'étais pas gay, tu devrais probablement coucher avec moi pour avoir une opportunité comme celle-là.

Lorrie avait vu Zig au volant d'une Lamborghini orange portant la plaque minéralogique ZIG64. Elle était écœurée par ses méthodes, par la façon dont il essayait de la convaincre de travailler gratuitement alors qu'elle avait un prêt étudiant à rembourser. Mais il restait un fait indéniable : une opportunité unique se présentait à elle, et il n'était pas question de la laisser filer.

Elle prit le stylo et signa le document.

— Je peux avoir un double ? demanda-t-elle.

— Bien entendu. Il y a une photocopieuse à la sortie du bureau.

Lorrie s'empara du contrat, tourna les talons et se dirigea vers la porte.

— Attends une seconde, lança Zig. Es-tu au courant pour le problème de la quatrième semaine ?

— De quel problème parlez-vous, Mr Allen ?

— Un léger souci qui nous préoccupe depuis quelques jours, mes estimés réalisateurs et moi-même.

Redoutant que Zig ne brille une nouvelle fois par son manque de clarté, Angie prit la parole.

— Nous avons établi un planning précis pour la diffusion de *Rock War Academy*. Première semaine, présentation des candidats et adieux à leurs familles dans une ambiance lacrymale. Deuxième semaine, découverte du manoir, premiers cours, répétitions aux écuries, barbecue de Joe Cobb, Jay se fait balancer depuis la coursive du deuxième étage. Troisième semaine, Rage Rock Festival, Summer est morte de trac, son groupe joue devant cent mille personnes. Cinquième semaine, les juges débarquent au manoir et le suspense grandit. Sixième semaine, dernières performances, la tension monte et deux groupes sont éliminés lors de l'épisode final.

— Il n'y a rien qui te choque, Lorrie ? demanda Zig.

— Si. Il manque la quatrième semaine.

— Exact. Nous pouvons nous concentrer sur le retour des candidats au manoir. Filmer davantage de répétitions. Faire venir quelques célébrités, peut-être. Ce que je souhaite, c'est trouver quelque chose de sympa qui ne nous coûte pas une fortune. Le souci, c'est que les audiences grimpent à chaque épisode, et que nous ne voulons pas briser cet élan.

— Pourquoi ne pas organiser une excursion ? suggéra Lorrie. En Floride ou à Paris ?

— Trop mou et trop cher, dit Zig.

— Il y aurait bien une solution, mais je ne suis pas certaine que ça conviendrait. Il se trouve que mon oncle Norman organise des stages de *team building*. Vous savez, ce genre de séjours où des collègues sont censés renforcer leur cohésion en construisant des radeaux et en campant dans les bois, à la dure.

— C'est une idée intéressante, dit Angie. Ça pourrait passer, avec des commentaires en voix off expliquant que ces activités rapprochent les membres des groupes et améliorent leurs performances musicales.

— Oui, je crois que ça pourrait fonctionner, confirma Joseph. Et quelques jours en plein air ne feraient pas de mal à ces petits crétins arrogants.

— Il faudrait prévoir une récompense pour le groupe qui remportera le maximum d'épreuves, ajouta Angie.

— Combien ça nous coûterait ? demanda Zig.

— Je n'en ai aucune idée, répondit Lorrie. Mais mon oncle ne roule pas en voiture de sport, lui, alors j'imagine que ça ne doit pas lui rapporter des fortunes.

Enchantés par cette pique adressée à Zig, Angie et Joseph échangèrent un sourire complice.

Zig leva les yeux au ciel puis claqua dans ses doigts.

— Très bien, grogna-t-il. Pourrais-tu me communiquer le numéro de ton oncle, Lorrie ?

19. Mr X

Vêtue d'un jean et d'une veste de l'armée à motif camouflage, Lorrie se tenait face à la caméra, au centre de la salle de bal plongée dans la pénombre.

— Nous sommes jeudi, et il est six heures trente du matin, chuchota-t-elle sur un ton conspirateur. Les candidats pensent que ce sera une journée comme les autres, mais je vous garantis qu'ils vont avoir la surprise de leur vie.

Le cadreur effectua un zoom arrière, dévoilant un colosse au crâne rasé et à l'épaisse moustache rousse debout à côté de Lorrie, un rottweiler en laisse.

— Voici Norman X, ancien instructeur des forces spéciales, dont nous devons flouter le visage pour des raisons évidentes de confidentialité. Mr X, qu'avez-vous réservé aux participants de *Rock War* ?

L'homme esquissa un sourire.

— Je ne peux pas entrer dans les détails, mais disons qu'ils s'apprêtent à vivre les trente-six heures les plus éprouvantes de leur existence, tant sur le plan physique que sur le plan émotionnel.

— Et quel bénéfice en tireront-ils ? demanda Lorrie.

— Les défis physiques aiguisent la force mentale et consolident les liens au sein d'une équipe. Les concurrents ne joueront pas une note de musique pendant trois jours, mais je vous promets qu'ils sortiront de ces épreuves plus forts et plus solidaires.

126

— Eh bien, ils sont à vous Mr X!

Angie laissa s'écouler quelques secondes de silence avant de s'adresser aux équipes de prise de vues regroupées au pied de l'escalier.

— Tout le monde est prêt? demanda-t-elle.

Lorsque tous les techniciens eurent levé le pouce, elle s'exclama:

— Lumière…

Une batterie de projecteurs illumina la salle et les coursives.

— … et action!

Une caméra braquée sur son visage, Mr X porta à sa bouche un petit cylindre métallique, gonfla ses poumons et lâcha un coup de sifflet à percer les tympans.

Trois maîtres-chiens accompagnés de leurs rottweilers prirent alors d'assaut l'escalier, suivis de près par les cadreurs. Dylan dormait profondément lorsque la porte de sa chambre fut arrachée à ses gonds par la semelle d'une botte de combat. L'effet visuel était très réussi, mais Zig Allen piquerait sans doute une énième crise de nerfs lorsque la facture de réparation atterrirait sur son bureau.

— Tout le monde debout! brailla une femme en tenue camouflage en arrachant la couette de Dylan.

L'homme qui l'accompagnait fit subir le même sort à Leo, son camarade rondouillard des Pandas of Doom.

Aveuglé par une lampe torche, Dylan eut la peur de sa vie lorsqu'un molosse sauta sur son lit en lâchant des aboiements féroces.

— Eh! hurla-t-il. Dégage sale bête!

Il effectua une roulade latérale et se retrouva à plat ventre sur le plancher de la chambre. Le chien revint à la charge, puis Dylan, qui s'attendait à être dévoré vivant, sentit la langue de l'animal courir entre ses omoplates.

— Les garçons, vous avez deux minutes pour enfiler un short et un T-shirt puis retrouver les autres sur la pelouse, devant le manoir, avertit la femme. Sinon, vous serez privés de petit déjeuner. Ce qui serait regrettable, parce que c'est peut-être tout ce que vous aurez à bouffer pendant plusieurs jours.

La même scène se joua dans les vingt-trois chambres des coursives. Noah et Sadie, qui étaient logés au rez-de-chaussée, bénéficièrent d'un traitement plus clément. Leur porte ne subit aucune dégradation, et un stagiaire aida même Noah à s'installer dans son fauteuil.

Bientôt, les concurrents dévalèrent les escaliers sous l'œil inquisiteur des employés de Mr X.

— Nous as-tu entendus autoriser le port des chaussons à pompons, jeune homme ? hurla l'un d'eux à l'adresse du batteur de Reluctant Readers. Déchausse-toi immédiatement !

Complètement déboussolé, le pauvre garçon remit ses chaussons à son tourmenteur, qui les lança avec dégoût dans un coin de la salle de bal.

— Bougez-vous ! cria un individu au fort accent écossais, posté près de la porte du manoir, les mains sur les hanches. On m'a assuré que vous étiez des adolescents en pleine possession de leurs moyens. Alors comment se fait-il que vous vous traîniez comme des tortues asthmatiques ?

Les candidats se rassemblèrent en désordre sur la pelouse.

— Formez quatre rangées de douze, face à moi, puis mettez-vous au garde-à-vous, aboya Mr X. Le dos droit, les bras le long du corps. Et par pitié, épargnez-moi ces mines misérables. Non mais sans blague, c'est à croire que vous n'avez jamais été réveillés par des mercenaires accompagnés de chiens d'attaque !

Jay se plaça au bout d'une rangée. Passé le choc initial, il trouvait la situation plutôt comique. Les filles avaient été tirées du lit sans pouvoir se coiffer ni se maquiller, et certaines d'entre elles étaient méconnaissables.

Mr X pointa un doigt vers le manoir.

— À l'instant où je suis entré dans cette bicoque, j'ai été pris à la gorge par une odeur de fauve particulièrement désagréable. Et comme j'en déduis que vous vous êtes sérieusement négligés au cours des dernières semaines, nous allons commencer par une petite douche collective.

À ces mots, deux de ses collaborateurs brandirent des lances d'incendie et lâchèrent deux jets d'eau froide sous haute pression. Frappés de plein fouet, les candidats perdirent un à un l'équilibre et tombèrent dans l'herbe comme des quilles. En quelques secondes, la pelouse tondue la veille se transforma en champ de boue, si bien qu'ils s'en trouvèrent bientôt couverts de la tête aux pieds.

— Voilà qui est déjà beaucoup mieux ! s'exclama Mr X.

D'un geste, il ordonna le cessez-le-feu puis désigna les quarante-huit sacs en papier entassés sur une longue table pliante dressée au bord de l'allée.

— Maintenant, récupérez le kit étiqueté à votre nom. Je vous conseille de ne pas les échanger si vous voulez porter des vêtements à votre taille.

Les candidats se séchèrent comme ils purent, récupérèrent leurs effets puis commencèrent à s'habiller. L'uniforme était composé d'une chemise de l'armée polonaise, d'un pantalon de treillis à motif camouflage, d'épaisses chaussettes en laine et d'antiques rangers noirs.

Seul Theo refusa d'obtempérer. Toujours en caleçon et maillot de boxe, il se planta courageusement devant Mr X.

— Désolé mon vieux, mais vous pouvez garder vos vieilles fringues crados. Moi, je vais me recoucher.

— Oh, je vois, dit calmement l'instructeur. Tu dois être Theo. On m'a averti que tu me poserais des problèmes.

— Oui, c'est bien moi. Alors rouquin, c'est bon ? Je peux aller me recoucher ?

— Tu es champion de boxe, à ce qu'il paraît... Que dirais-tu d'un petit défi ?

Deux caméras capturèrent la mine contrariée de Theo. Il était ulcéré que Mr X ne réagisse pas comme prévu à la provocation.

— Mouais. Dites toujours.

— J'ai huit employés dans mon équipe. Je vais te laisser choisir celui que tu préfères affronter. Si tu l'envoies au tapis, tu recevras cent livres et je t'autoriserai à te remettre au lit, ainsi que les trois membres de ton groupe. Mais si tu mords la poussière le premier, tu en baveras comme les autres.

Theo considéra les équipiers de Mr X. La plupart d'entre eux étaient taillés comme des armoires à glace. Restaient deux femmes, la brute au cou de taureau qui avait endommagé la porte de la chambre de Dylan, et une fille d'environ vingt-cinq ans, de taille moyenne, aux cheveux blonds rassemblés en chignon à l'arrière du crâne.

— Elle, dit-il.

Mr X fronça les sourcils.

— Tu es certain ?

— On s'était mis d'accord. Vous avez dit que je pouvais choisir n'importe qui. Eh bien, voilà, mon choix est fait.

— Certains hommes excluent d'affronter des femmes pour des raisons morales…, soupira Mr X. Mais comme ce n'est visiblement pas ton cas, et qu'une promesse est une promesse, je vais respecter ton choix.

Puis il adressa un signe à son équipière.

— Amy, tu peux venir ici s'il te plaît ?

Lorsqu'elle s'approcha et qu'il put distinguer précisément ses traits, Theo fut frappé par sa beauté. Il adressa un regard gêné à la caméra. Au fond, Mr X avait dit vrai. Sa popularité auprès du public risquait d'en prendre un coup si on le voyait malmener une femme aussi frêle et jolie.

Hélas, il était trop tard pour reculer. Amy ôta ses bottes, ses chaussettes et sa veste militaire, puis se présenta devant Theo en pantalon de treillis et débardeur. Elle adopta une posture défensive digne d'une combattante professionnelle. Elle était fine, mais tout en muscles, sans un poil de graisse.

— Allez, c'est parti, dit Mr X. Dépêchez-vous de régler cette question. Je n'ai pas que ça à faire.

— Flanque-lui une rouste, Theo, qu'on retourne se coucher ! cria Adam, soulevant quelques rires parmi les concurrents et les techniciens.

Theo ouvrit les hostilités par une tentative de direct au visage qu'Amy esquiva avec une facilité déconcertante.

— Pas mal, dit-elle. Mais je suis sûre que tu peux faire mieux. Pourquoi ne pas essayer de me toucher, la prochaine fois ?

Piqué au vif, Theo visa l'estomac. Cette fois, Amy détourna son bras, riposta par une grêle de coups puis, profitant de son état de confusion, elle saisit son poignet, fléchit les jambes, le fit rouler sur son dos et le précipita brutalement sur le sol boueux. Enfin, elle se pencha brièvement en avant pour saluer l'assistance.

Angie était aux anges. Pourvu que Zig ne la censure pas au nom du politiquement correct, cette scène était de l'or en barre télévisuel.

— Voilà ! s'exclama Mr X. Ce fut aussi rapide que je l'espérais. Reprenons à présent le fil de notre programme. Vous êtes quarante-huit, et quarante sacs de petits déjeuners vous attendent à deux kilomètres d'ici, en direction de l'est. Vous ne risquez pas de vous perdre : l'itinéraire est balisé par des flèches bleues. En revanche, vous risquez de faire partie des huit concurrents qui arriveront les derniers et devront observer un régime forcé jusqu'au prochain repas.

Poussé par le plus sportif des stagiaires, Noah ouvrit la voie. Alors que le troupeau de candidats s'élançait dans son sillage, Theo, secoué par sa collision brutale avec le sol, ne s'était pas encore relevé.

— Félicitations, mon garçon, s'exclama Mr X en lui tendant la main. C'est un grand jour pour toi : tu viens de te faire massacrer par une faible femme, et de découvrir à cette occasion qu'il est suicidaire de sous-estimer un adversaire, quelle que soit son apparence...

20. Crème anglaise

Manquant singulièrement d'exercice physique, Dylan, Leo et Jay furent au nombre des candidats privés de petit déjeuner. Même Theo, qui avait dû enfiler son uniforme avant de se mettre en route, les avait précédés d'une bonne centaine de mètres. Ils n'eurent d'autre choix que de s'en remettre à la générosité de leurs camarades. Jay, qui s'était fait beaucoup d'amis au cours de son séjour au manoir, récupéra un pain au chocolat, une grappe de raisin, deux barres de céréales et un flacon de yaourt à boire.

— C'est nul, gémit Dylan. On est censés faire de la musique, pas cavaler dans la forêt le ventre vide.

— C'est clair, approuva Leo. En plus, c'est les vacances. Je pourrais être en train de glander sur une plage et mater des meufs en bikini.

— Mytho ! s'exclama Eve. La vérité, c'est que tu serais chez ta mère, à Paisley, et que tu jouerais à *Halo 5* en bouffant des Pringles.

— Si ça se trouve, ça peut être fun, dit Alfie. Dormir à la belle étoile, faire réchauffer des haricots sur le feu de camp, ce genre de trucs... Ça me rappellera les scouts.

— Ça te *rappellera* les scouts ? répéta Dylan l'air incrédule.

— Eh ouais, ricana Tristan. Alfie fait toujours partie d'une bande de louveteaux. Vous devriez voir comme il est craquant avec son short et son petit foulard autour du cou.

— Je porte un pantalon, connard, se récria Alfie.

— Moi aussi, j'étais chez les scouts, confessa Jay en surveillant du coin de l'œil Mr X qui, accompagné de deux de ses séides, s'avançait droit dans leur direction. C'était génial, et je ne me souviens pas que les chefs aient lancé des chiens sur nous pendant qu'on dormait, ni qu'ils nous aient arrosés avec des lances d'incendie.

— Silence, vous tous ! tonna Mr X tandis que les cadreurs prenaient place autour du groupe. Nous allons commencer la journée par une petite marche d'échauffement d'une vingtaine de kilomètres puis vous dresserez le bivouac.

— C'est quoi, un bivouac ? demanda Coco.

— Une boisson énergétique, je crois, répondit Babatunde, provoquant l'hilarité de ses camarades.

— La ferme ! aboya Mr X. Si vous avez des questions, attendez que je vous donne la parole. Le prochain qui ouvrira la bouche sans mon autorisation le regrettera amèrement. Bref, lorsque vous aurez dressé le bivouac – ou le camp, si vous préférez –, on vous remettra de quoi bâtir un radeau qui vous permettra, dès demain, de descendre deux kilomètres de rivière. Une épreuve chronométrée, cela va sans dire. Au point de débarquement, vous trouverez des objets pesants qu'il vous appartiendra de transporter jusqu'au sommet d'une colline en empruntant un sentier d'un kilomètre et demi à flanc de falaise.

» Les membres du groupe qui sortira vainqueur de ces épreuves passeront le week-end en famille dans un luxueux hôtel londonien, dîneront au nouveau restaurant de Joe Cobb et assisteront à un spectacle dans le West End. Les six groupes qui les suivront au classement bénéficieront d'une permission de quarante-huit heures dans leurs foyers.

» Hélas, les cinq groupes figurant en queue de classement demeureront au manoir, où on leur confiera brosses, chiffons et serpillières afin de briquer comme il se doit ce vénérable édifice. Des questions ?

— Vu que ma famille est un peu particulière, j'aurais du mal à considérer un week-end en leur compagnie comme une récompense, s'esclaffa Jay.

À ces mots, les deux individus qui encadraient Mr X fendirent la foule des candidats, attrapèrent Jay par les épaules et lui posèrent un seau métallique sur la tête. Leur chef déploya une matraque télescopique et en flanqua un grand coup sur le récipient, provoquant un son si assourdissant que leur victime crut, l'espace d'un instant, qu'elle allait perdre connaissance.

— Tu as entendu ce boucan, mon garçon ? hurla Mr X en retirant le seau.

— Oui, monsieur, bredouilla Jay complètement sonné.

— Alors j'en déduis que tu n'es pas sourd, n'est-ce pas ?

— Non, monsieur.

— Dans ce cas, comment se fait-il que tu aies parlé avant que je ne t'y autorise ?

Les concurrents qui assistaient à cette scène semblaient partagés. Certains avaient des difficultés à garder leur sérieux. Les autres, tout au contraire, contenaient leur colère.

— Très bien, bande d'affreux, cria l'homme à l'accent écossais en désignant un monticule de sacs à dos. Prenez chacun un pack d'équipement. N'hésitez pas à utiliser la lotion solaire et à vous hydrater durant la marche. La route est parfaitement balisée, alors si vous vous perdez, mauvaise nouvelle, c'est que vous êtes complètement demeurés.

...

— Je crois qu'on est paumés, dit Jay en jetant un coup d'œil circulaire à la clairière où sa petite troupe avait échoué. Vous êtes sûrs qu'on n'a pas manqué un panneau quelque part ?

— Les stagiaires ne sont jamais là quand on a besoin d'eux, grogna Summer. Je parie que ces feignasses sont en train de s'enfiler des *baked beans* et des œufs au bacon.

Jay souffrait de crampes aux cuisses et d'ampoules aux talons à cause de ses bottes trop grandes.

— Arrêtez de paniquer, dit Lucy. On est sur la bonne voie. Vous verrez qu'il y aura un panneau au sommet de cette colline.

La perspective de marcher vingt kilomètres avait de quoi impressionner, mais ils disposaient de la journée pour parcourir cette distance. Le sentier de randonnée était très fréquenté. En cette belle journée d'été, les promeneurs s'y pressaient en grand nombre.

Les membres d'Industrial Scale Slaughter, de Jet, des Pandas of Doom et de I Heart Death avaient décidé de faire route ensemble. La marche n'étant pas chronométrée, ils avaient adopté un rythme posé. Pour Jay et Summer, cette balade dans la campagne était extrêmement exotique. Tout les étonnait, de la taille des vaches au comportement grégaire des moutons. Pourtant, comme ces derniers, ils ne s'étaient pas quittés d'une semelle de toute la matinée, arpentant côte à côte champs de bruyère et sentiers à flanc de falaise.

— Pourquoi la campagne est-elle aussi pourrie ? grogna Adam. Les gens n'arrêtent pas de délirer sur l'air pur et les grands espaces, mais c'est à crever d'ennui.

Il avait noué sa chemise autour de son crâne, s'était tartiné d'écran total puis, du bout du doigt, avait tracé un smiley sur son torse dans l'espoir d'obtenir un coup de soleil de forme amusante.

— Ici ! s'exclama Lucy en désignant une pancarte plantée sur la crête de la colline.

Michelle et Theo, qui fermaient la marche, avaient progressivement perdu du terrain. Alors que leurs camarades pensaient les avoir définitivement lâchés, ils les virent courir dans leur direction, les bras chargés de boîtes à gâteaux et de gobelets en polystyrène alignés dans des râteliers en carton.

— Nous avons trouvé une pâtisserie absolument charmante dans ce pittoresque village au pied de la colline, s'exclama

Michelle, adoptant la voix d'une grand-mère très digne. Thé, scones et crème anglaise. Vous allez vous régaler, mes enfants !

— Désolé, mais j'en ai renversé un peu partout, dit Theo en distribuant les gobelets.

Michelle ouvrit l'une des boîtes. Coco et Lucy furent les premières à se servir.

— Mmmh, c'est délicieux, murmura cette dernière.

Jay demeura en retrait. Il surveillait le chemin côté aval, s'attendant à tout moment à voir débarquer un pâtissier furibard brandissant son rouleau.

— Sans vouloir être indiscret, comment vous avez acheté tout ça ? demanda-t-il tandis que ses camarades s'asseyaient sur le bas-côté pour déguster leur second petit déjeuner de la journée.

— Eh, tu me traites de voleur ? se raidit Theo, feignant l'indignation.

— Non, ça, c'est juste un fait, ricana Jay. Tu as passé moins de temps à l'école qu'au tribunal des mineurs.

— Ouais, mais c'est parce que les flics ont une dent contre moi. Et puis je pique des bagnoles, pas des gâteaux. Je ne suis pas nul à ce point.

Mais la remarque de Jay avait piqué la curiosité d'Adam.

— On est descendus en shorts et T-shirts, tout à l'heure, fit-il observer. Donc, aucun de nous n'avait de fric.

— Mais depuis, je me suis procuré ça, annonça Theo en sortant de sa poche un portefeuille en Nylon.

— Et où est-ce que tu l'as trouvé ?

— Vous vous souvenez tous d'Amy, je suppose ?

— Ouais, la blondinette qui t'a mis au tapis en deux temps trois mouvements. Et alors ?

— Attendez, vous croyez vraiment que j'aurais tabassé une meuf devant les caméras ?

— Ah, ça y est, je vois, dit Adam. Tu vas vraiment essayer de nous faire croire que tu l'as laissée gagner ?

— Pense ce que tu veux, frérot. Quoi qu'il en soit, quand elle s'est accroupie pour remettre ses bottes, tu me connais, j'en ai profité pour mater ses fesses. Et là, j'ai vu ce porte-feuille qui sortait de sa poche. Après, comme je suis plutôt habile de mes mains... Mais j'ai dépensé tout ce fric pour vous payer à bouffer, bande d'ingrats !

— OK, j'ai pigé. Merci mec. Ces scones sont délicieux.

— Cela dit, si cette meuf découvre que tu lui as piqué son portefeuille, tu vas prendre une deuxième tournée, ricana Babatunde.

— Elle n'a aucune preuve, dit Theo. Et puis de toute façon, pour ne rien vous cacher, je ne serais pas contre me rouler encore un peu dans l'herbe avec elle.

À cet instant, une rafale de vent emporta l'une des boîtes vides et quelques serviettes en papier qui frôlèrent un retraité promenant un collie.

— J'espère que vous avez l'intention de ramasser ces saletés avant de partir, gronda-t-il.

Ulcéré par le ton agressif que l'homme avait employé, Theo se leva et lui adressa un doigt d'honneur.

— Bouge, vieux con, et mêle-toi de ce qui te regarde.

— Je ne vous permets pas, jeune homme ! rétorqua le retraité. Vous vous comportez comme des sauvages. Imaginez un peu ce que deviendrait cet endroit magnifique si tout le monde y déversait ses ordures.

— Ce serait peut-être un peu moins chiant, suggéra Adam.

— Comment osez-vous ? tempêta l'inconnu. Ah, il est grand temps que les jeunes de ce pays apprennent ce que...

Avant qu'il ait pu achever son laïus, un scone lancé par Michelle atterrit sur la monture de ses lunettes en écaille, côté crème. Le visage écarlate, il laissa éclater sa rage.

— Bande de barbares ! Je ne sais pas quelle association a organisé cette sortie, mais je ferai ma petite enquête et vous entendrez parler de moi, je vous le garantis !

Sur ces mots, il tourna les talons et rebroussa chemin pré-cipitamment en marmonnant dans sa barbe.

Tous les regards se tournèrent vers Michelle.

— Ben, quoi ? Il l'a bien mérité. Et vous pourriez être un peu reconnaissants. Vous n'avez pas craché sur nos pâtisse-ries, que je sache.

— C'était juste un vieux bonhomme un peu grognon, dit Lucy tandis que Summer et une fille de I Heart Death par-taient à la chasse aux serviettes volantes. Vous auriez pu vous contenter de l'ignorer.

Michelle détestait qu'on lui fasse la leçon, et se faire remon-ter les bretelles par sa sœur en public lui était tout simplement insupportable.

— Retire le balai que tu as où je pense, Lucy, s'étrangla-t-elle avant de se remettre en route vers le sommet de la colline. Je voulais juste être sympa, mais vous n'êtes qu'une bande d'ingrats et d'égoïstes.

Theo lécha ses doigts souillés de crème anglaise, puis, lorsque Michelle se fut éloignée d'une dizaine de mètres, il déclara solennellement :

— Cette fille est complètement cintrée. Je crois que je vais la demander en mariage.

21. Coups tordus

Leur longue marche s'était achevée dans une zone boisée où coulait une rivière, mais les concurrents n'eurent que quelques minutes pour y tremper leurs pieds meurtris avant qu'un collaborateur de Mr X leur ordonne de monter les tentes. Cette corvée achevée, ils reçurent l'autorisation de se détendre.

À l'exception des membres de la petite troupe qui s'était clandestinement gavée de scones, ils avaient dû se contenter de barres de céréales trouvées dans leurs sacs à dos, ce qui les rendait d'humeur maussade.

Un convoi formé de deux vans et d'un camion fit halte à l'orée du camp. La plateforme de ce dernier était chargée du matériel destiné à la construction des radeaux : planches, bidons en plastique et bobines de cordage en Nylon. Des autres véhicules débarquèrent une armée de stagiaires et de techniciens. Accompagnée d'Angie et de son cadreur attitré, Lorrie se dirigea droit vers Summer.

— Alors, comment s'est passée cette journée ? demanda-t-elle.

— Je suis crevée, dit Summer avec un sourire un peu las. Mais la vue était géniale, par endroits.

— Te sens-tu prête pour les défis de demain ?

Sadie, la batteuse de Frosty Vader, entra dans le champ de la caméra.

— C'était nul, protesta-t-elle. On a signé pour *Rock War*, pas pour une émission de survie.

Les candidats saluèrent cette intervention par un murmure d'approbation. Lorrie jeta un regard inquiet à son cadreur, se déplaça rapidement vers l'autre extrémité du campement et s'adressa à Alfie, le benjamin de l'émission, qu'elle tenait pour le plus inoffensif.

— Eh, tu as de sacrées ampoules ! dit-elle en étudiant ses pieds. Je parie que tu n'avais jamais marché une telle distance.

Redoutant de passer pour un faible aux yeux de ses aînés, Alfie plissa les yeux et fixa la caméra.

— On crève la dalle ! gronda-t-il. Et celui qui a eu l'idée stupide de nous envoyer en pleine cambrousse peut aller se faire foutre !

À ces mots, son grand frère Tristan lui donna une grande claque dans le dos, puis les concurrents se levèrent comme un seul homme pour applaudir à tout rompre.

— Bien dit, Alfie ! lança Jay.

Lorsque Zig et Joseph arrivèrent sur les lieux à bord du Range Rover de la production, ils s'étonnèrent de voir Lorrie et Angie reculer prudemment vers les camionnettes.

Le vent de révolte qui soufflait parmi les candidats s'apaisa lorsqu'ils virent une dizaine de stagiaires disposer sur une longue table trois grandes cantines en inox et des couverts jetables. Enfin, l'un d'eux y posa une grande ardoise sur laquelle chacun put lire :

Cantine de la jungle
Menu

~

Entrée
Yeux de moutons à la gelée de cervelle

~

Plat principal
Pis de vache bouilli aux entrailles de canard

~

Dessert
Testicules de veau au coulis de citron vert

~

Plat végétarien
Ragoût d'algues

La plupart des candidats estimèrent qu'il s'agissait d'une plaisanterie jusqu'à ce qu'un stagiaire soulève le couvercle d'une cantine et révèle une soupe rosâtre où flottaient des globes oculaires. Cette vision souleva cris d'indignation et exclamations de dégoût. Saisie d'un haut-le-cœur, une participante se plia en deux et vomit dans l'herbe.

— Hors de question que je mange ça, protesta Lucy.

— Il n'y a rien d'autre, ricana l'employé écossais de Mr X. Mais si tu préfères rester le ventre vide, grand bien te fasse.

Grant, le bassiste de I Heart Death, bouscula le cadreur chargé de capturer l'expression horrifiée des participants, lui arracha sa caméra et la jeta au sol. Un second opérateur recula d'un pas et tourna l'objectif vers ses pieds afin que son matériel ne subisse pas le même sort.

— Arrêtez de nous filmer, s'exclama Adam. On en a marre de vos coups tordus.

— Formez une file et bouclez-la ! hurla l'Écossais.

Mais les adolescents affamés refusèrent d'obtempérer. En retrait derrière ses équipes techniques, Zig observait la scène d'un œil anxieux. Prenant la tête d'une dizaine de filles, Lucy franchit ce barrage et se planta devant lui.

— Vous pouvez me dire où est l'éducateur des services sociaux qui est censé veiller sur nous ? demanda-t-elle.

Zig afficha un air stupéfait.

— De quoi... de quoi parlez-vous ?

— Au cours de la réunion à laquelle nous avons assisté le jour de notre arrivée, on nous a informés que quelqu'un serait présent vingt-quatre heures sur vingt-quatre pour régler nos problèmes. Nous étions également censés pouvoir contacter nos parents à tout moment. Mais maintenant, nous sommes au milieu de nulle part, sans téléphone, et on prétend nous faire bouffer des mamelles de vache. Pour résumer, je dirais qu'il y a comme un problème, Mr Allen.

Angie intervint.

— Vos parents ont été informés que vous participiez à une excursion à l'extérieur du manoir et que vous serez de retour demain, pour l'heure du déjeuner.

— Vous leur avez parlé des lances d'incendie et des yeux de mouton ? demanda Jay.

— Mon parrain est avocat, ajouta Dylan. On va vous coller un procès au cul.

— Allons, allons, tout le monde se calme, dit Zig d'une voix mal assurée.

— Mes collègues seront ici d'une minute à l'autre, chuchota l'Écossais à son oreille. Nous écraserons cette tentative de rébellion.

Zig lui adressa un regard noir.

— Nous ne participons pas à un exercice militaire, cher ami, mais au tournage d'une émission, rétorqua-t-il. Et au cas où vous ne l'auriez pas remarqué, nous n'avons pas affaire à des soldats mais à des adolescents.

Consciente que Zig était en train de flancher, Angie prit les choses en main.

— Calmez-vous les enfants, dit-elle. Lucy, je te donne entièrement raison. Il devrait bel et bien y avoir un éducateur avec nous, et c'est un malheureux oubli de notre part. Ce que je voudrais vous faire comprendre, c'est que nous essayons juste de produire un programme varié et amusant. Notre seul but, c'est de rassembler autant de téléspectateurs que possible et de maximiser nos recettes publicitaires. C'est notre intérêt à tous, vous ne pensez pas ?

— Ouais, facile à dire, maugréa Lucy. En attendant, c'est nous qui devons gober des yeux de mouton et laisser cette bande de tarés nous hurler dans les oreilles.

— Tu oublies la douche glacée de ce matin, fit observer Adam.

Angie prit une profonde inspiration et s'efforça de garder la tête froide.

— Bien. Quelles sont vos revendications ?

— De la nourriture comestible, pour commencer. Pas la peine de vous fouler. Des hamburgers, du Coca et des glaces feront très bien l'affaire.

— Et quelques packs de bière, ajouta Michelle.

Plusieurs candidats la fusillèrent du regard. L'heure était aux négociations, pas aux provocations puériles.

— Depuis le début, vous n'avez pas arrêté de bidonner l'émission, poursuivit Lucy. Lors de notre première audition, vous avez fait apparaître un jury au montage alors qu'il n'était pas présent sur les lieux. Vous nous avez fait rejouer des scènes sous prétexte que l'éclairage n'était pas parfait ou que la batterie d'une caméra était à plat. Vous avez mis en scène la chute de Jay depuis la coursive. Alors ça vous embêterait de bidonner aussi cette scène, histoire de nous rendre les choses un peu plus faciles ?

Angie adressa à Zig un regard interrogateur. Ce dernier baissa les yeux puis hocha discrètement la tête.

— C'est d'accord, dit-elle. Nous allons envoyer des stagiaires vous chercher de quoi dîner au McDonald's, près de la sortie d'autoroute. Seulement, j'aimerais vraiment que certains d'entre vous se portent volontaires pour goûter à ces plats. Vous savez, c'était censé être rigolo, pas cruel… Certaines sociétés louent les services de la Cantine de la jungle pour des soirées et des séminaires. Contrairement aux apparences, la nourriture est très saine et plutôt agréable au goût. Alors si on pouvait réaliser quelques plans…

— Si vous me filez cinquante livres, je boufferai une pleine assiette de cette merde, dit Theo.

Dès qu'il entendit parler d'argent, Zig sortit de ses gonds.

— Il n'est pas question de vous rémunérer, grogna-t-il. Je préfère interrompre le programme que de céder à ce genre de chantage. Si j'accepte, les candidats me feront les poches chaque fois qu'on leur demandera de tourner une séquence qui les défrise.

Des huées se firent entendre, puis on assista à un début de bousculade.

— Laissez-moi finir avant de déclencher une émeute ! s'exclama le producteur. Voici mon offre : nous allons vous chercher de quoi dîner, puis je recommanderai à Mr X et à ses employés de vous traiter avec davantage d'égards, pourvu que nous puissions tourner quelques scènes scénarisées où il vous hurle dessus. Mais en échange, je veux que *chacun* de vous goûte aux plats de la Cantine de la jungle, ne serait-ce qu'une bouchée.

Lucy se retourna pour interroger ses camarades du regard. Ces derniers hochèrent unanimement la tête.

— C'est d'accord, dit-elle. Mais nous avons une dernière exigence.

— Quoi encore ? maugréa Zig.

— Nous voulons que les cinq derniers groupes au classement des épreuves passent le week-end en famille, comme les autres. Vous pourrez filmer quelques plans les montrant à quatre pattes en train de briquer le sol du manoir, mais que ça ne prenne que quelques minutes. Nous sommes tous loin de chez nous depuis plus de trois semaines, et je pense que nous avons mérité de retrouver ceux qui nous sont chers.

Les candidats exprimèrent bruyamment leur approbation. Zig, lui, effectua un rapide calcul : s'il acceptait, il lui faudrait financer vingt billets de train supplémentaires, mais il n'aurait pas à payer les techniciens pendant quarante-huit heures. Quant à la corvée de nettoyage, elle serait effectuée gracieusement par les stagiaires.

— C'est entendu, dit-il en serrant la main de Lucy. Tu es coriace, ma petite. Quelque chose me dit qu'un jour, je finirai par travailler sous tes ordres.

Puis, sans se départir de son calme, il se pencha à son oreille et chuchota :

— Je n'apprécie pas trop qu'on me chie dans les bottes. Après ce que tu viens de me faire, toi, ta sœur et tes petites copines avez autant de chance de gagner *Rock War* que de vous poser sur la planète Mars.

Comme si de rien n'était, Zig sortit de sa poche une liasse de billets de vingt livres et ordonna à ses stagiaires de se ravitailler au McDonald's. Lucy n'en revenait pas. La menace dont elle avait fait l'objet avait été proférée avec une telle froideur, une telle détermination, qu'elle se sentait glacée.

Derrière le buffet, l'employé de la Cantine de la jungle, un petit homme portant un chapeau de paille et un T-shirt bariolé, commença le service. Tandis que Theo mordait dans un œil de mouton, Michelle, toujours désireuse de faire le spectacle, se remplit la bouche de tétines de vache et commença à mâcher lentement, face caméra, jusqu'à ce qu'un jus jaunâtre s'écoule de la commissure de ses lèvres. Puis, prise d'une violente quinte de toux, elle recracha le tout à ses pieds, semant l'épouvante parmi les camarades qui l'entouraient.

— Pas si mauvais, dit Theo en fixant l'objectif. Je crois que je vais me laisser tenter par une petite assiette de testicules…

22. Hissez haut !

Après s'être rincé la bouche au Rage Cola, les candidats dévorèrent nuggets, Big Mac, filets o'fish et McFlurry. Mr X et ses employés, qui en voulaient à Zig d'avoir fait d'eux de simples figurants, affichaient des mines d'enterrement.

Lorsque le soleil commença à décliner, les stagiaires arpentèrent le bivouac afin de faire disparaître les déchets et tous les produits qui ne portaient pas le logo Rage Cola. Les participants, eux, s'attelèrent à la construction des radeaux à l'aide des morceaux des tonneaux en plastique, des planches et des plaques de polystyrène que la production avait déposés devant leurs tentes.

Ce travail achevé, l'aspect de ces embarcations variait considérablement d'un groupe à l'autre : celui de Jet n'était qu'un double alignement de tonneaux surmonté d'un plancher ; celui de Brontobyte, de conception plus complexe, ressemblait davantage à un catamaran, avec ses deux séries de flotteurs placés de part et d'autre d'un pont de bois recouvert d'une bâche en plastique. Séduits par ce design sophistiqué, nombreux furent les concurrents à l'imiter.

Vers vingt-trois heures, chacun se retira dans sa tente. Un quart d'heure plus tard, la fatigue aidant, on put entendre les mouches voler dans tout le campement.

Les stagiaires réveillèrent les participants à sept heures du matin. On leur accorda une demi-heure pour prendre leur petit déjeuner, puis ils regagnèrent leur abri pour jouer une scène où l'équipe de Mr X démontait les tentes au-dessus de leurs occupants dans un concert de hurlements. Erin s'était vu confier un rôle particulier, celui du mauvais sujet qui, refusant de s'extraire de son duvet, était condamné à être douché des restes de gelée de cervelle.

Cette mascarade terminée, les douze groupes, équipés de gilets fluo et d'un talkie-walkie à n'utiliser qu'en cas d'urgence, mirent leur radeau à l'eau.

Même si l'épreuve était désormais dépourvue d'enjeu, la plupart des candidats étaient animés d'un esprit de compétition hors du commun et étaient prêts à tout pour l'emporter.

Le lit de la rivière était tout juste assez large pour que deux embarcations puissent y naviguer de front. Les membres de Frosty Vader furent les premiers à prendre le départ de cette course contre la montre. Leur radeau, de conception rudimentaire, connut dès les premiers mètres des problèmes de flottaison, en raison de la présence du fauteuil de Noah qui en haussait considérablement le centre de gravité.

À l'inverse, le radeau de Brontobyte, parti une minute plus tard, présentait une stabilité remarquable. Sa forme permettait à ses occupants de se répartir aux quatre angles du pont et de ramer à l'aide de morceaux de plinthe en plastique. Ils dépassèrent rapidement Frosty Vader puis, constatant que leur embarcation avait tendance à piquer vers l'avant lorsqu'elle prenait de la vitesse, furent contraints de pagayer avec moins d'énergie.

Les candidats qui observaient leur progression depuis la berge estimaient avoir perdu d'avance. Deux radeaux sommaires s'élancèrent puis Half Term Haircut s'élança à son tour à bord d'une embarcation conçue sur le même modèle que celui de Brontobyte, mais aux finitions plus élaborées. Hélas, le fond en polystyrène commença à prendre l'eau, et les deux filles assises à l'arrière tentèrent vainement d'écoper.

Bientôt, la proue s'enfonça et les naufragés, contraints de quitter le bord, durent patauger jusqu'à la berge.

Ce naufrage redonna du baume au cœur aux membres de Jet, qui avaient construit un radeau des plus primitifs dont la flottaison semblait assurée. Hélas, Jay était nettement plus léger que les autres membres du groupe, si bien que l'angle opposé, où était accroupi Babatunde, s'enfonçait dangereusement et freinait la course de l'embarcation. Ils eurent à peine le temps de parcourir cinquante mètres avant d'être rattrapés par Industrial Scale Slaughter et I Heart Death.

— Hissez haut, bande de losers! cria Michelle en passant à leur hauteur.

Alors que l'inclinaison du radeau s'accentuait, celui des Messengers, construit sur le même modèle, les dépassa à vive allure.

— Je crois qu'un des flotteurs prend l'eau, annonça Babatunde.

Theo se pencha pour observer le lit de la rivière puis, s'étant assuré qu'il avait pied, sauta de l'embarcation pour la tirer vers le rivage.

— Merde, j'ai paumé une botte dans la vase, grogna Jay lorsque tous les naufragés débarquèrent sur la berge.

Après avoir repris leur souffle, ils observèrent le bidon défaillant et constatèrent qu'il était percé de nombreux trous, à l'image d'une pomme d'arrosoir.

— On a dû heurter le fond, suggéra Babatunde.

— Non, dit Theo. Les trous sont trop nets, et répartis trop régulièrement. Ils ont été faits à l'aide d'une perceuse.

— Qui a pu faire ça? demanda Adam.

— Je vous parie n'importe quoi que c'est un coup de ce connard de Tristan, répondit Jay.

— Il n'aurait jamais osé faire un truc pareil, le contredit Babatunde. Ce mec est un lâche. Je ne pense pas qu'il aurait pris le risque de se faire dérouiller.

Il se tourna vers Theo.

— Tu t'es embrouillé avec qui d'autre, ces derniers temps ?

— Pourquoi ça aurait un rapport avec moi ? s'étonna l'inté-ressé. Je ne suis quand même pas responsable de tout, bordel !

— Losers ! scandèrent les membres de Half Term Haircut en croisant à leur hauteur.

Theo brandit un poing serré et lâcha une bordée d'insultes.

Amy et un autre équipier de Mr X rejoignirent les garçons sur la rive.

— Il faut que l'un de vous retourne au point de départ pour récupérer de quoi réparer ça, dit la jeune femme.

— Ce flotteur a été saboté, expliqua Theo. Vous avez vu la régularité des trous ?

Amy fit mine de se baisser pour inspecter le tonneau puis, à la surprise générale, attrapa Theo par la ceinture et sortit de sa poche de pantalon le portefeuille qu'il lui avait dérobé la veille.

— Oh, merci de me l'avoir rapporté ! fit-elle mine de s'émerveiller. Je l'ai cherché partout !

Puis, après en avoir inspecté le contenu, elle fronça les sourcils.

— Ça alors, il manque vingt-cinq livres. C'est agaçant ce genre de trucs. Moi, ça me donne carrément des idées de vengeance. Mais revenons à nos moutons... Où en étions-nous ? Tu parlais de sabotage, c'est bien ça ?

23. Au nom de l'Audimat

Le temps de procéder aux réparations et de remettre le radeau à l'eau, les garçons repartirent bons derniers. En chemin, ils aperçurent un catamaran abandonné parmi les roseaux, puis quatre silhouettes impossibles à identifier s'affairant autour d'une embarcation immobilisée sous un saule pleureur.

— Dixième ! annonça Mr X lorsqu'ils franchirent la ligne d'arrivée matérialisée par une bannière *Rage Cola* tendue au-dessus de la rivière. Suivez les panneaux rouges pour rejoindre la ligne de départ de la prochaine épreuve.

Après avoir mis pied à terre, Jay et ses camarades rejoignirent au pas de course une clairière d'où partait un sentier escarpé d'un kilomètre et demi menant au sommet d'une falaise.

— Alors, comment s'est passée cette petite croisière ? demanda Lorrie en brandissant son micro au visage de Babatunde.

— On est claqués, dit-il hors d'haleine et ruisselant de sueur.

— Est-ce que vous pensez avoir encore une chance de retrouver vos familles ce week-end ?

Zig avait été contraint d'accorder à tous les concurrents quarante-huit heures de permission, mais ces derniers s'étaient engagés à jouer le jeu devant les caméras.

— Mes proches me manquent beaucoup, répondit Babatunde. Vu notre retard, je ne sais pas si on peut y arriver, mais on va tout donner.

Lorrie se tourna vers Jay.

— Vos rivaux de Brontobyte sont loin devant. C'est une motivation supplémentaire pour essayer de regagner du terrain ?

— Tout ce qui compte pour moi, c'est la musique, répondit-il. Ceux-là, il faut reconnaître qu'ils savent ramer, mais leur batteur ne tient toujours pas la route.

Cette brève interview terminée, les garçons se présentèrent au point de départ, une clairière où se trouvaient douze panneaux portant les noms des groupes. Au pied de chacun d'entre eux, six objets étaient déposés sur une palette : un matelas double, un coffre en bois d'aspect rustique, un énorme ampli Marshall, une brouette dont la roue avant manquait et deux boulets de canon rouillés de trente centimètres de diamètre. Pour l'aider à transporter ce chargement insolite, chaque équipe disposait d'un assortiment de perches, de filets et de câbles ainsi que d'une luge en plastique. Pour l'heure, seuls Brontobyte et Frosty Vader avaient réussi à emporter l'ensemble de leur chargement en un seul voyage. Jay s'interrogea sur la technique qu'ils avaient bien pu adopter.

Adam s'accroupit pour soupeser un boulet.

— Monstrueux…, soupira-t-il.

— Je suppose qu'il va falloir les faire rouler, suggéra Jay.

— Excusez-moi mais je vais devoir m'absenter un moment, annonça Theo. Je crois que mon système digestif se révolte contre les yeux de mouton et les testicules de veau.

Sur ces mots, il quitta précipitamment les lieux et disparut entre les arbres.

— N'y passe pas la journée ! grogna Adam. On ne pourra pas transporter tout ça sans toi.

À cet instant, dévalant la pente abrupte, les filles d'Industrial Scale Slaughter déboulèrent dans la clairière, à bout de souffle. Lucy avait une écorchure sanglante au tibia.

— Comment avez-vous monté les boulets ? demanda Adam.

— Secret professionnel, sourit Summer.

— Brontobyte est toujours devant ? l'interrogea Jay.

— Oui, mais il paraît que Frosty Vader revient fort. Ils se sont servis du fauteuil roulant de Noah pour transporter une partie du matériel.

Il ne leur restait que deux objets à emporter jusqu'au sommet, le coffre et l'ampli. Courbées en deux, elles placèrent ce dernier dans le traîneau, l'attachèrent à l'aide de cordes puis, deux à l'avant, deux à l'arrière, elles reprirent péniblement leur ascension.

— Elles ne s'en tirent pas si mal, dit Jay. On devrait utiliser la même technique, qu'est-ce que vous en pensez ?

Soudain, alertés par un bruit de moteur, ils virent un véhicule se diriger vers eux en marche arrière. C'était le vieux Range Rover de location que Zig avait mis à la disposition des techniciens et des collaborateurs de Mr X pour se déplacer sur le parcours de l'épreuve. Un coup de klaxon retentit, puis le 4 × 4 s'immobilisa devant la palette de Jet.

— J'adore ce modèle, sourit Theo qui se trouvait au volant. Vieille école, pas besoin de clé de contact. Il suffit de soulever le capot, de bricoler quelques câbles, et hop, le moteur démarre.

Sidéré, le cadreur qui filmait la scène baissa sa caméra.

— Excuse-moi, mais je ne pense pas que tu sois autorisé à conduire cette voiture, dit-il, soulignant l'évidence.

Il chercha vainement du regard l'un de ses collègues, mais les membres de l'équipe étaient dispersés des berges de la rivière au sommet de la colline.

— Qu'est-ce que vous attendez pour charger tout ça à l'arrière ? lança Theo.

Tandis que le cameraman parlait nerveusement dans son talkie-walkie, Adam et Babatunde commencèrent à embarquer les objets dans le coffre du Range Rover pendant que Jay attachait le matelas sur le toit.

Ils en avaient presque terminé quand Mr X apparut à l'entrée de la clairière.

— Mais qu'est-ce que vous foutez, bon sang ? cria-t-il en se mettant à courir dans leur direction.

— Ben, quoi ? fit mine de s'étonner Theo. Je fais preuve d'initiative. Vous devriez être fier de moi.

Sur ces mots, il s'adressa à voix basse à ses camarades.

— Magnez-vous, les mecs, on est mal...

Le boulet de canon produisit un vacarme infernal en atterrissant dans le coffre. Jay prit place sur le siège avant. Dès qu'Adam et Babatunde se furent jetés sur la banquette arrière sans prendre la peine de rabattre le hayon, Theo écrasa la pédale d'accélérateur.

Les roues du 4 × 4 rencontrèrent une ornière, et la secousse fut si violente que Jay faillit être précipité contre le pare-brise. En regardant dans son rétroviseur, Theo vit Mr X trépigner et brandir les poings, mais ses cris rageurs furent noyés par le rugissement du moteur.

Il s'engagea sur l'étroit sentier menant au sommet de la colline et se trouva bientôt au contact de Summer et de ses coéquipières.

— Dégagez les meufs ! cria-t-il en actionnant frénétiquement le klaxon.

Croyant avoir affaire à des membres de la production, elles rangèrent leur luge en plastique sur le bas-côté, mais Theo fit halte à leur hauteur.

— Michelle, *ma belle*[5], lança-t-il, je peux te déposer en haut si tu promets de me rendre visite dans ma chambre quand on sera de retour au manoir.

— Dégage connard ! grogna l'intéressée, trop épuisée pour trouver une réplique plus mordante.

---

5. En français dans le texte. Allusion à la chanson *Michelle* des Beatles. (*N.d.T.*)

— Bande de sales tricheurs ! aboya Lucy.

— Oh, ben, si vous le prenez sur ce ton…, dit Theo feignant d'être vexé.

Il dépassa le groupe puis appuya sur le champignon, si bien que les filles furent littéralement douchées de gravier et de poussière. Adam et Babatunde éclatèrent de rire. Jay, lui, redoutait que Summer ne lui reproche ce comportement bien peu chevaleresque.

Après avoir dépassé trois autres équipes, le 4 × 4 aborda une portion encore plus étroite, à tel point que Theo dut faire une embardée vers la paroi pour ne pas terminer sa course dans le ravin. Le flanc gauche du véhicule heurta brutalement la roche, provoquant un fracas à percer les tympans.

— Woohou ! s'exclama Jay. Écoutez le son du fric de Zig qui part en fumée !

Au sortir d'un virage serré, ils abordèrent la ligne droite finale, une pente abrupte d'environ cinq cents mètres, et se rapprochèrent de l'équipe de Frosty Vader. Noah ne se trouvait pas en compagnie de ses camarades, mais ces derniers poussaient son fauteuil chargé de boulets de canon.

Un peu plus loin, Theo et sa bande distinguèrent les silhouettes de Tristan et d'Erin se détachant à contre-jour. Ils se traînaient, chacun tenant une poignée d'une brouette chargée de deux boulets de fonte.

— Pourquoi notre brouette n'avait pas de roue avant ? fit observer Adam. C'est encore un coup d'Amy, je parie !

— On n'a même pas regardé dans le coffre, mec, dit Babatunde. Si ça se trouve, elle contenait de quoi la réparer.

— Personne ne voit d'objection à ce que je roule sur Tristan ? ricana Theo.

— Brillante idée ! répondit Jay, pensant qu'il s'agissait d'une plaisanterie.

Mais son grand frère appuya sur la pédale d'accélérateur.

— Tristan, sale petite ordure ! cria-t-il en crispant ses mains sur le volant.

Lorsqu'ils virent le véhicule approcher à grande vitesse, Tristan et Erin lâchèrent la brouette qui bascula sur le flanc sous le poids inégalement réparti de son chargement.

— Espèce de malade ! hurla Adam à l'adresse de son grand frère.

Tristan et Erin plongèrent de part et d'autre du sentier une fraction de seconde avant que la brouette ne passe sous la Range Rover, ne heurte violemment le bas de caisse et ne se coince à hauteur des roues arrière. Le véhicule poursuivit sa course dans une gerbe d'étincelles sous les yeux de Joseph et de son équipe de tournage, postés sur la ligne d'arrivée pour filmer la victoire annoncée de Brontobyte.

Theo sentit le volant vibrer sous ses mains, signe que la direction était endommagée. Lorsqu'il fut parvenu à immobiliser le 4 × 4, pulvérisant au passage la palette où l'équipe était censée déposer son chargement, il sauta de la cabine puis effectua une révérence devant les deux cameramen. Jay, qui se trouvait du côté endommagé par la collision avec la falaise, dut donner plusieurs coups de pied dans la portière pour pouvoir s'extraire du véhicule.

Tristan franchit la ligne d'arrivée quelques secondes plus tard, couvert de poussière de la tête aux pieds.

— Tu as failli me tuer, pauvre cinglé ! hurla-t-il en chargeant vers les membres de Jet. Et tu as failli tuer *ta cousine* !

Jay était convaincu que Tristan allait lui sauter au cou, mais il se rua sur son grand frère et lui flanqua un violent coup de poing à l'œil droit. Par chance, l'un des équipiers de Mr X s'interposa entre les deux garçons avant que Theo n'exerce des représailles qui promettaient d'être sanglantes et disproportionnées.

— Tu es mort, petit con, cria Theo. À la première occasion, je te ferai la peau, tu m'as bien compris ?

Frappés par ce déchaînement de violence, les cadreurs interrogèrent leur réalisateur du regard.

— Continuez à tourner ! s'exclama Joseph. Au nom de l'Audimat, je vous l'ordonne !

24. Tête de *bip*

— Salut, c'est moi ! lança Theo en s'asseyant face au camés-cope. Il y a un moment que je n'ai pas mis à jour mon blog vidéo, vu que Michelle a pété ma caméra. On est un peu en galère, les mecs du groupe et moi. Le fait que j'aie emprunté le Range Rover a été considéré comme une excellente prise d'initiative, mais la direction a moyennement apprécié que je le déglingue. Du coup, Jet a été disqualifié et on va devoir rester au manoir tout le week-end pour faire le ménage.

» Mais passons, ce n'est pas ce dont je voulais vous parler. Vous savez tous maintenant que je suis un sex-symbol et un boxeur quasi professionnel, mais la production insiste pour qu'on élargisse nos horizons. Alors j'ai participé à l'atelier d'écriture, et je crois que le résultat n'est pas loin d'être fabuleux...

» Je vais donc vous lire les paroles de ma première chanson. Petite précision, vu qu'il nous est interdit de prononcer des grossièretés, je remplacerai tous les mots un peu choquants par le son *bip*, OK ? Prêts ? Alors c'est parti !

Theo s'éclaircit la gorge puis chantonna d'une voix enfantine :

— *Bronto machin, Bronto* bip,
Fils à maman, tête de bip,
Profit' bien du jour présent,
Demain, tu compt'ras tes dents
Je bip *tout' ta band' de* bip,

En plus, je sais où t'habites !

Il adressa à l'objectif un sourire radieux puis ajouta :

— Voilà, c'était juste un petit échantillon de mon génie !
J'espère que ça vous a plu, et je vous dis à bientôt !

•••

Tandis que les membres de Brontobyte, grands vainqueurs
des épreuves mises en place par Mr X, rejoignaient leur hôtel
cinq étoiles du centre de Londres, ceux de Jet purent regagner
le domicile familial et échapper pour la première fois depuis
trois semaines à l'objectif inquisiteur des caméras.

L'appartement semblait plus encombré et en désordre que
jamais. Jay n'avait jamais remarqué à quel point l'air empestait
l'huile de friture et la crème qu'utilisait son beau-père pour
apaiser sa lombalgie chronique. Malgré ces légers désagré-
ments, il était ravi de retrouver sa mère et le reste de sa fratrie.
Alors que les plus jeunes couraient dans tous les sens, Jay,
Theo et Adam s'installèrent dans le salon pour regarder les
trois premiers épisodes de *Rock War* en compagnie de leur
mère et de Big Len. Hélas, leur insupportable frère Kai et sa
copine, la dernière en date d'une longue liste de conquêtes,
vinrent se joindre à eux.

Lorsque le programme fut terminé et les petits couchés,
Adam et Theo quittèrent la maison, l'un pour retrouver sa
copine, l'autre pour se rendre à une fête. Kai, lui, raccompagna
sa petite amie. Ses parents ayant regagné le restaurant, Jay
se retrouva seul dans le salon, accoudé à l'une des fenêtres
donnant sur la rue.

C'était l'heure de pointe du vendredi soir. Une file d'attente
s'était formée devant le guichet de vente à emporter. Ceux
qui avaient été servis se restauraient sur le trottoir. Le
vacarme que produisait cette petite assemblée trahissait un
taux général d'alcoolémie alarmant. Un gyrophare de police

illumina les façades des immeubles, mais il s'agissait juste de deux flics pressés d'acheter des cigarettes à la supérette de l'autre côté de la chaussée.

À la vue de cette scène d'une banalité consternante, Jay se sentit balayé par un vent de nostalgie. Il adorait cette maison et ceux qui y vivaient, à l'exception notable de Kai qui, depuis son plus jeune âge, n'avait cessé de lui pourrir la vie. Mais sa participation à *Rock War* avait changé la donne. Tout ce qui l'entourait appartenait au passé. Certes, les chances de victoire étaient maigres, mais l'idée de réintégrer ce joyeux taudis à l'issue de la compétition et de reprendre sa petite vie monotone lui était insupportable.

Sur le trottoir, il vit Kai fendre la foule et contourner le bâtiment afin de s'engager dans l'allée de service. Avec son crâne rasé et son cou de taureau, c'était un vrai psychopathe qui ne connaissait rien de plus amusant que d'infliger des souffrances gratuites.

Pour éviter toute confrontation, Jay regagna sa chambre. En tendant l'oreille, il entendit sa mère tempêter depuis la cuisine.

— Il est presque minuit, Kai ! Tu m'avais pourtant dit que tu n'en avais que pour cinq minutes. Va te coucher, mais sache que tu ne perds rien pour attendre, jeune homme !

Depuis plusieurs mois, Jay avait quitté la chambre qu'il partageait avec Kai pour s'installer dans celle d'Adam. Pourtant, il continuait à se cacher et en éprouvait une certaine honte. En outre, il était jaloux de ce frère cadet qui collectionnait les aventures, tout comme Adam et Theo, alors qu'il n'avait pour sa part pratiquement aucune expérience en la matière.

Il ôta sa chemise, se mit au lit puis consulta la multitude de messages reçus sur WhatsApp.

Le premier venait d'un garçon de sa classe qui ne lui avait pas adressé la parole depuis deux ans et s'était réveillé en découvrant qu'il apparaissait dans une émission de télé-réalité.

Les messages suivants étaient des alertes signalant que des participants de *Rock War* avaient ajouté un commentaire sur le forum privé qui leur était réservé. Tout d'abord, il ne vit que des chiffres ponctués de points d'exclamation dépourvus de toute signification. *450 000! 444 200! 391 000!* Jay dut revenir en arrière sur une dizaine de pages avant de comprendre de quoi il retournait.

Sadie: Summer sur YouTube, 220 000 vues!
Noah: 250 000 + 30 000 en deux heures.
Grant: Elle est au courant?
Lucy: Je lui ai envoyé un SMS.
Noah: Presque 300 000! C'est complètement dingue!

Jay ouvrit une fenêtre YouTube, se connecta à la chaîne *Rock War* et sélectionna le filtre *nombre de vues*.

Theo, avec sa vidéo pourchassant une fille autour de la piscine au son de *Fat Bottomed Girls*, pointait en deuxième position avec 76 041 au compteur. *Summer Smith chante Patti Smith* totalisait près d'un million de vues.

Jay cliqua sur *play* puis maudit la lenteur de la connexion Wi-Fi lorsqu'une image fixe et floutée apparut à l'écran.

Il avait eu beau assister au concert et observer la réaction de la foule lorsque Summer avait interprété *Because the Night*, le montage dynamique et la variété de plans produisaient un effet saisissant. Il en eut la chair de poule.

Il se souvint des moments où ils avaient marché côte à côte dans les champs de bruyère en échangeant des secrets intimes comme s'ils se connaissaient depuis toujours.

Il se souvint du moment où, du bout du doigt, elle avait essuyé une goutte de crème anglaise à la commissure de ses lèvres.

Il se souvint de l'instant où il avait brûlé de l'embrasser, puis renoncé de peur de se prendre un râteau de légende en présence d'Adam.

— Tu es amoureux de Summer, fit une petite voix désincarnée.

Terrorisé, Jay bondit de son lit.

— Hank, s'étrangla-t-il en découvrant son petit frère âgé de six ans recroquevillé dans un coin de la chambre. Qu'est-ce que tu fous ici à une heure pareille ? Tu m'as fichu la trouille !

Hank bondit sur le matelas.

— Excuse-moi, dit l'enfant. Oh, s'il te plaît, dis-moi que tu me pardonnes.

— Pourquoi tu n'es pas couché ?

— Papa et maman sont en bas et j'ai besoin d'un câlin. Je t'ai entendu monter, alors je me suis caché mais je me suis endormi.

Jay ne put réprimer un sourire. Il savait que Hank détestait dormir seul. Même Theo préférait le laisser se glisser sous ses couvertures que d'être réveillé au milieu de la nuit sous prétexte d'un vilain cauchemar.

— Je peux rester dans ton lit ? implora le garçonnet. J'ai pris une douche, alors je sens super bon.

À ces mots, Jay réalisa à quel point son petit frère lui avait manqué.

— Tu sens la vieille chaussette et les cafards crevés, plaisanta-t-il.

— Même pas vrai !

— Bon, vu que ça fait longtemps qu'on ne s'est pas vus, tu peux dormir avec moi.

— Youpi ! s'exclama Hank.

Puis il fronça les sourcils, observa quelques secondes de silence et déclara :

— Kai dit que tu es trop maigre pour avoir une copine. Mais moi, je vois bien que Summer est amoureuse de toi.

— Ah bon, tu crois ? s'étonna Jay, convaincu que l'opinion d'un garçon de six ans ne méritait pas d'être prise en compte.

— Ouais, et toi, tu craques complètement pour elle ! s'esclaffa Hank.

— OK, il est super tard. Alors arrête de dire des bêtises et essaie de te calmer. Si tu t'endors trop tard, tu seras grincheux demain matin.

À cet instant précis, le téléphone de Jay se mit à sonner. Il prit l'appel et porta l'appareil à son oreille.

— Allô ?

— Bonsoir Jay, dit une femme dont il ne reconnut pas la voix. Jen Hughes à l'appareil.

— Qui ça ?

— Jen, l'attachée de presse de Channel 3, précisa son interlocutrice, manifestement irritée. La vidéo de Summer génère beaucoup de trafic sur YouTube. Du coup, l'émission de la BBC *Sunday Breakfast* veut réaliser une interview en direct des candidats les plus populaires. Le seul souci, c'est qu'il faut qu'ils soient à Manchester à sept heures du matin.

— Très bien, pas de problème, répondit Jay. Comment on fait ? Vous avez prévu un chauffeur ?

— Non, attends, j'ai peur qu'il n'y ait un léger malentendu… Il ne s'agit pas de toi mais de Theo. Je n'arrive pas à le joindre. Saurais-tu où il se trouve, par hasard ?

— Ah, d'accord, je vois… Eh bien, je crois qu'il est à une fête. Si vous n'arrivez pas à l'avoir sur son portable, c'est qu'il est soit bourré, soit en train de faire des galipettes avec une fille.

En entendant ces mots, Hank éclata de rire.

— Entendu, dit Jen. Dans ce cas, dis-lui de me rappeler en vitesse si tu as de ses nouvelles. Nous lui enverrons une voiture.

— Je suis disponible en cas de besoin, dit Jay. Et beaucoup plus contrôlable que Theo, au cas où ça vous aurait échappé.

Jen lâcha un rire embarrassé.

— La production de *Sunday Breakfast* ne s'intéresse qu'aux audiences sur YouTube, et son blog vidéo est l'un des plus visités.

— Comme vous voudrez, lâcha Jay un brin vexé. S'il débarque, je lui passerai le message. Mais ne vous faites pas trop d'illusions. Par expérience, le dimanche, il ne réapparaît jamais avant midi.

25. Media City

Bâti au bord du canal maritime de Manchester, le complexe MediaCityUK était le centre de l'industrie télévisuelle britannique. C'est là qu'étaient tournés jeux et sitcoms, dont le célèbre feuilleton *Coronation Street*, diffusé sans interruption depuis 1960.

Theo accroché à sa taille, la motocycliste slalomait entre les plots métalliques et les panneaux *Réservé aux piétons*. Malgré l'heure matinale, un groupe de visiteurs patientait devant l'entrée d'un des studios dans l'espoir de pouvoir assister à l'enregistrement d'un talk-show.

La moto frôla un individu obèse portant un T-shirt *Doctor Who*, puis s'engagea dans la voie piétonne principale du complexe. Tout au bout, Theo découvrit un bâtiment dont la façade était recouverte d'un portrait géant de Karen Trim accompagné de l'inscription : *Pop Machine revient sur Channel 3 le samedi 13 septembre !* Devant les portes vitrées étaient garées trois limousines et la Rolls-Royce bicolore de la productrice, ornée d'une plaque minéralogique KT1.

— On ne va pas chez Channel 3, fit observer Theo. J'ai rendez-vous au studio Q.

— Je sais, dit la jeune femme en empruntant une voie parallèle jusqu'à un bâtiment semblable à un entrepôt Ikea.

Ils mirent pied à terre, ôtèrent leur casque puis coururent jusqu'au comptoir de marbre de la réception.

Theo se trouvait dans un night-club quand il avait reçu le SMS de Jen. Il venait de faire la connaissance de Sarah, une cougar de trente-cinq ans qui, à l'évidence, cherchait une rencontre d'un soir. Elle lui avait offert quelques cocktails et lui avait raconté ses malheurs professionnels avant de se jeter à son cou pour l'embrasser sauvagement.

Theo avait alors eu l'intention de la raccompagner à son domicile, de se payer une partie de jambes en l'air puis de s'éclipser au petit matin en emportant tous les objets de valeur. Il savait que sa victime n'irait jamais se plaindre à la police, car il lui aurait fallu admettre qu'elle s'était fait dépouiller par un garçon mineur rencontré dans une boîte de nuit.

Sa convocation à l'enregistrement de l'émission l'avait amené à changer de stratégie. Ayant convaincu Sarah de le conduire à Manchester, ils avaient enfourché sa Triumph et avalé la distance à plus de deux cents kilomètres-heure de moyenne. Le postérieur et le dos en compote, Theo s'était juré de ne plus jamais monter sur une moto.

Une employée de la chaîne les conduisit jusqu'à une salle d'attente à la moquette vert pomme dont la baie vitrée offrait une vue imprenable sur le canal.

Noah et son père se trouvaient déjà sur les lieux. Gainé de cuir au bras d'une blonde glamour, Theo leur apparut tel un héros de science-fiction postapocalyptique.

— C'est un plaisir de te rencontrer en chair et en os, dit le père de Noah en lui serrant chaleureusement la main. J'apprécie beaucoup la façon dont tu as pris soin de mon fils ces dernières semaines.

Theo, guère habitué à recevoir un compliment de la part d'un adulte, en resta sans voix.

— Et vous devez être sa mère, je suppose ? demanda l'homme en se tournant vers Sarah.

Sur le plan biologique, ç'aurait pu être le cas, mais la femme fronça les sourcils et ignora la main que lui tendait son interlocuteur.

166

— Non, nous sommes juste amis, dit Theo en frottant son dos douloureux.

Noah comprit immédiatement que son père venait de commettre une énorme bévue. Pour dissiper le malaise, il devait trouver sur-le-champ un moyen de dévier le fil de la conversation.

— Vous avez pris votre petit déjeuner ? demanda-t-il en désignant le buffet dressé dans un angle de la pièce. Les short-breads sont délicieux, mais la serveuse peut vous préparer des petits pains au bacon — si elle se décide à réapparaître.

— Je sais ce dont j'ai besoin, grogna Theo en se dirigeant vers la machine à café.

Tandis que sa tasse se remplissait, Sarah se glissa près de lui et chuchota à son oreille :

— Tu es super sexy, tout en cuir. Ça te dirait qu'on se trouve un coin tranquille pour s'amuser un peu, toi et moi, en attendant ton passage à l'antenne ?

Theo n'étant plus grisé par l'alcool, Sarah avait beaucoup perdu de son charme. À la lumière naturelle, elle semblait beaucoup plus âgée qu'elle ne l'avait prétendu. En outre, maintenant qu'elle connaissait son identité, il n'était plus question de lui faucher son iPhone, son fric et ses bijoux.

— Ah, te voilà enfin ! s'exclama Jen en entrant dans la pièce.

Elle l'embrassa sur la joue puis se tourna vers Sarah.

— Ravie de faire votre connaissance, Mrs Richardson !

Avant que l'intéressée n'ait pu dissiper une nouvelle fois ce malentendu, Jen poussa une porte battante sur laquelle figurait l'écriteau *Réservé au personnel et aux invités*, puis fit signe à Noah et Theo de la suivre.

— Comment s'est passé ton vol, Noah ? demanda Jen tandis qu'ils s'engageaient dans un long couloir.

— Super. C'était la première fois que je montais dans un jet privé. Ça change de Ryanair.

— Ça a coûté quatre mille cinq cents euros à la production, expliqua-t-elle, le sourire aux lèvres. Zig a failli avaler sa langue quand je lui ai expliqué que c'était le seul moyen de te faire revenir de Belfast à temps pour participer à *Sunday Breakfast*.

Lorsqu'il passa devant une loge de maquillage et y jeta un coup d'œil, Theo se crut victime d'une hallucination. Il continua à marcher, mais resta convaincu d'avoir, l'espace d'un instant, aperçu Karen Trim en compagnie d'une mentaliste révélée lors de la dernière saison d'un programme de talents.

— Vous avez vu comme moi ? demanda-t-il.

Jen hocha la tête.

— La grande KT en personne.

— Elle passe dans la même émission que nous ? demanda Noah.

— Non, Dieu merci. Elle participe à *Shelly's Morning Break*. Le studio est juste à côté du nôtre.

Ils entrèrent dans une seconde loge de maquillage et trouvèrent Summer installée dans l'un des quatre fauteuils de barbier mis à la disposition des invités, face à un miroir encadré d'ampoules LED. Elle portait déjà un maquillage discret et ses cheveux rebelles avaient été domestiqués à grand renfort de laque.

— Tu es splendide, dit Theo en posant sa tasse sur une console encombrée de flacons et de pinceaux.

— Renversante, confirma Jen.

— Comment va ta grand-mère ? demanda Noah.

— Super, répondit Summer. Je lui ai rendu visite à la maison de retraite. J'ai passé la journée d'hier à me faire complimenter par des vieilles dames… et à essayer de leur expliquer ce qu'est YouTube.

Le maquilleur entra dans la pièce. Cheveux raides, fine moustache et chemise noire près du corps, il ressemblait à un danseur de tango.

— Bonjour, je m'appelle Mario ! annonça-t-il en serrant la main des garçons. Asseyez-vous. Je vais m'occuper de vous dans une seconde.

— Je suis déjà assis, fit observer Noah.

— Oh, je te prie de m'excuser…, dit le jeune homme. C'est tout moi, ce genre de boulettes.

Dès que Theo se fut installé, Mario, bravant l'odeur de sueur et de cuir humide, appliqua sur son visage une épaisse couche de fond de teint mat puis, à l'aide de gel, redonna vie à ses cheveux aplatis et ternis par le port du casque intégral.

Noah réalisa que Jen l'observait avec insistance.

— Il y a un problème ? demanda-t-il.

— Non, pas vraiment, répondit-elle l'air un peu embarrassé. C'est juste que… ton pull… Je le trouve un peu strict, pas vraiment dans l'esprit de *Rock War*.

— Je sais, on dirait que je vais à la messe. J'ai dû partir en catastrophe et j'ai enfilé ce que m'a donné ma mère. Mais je parie que vous allez aimer ce que je porte dessous !

Sur ces mots, il ôta son pull et dévoila un T-shirt *Invalide et fier de l'être* détournant le style des vêtements Abercrombie & Fitch.

— Tire un peu sur ton col et ça fera l'affaire, conseilla Jen.

— Tu pourrais mettre mon blouson de moto, suggéra Theo. Moi, je resterai en débardeur, histoire de donner aux ménagères leur petit frisson du matin.

— C'est vrai que tu es très musclé, confirma Mario en plissant le nez. Dommage que tu n'aies pas eu le temps de prendre une douche.

Noah, qui craignait que le blouson de cuir ne soit trop ample, fut heureusement surpris. Il convenait parfaitement à ses épaules étonnamment larges pour son âge, une caractéristique physique qu'il devait à ses déplacements en fauteuil roulant. Le vêtement dégageait une odeur repoussante, mais lui donnait sans conteste un look beaucoup plus rock'n'roll que le pull à col roulé choisi par sa mère.

Lorsqu'il fut à son tour passé entre les mains de Mario, Noah remarqua que Jen jetait de fréquents coups d'œil à sa montre.

— On est censés passer à quelle heure ? demanda-t-il.

— D'un moment à l'autre, répondit l'attachée de presse. Mais d'habitude, on rentre en studio quelques minutes avant d'être à l'antenne. L'émission est en retard sur son conducteur.

— Et qu'est-ce qui se passera s'ils n'ont plus le temps de nous recevoir ? s'inquiéta Summer.

— Parfois, ils suppriment un invité, dit Jen. Pour ne rien vous cacher, je suis un peu inquiète.

Deux minutes s'écoulèrent avant qu'une jeune assistante de production à l'air surmené se présente dans la loge, un bloc-notes à la main.

— Je suis absolument désolée, dit-elle. Notre interview du ministre de l'Éducation a duré plus longtemps que prévu, ce qui signifie que nous ne disposons plus que de quatre minutes d'antenne. Ça ne nous permettra pas de vous présenter tous les trois, alors le réalisateur a décidé de se concentrer sur Summer et sa reprise de Patti Smith.

— Vous vous foutez de ma gueule ? hurla Theo en donnant un coup de poing sur la console. J'étais sur le point de m'envoyer en l'air et de me faire un maximum de pognon quand j'ai été convoqué pour participer à cette émission !

Avec un sang-froid remarquable, l'assistante fit mine d'ignorer cet accès de colère.

— Summer, ce sera à toi dans quatre-vingt-dix secondes, dit-elle. Il faut que tu entres sur le plateau pour qu'on t'équipe d'un micro.

Rattrapée par le trac, Summer marqua un temps d'hésitation. Jen posa une main rassurante sur son épaule.

— Tout va bien se passer, ma chérie. Souviens-toi de tes cours de media training et essaye de ne pas parler trop vite.

— Soixante-dix secondes, annonça l'assistante de production. Désolée d'insister mais il faut vraiment y aller.

Lorsque Jen et Summer eurent quitté la loge, Noah sortit à son tour.

— Où est-ce que tu vas ? demanda Theo.

— Il y a une télé dans la salle d'attente. Je veux suivre l'interview de Summer.

— OK, je viens avec toi. J'ai rien d'autre à foutre.

Parvenus au bout du couloir, ils se plantèrent devant l'écran et eurent la mauvaise surprise d'y découvrir Karen Trim, invitée du *Shelly's Morning Break*.

— *Vous avez beaucoup minci depuis notre dernière interview*, dit Shelly, l'animatrice de l'émission.

— *Merci, très chère*, roucoula Karen, sensible au compliment. *Comme je vivais à Los Angeles, où tout le monde se soucie beaucoup de sa silhouette, je me suis mise à la course à pied, et j'avoue que j'ai fini par y prendre goût.*

— *Je me suis laissé dire que vous aviez adopté un petit chien... De quelle race ?*

Noah s'approcha de l'écran et l'inspecta attentivement.

— Je ne vois pas le bouton de sélection des chaînes, dit-il. Tu peux jeter un coup d'œil au panneau arrière ?

Plongé dans ses pensées, Theo demeura muet. Un plan diabolique venait de germer dans son esprit. Si Karen Trim était sur le plateau, ses affaires se trouvaient sans doute sans surveillance dans la salle de maquillage.

— Attends, je reviens dans une minute, dit-il.

À dix pas de là, dans la loge, il trouva un sac Gucci et un iPad glissé dans une housse incrustée de diamants. À l'instant où il s'apprêtait à faire main basse sur ce butin, il entendit une voix grave dans son dos.

— Je peux vous aider, jeune homme ?

Lorsqu'il fit volte-face, Theo découvrit un colosse aux poings énormes et aux cuisses plus larges que son torse.

— Désolé mec, bredouilla Theo. Je me suis trompé de porte. Je crois que ma loge est juste de l'autre côté.

Le géant resta muet, mais son regard en disait long. *Sors d'ici ou je t'écrase comme une punaise.* Theo regagna la salle d'attente sans se laisser prier.

— Où t'étais passé ? demanda Noah.

— Nulle part, je suis allé pisser. Et de toi à moi, je n'ai pas trop envie de regarder Summer se la péter à la télé. Au rythme où vont les choses, elle aura dépassé le million de vues dans la soirée, elle est l'invitée de *Sunday Breakfast* et tout le pays connaîtra bientôt son visage. Moi, ma tronche ne dit rien à personne, j'ai la gueule de bois, une meuf pas terrible et le cul en bouillie à cause de cette virée en moto.

— OK, dit Noah, tu es libre de penser ce que tu veux, mais moi, j'ai envie de voir l'émission. Alors si tu pouvais m'aider à changer de chaîne, ce serait vraiment sympa.

Theo se plaça devant l'écran puis fit courir ses doigts sur toutes les surfaces de l'appareil.

— Désolé mec, mais je crois qu'il est impossible de changer de canal sans télécommande. On dirait qu'on va être obligés de regarder cette grosse vache parler de son clebs et de son régime sans gluten. À moins que… Et si on faisait un truc amusant, pour changer ?

Considérant le pedigree de Theo, Noah n'était guère rassuré, mais il ne voulait pas passer pour un dégonflé.

— Je suis prêt à tout, mon pote, répondit-il.

— Cool. Alors suis-moi.

Les deux complices remontèrent le couloir et aboutirent à un croisement en forme de T. Theo suivit le panneau indiquant *Shelly's Morning Break*.

S'attendant à trouver une porte fermée ou des agents de sécurité bardés de muscles, il se réjouit de tomber sur un assistant maigrichon posté à l'entrée du plateau.

— Vous ne pouvez pas entrer, dit ce dernier.

— Hors de ma vue, branleur, gronda Theo en le repoussant contre le mur.

En quelques enjambées, il se retrouva dans le décor rose bonbon de Shelly Ross. Il envoya valser un vase de tournesols en sautant par-dessus la table basse puis se laissa tomber dans le canapé, entre Karen Trim et la mentaliste.

— Shelly, ma grande ! s'exclama-t-il en passant les bras autour du cou de ses voisines. Tu me faisais fantasmer grave, quand j'étais gamin. Tu es un peu tapée, maintenant, mais je rêve toujours de toi, le soir, quand je m'endors. Ce que je ne comprends pas, c'est pourquoi tu gâches ton temps d'antenne avec cette grosse vache de Karen. Tout le monde sait qu'il n'y a qu'une émission de concours musical potable sur Channel 3 et qu'il ne s'agit pas de *Pop Machine* !

26. Viral

Vêtue d'un T-shirt informe et d'un short de sport, Lucy Wei entra dans la cuisine d'un pas traînant. En dépit de l'heure matinale, son père, architecte de renom, étudiait des croquis disposés sur le bar.

— Ma petite fille est un peu plus belle chaque jour, dit Mr Wei en déposant un baiser sur son front. Alors, comment as-tu trouvé notre petite soirée ?

— C'était cool, répondit Lucy en se hissant sur un tabouret. Le restau était génial.

— Dommage que votre mère se soit sentie obligée de piquer sa crise, comme d'habitude...

— Au moins, on sait d'où Michelle tient son tempérament. Alors, sur quoi tu travailles ? Un opéra ? Un gratte-ciel ? Un stade olympique ?

Mr Wei, qui avait fait fortune en concevant des hangars et des immeubles de bureaux, savait pertinemment que sa fille se moquait gentiment de lui.

— Sur un projet beaucoup plus excitant que ça, répondit-il. Il s'agit d'un parking sur huit étages dans la banlieue de Leeds.

— Waouh, la classe ! s'exclama Lucy. Dis, papa, si tu as une minute, il y a un truc important dont je voudrais te parler.

— J'aurai toujours du temps à te consacrer, ma chérie. Mais par pitié, ne me dis pas que tu es tombée enceinte.

— Oh, tu n'as rien à craindre de ce côté-là. Je ne risque pas de faire des folies de mon corps avec ces caméras qui nous filment vingt-quatre heures sur vingt-quatre. Non, le truc, c'est que…

Lucy décrivit dans les moindres détails les circonstances de son altercation avec Zig Allen, la façon dont elle s'était improvisée porte-parole des participants de *Rock War*, et la menace dont Industrial Scale Slaughter avait fait l'objet.

Mr Wei s'accorda quelques secondes de réflexion.

— Tu en as parlé à ta sœur et à tes copines ?

— Non. Il n'y a qu'à Coco que j'aurais pu me confier. Summer aurait été bouleversée, et Michelle… Mon Dieu, je n'ose même pas imaginer comment elle aurait réagi.

— Tu crois qu'il pourrait s'agir d'une menace en l'air ? Si ça se trouve, Zig Allen a dit ça parce qu'il se sentait humilié. Beaucoup d'hommes réagissent de façon stupide et épidermique quand une femme s'oppose à eux.

— Mais je n'avais aucune intention de le blesser. C'est juste que je ne voulais pas bouffer des yeux et du jus de cervelle.

— Tu n'es pas du genre à te laisser marcher sur les pieds, et je suis très fier de toi, dit Mr Wei. Tu as parlé à Zig depuis cet incident ?

— Non, on ne s'est pas adressé la parole. Mais j'envisage d'aller le trouver, histoire de crever l'abcès. Et je pourrais enregistrer notre conversation, au cas où…

— À mon avis, Zig Allen est loin d'être idiot. Si tu lui demandes des explications, il niera avoir proféré ces menaces.

— Alors qu'est-ce que je peux faire ?

— Au cours de ma carrière, j'ai vu plusieurs salariés se plaindre de harcèlement ou de licenciement abusif. Certaines de ces accusations étaient justifiées, mais la plupart n'étaient que de vulgaires tentatives d'extorsion. Je connais un excellent juriste spécialisé dans ces questions. Je vais lui passer un coup de fil.

— Et qu'est-ce qu'il pourra faire, selon toi ? demanda Lucy.

— Je suppose qu'il commencera par appeler Zig Allen, et crois-moi, personne n'aime recevoir l'appel d'un avocat. Ensuite, il lui adressera un courrier officiel. De notre côté, nous pourrions contacter des journalistes afin de rendre l'affaire publique, et il lui sera alors difficile de se comporter de façon injuste à votre égard.

— Alors on n'a rien à craindre ?

— Tu es trop grande pour que je te promette que tout ira bien, alors qu'il existe de nombreux impondérables, mais vous avez un atout majeur dans votre manche. Franchement, comment Zig pourrait-il se passer de votre groupe alors que Summer est de très loin la candidate la plus populaire ?

...

Confronté à l'intrusion de Theo, le réalisateur du *Shelly's Morning Break* n'eut que quelques secondes pour prendre une décision. En de telles circonstances, le règlement prévoyait qu'il devait lancer les publicités, mais il avait pleinement conscience qu'un incident de ce genre pouvait créer un buzz profitable à l'émission.

Aussi décida-t-il de ne pas interrompre le programme. Après tout, Shelly et Karen, qui s'étaient fait une spécialité de mettre leurs interlocuteurs mal à l'aise en direct, devaient être en mesure de mater un adolescent rebelle.

— Pardonnez-moi, jeune homme, mais je vais devoir vous demander de quitter le plateau, dit Shelly. Ce genre d'intrusion est absolument inadmissible.

— Il me semble que vous vous asseyez un peu facilement sur la liberté d'expression, rétorqua Theo. Car il se trouve que j'ai un message à faire passer. Je veux que vos téléspectateurs sachent que l'émission *Pop Machine* a été déprogrammée il y a deux ans parce qu'elle était rasoir et usée jusqu'à la corde, à l'image de sa productrice Karen Trim. *Rock War*, c'est l'avenir !

Une émission top cool, sponsorisée par Rage Cola, le soda qui vous file la courante en deux secondes chrono !

Désormais convaincue que l'adolescent qui avait fait irruption sur son plateau n'avait aucune intention de la poignarder en direct, Karen se décida à intervenir.

— *Rock War* est une émission pour enfants, dit-elle sur un ton méprisant. Mais regarde-toi, mon pauvre garçon, avec ton acné juvénile et ton T-shirt de chez Primark. Message à ton petit cerveau : je t'ai entendu chanter et je crois que je préfère entendre une porte grincer. *Rock War* finira dans les poubelles de la télé-réalité, et toi, tu pourras retourner au monde réel et te consacrer à une honnête carrière d'éboueur.

Shelly eut beau se tordre de rire, Theo resta imperturbable.

— Dites-moi, Karen, il paraît que vous étiez une femme autrefois. Comment s'est passée l'opération ?

— Oh, mon garçon, tu as un énorme bouton dans le cou ! rétorqua la productrice. As-tu pensé à consulter un dermatologue ?

À cet instant, Theo vit le garde du corps croisé dans la loge de Karen Trim courir dans sa direction depuis le fond du studio.

— Oh, oh, je crois que je vais devoir vous laisser, s'étrangla-t-il.

Il se dressa d'un bond et tenta de sauter par-dessus le canapé, mais l'une de ses baskets glissa sur le parquet, freinant son élan, si bien qu'il atterrit à califourchon sur le dossier.

Le garde du corps fit irruption sur le plateau mais, dans sa précipitation, posa un pied sur la table basse et en pulvérisa le plateau de verre. Il attrapa Theo par le col et la ceinture puis, sans effort apparent, le souleva au-dessus de sa tête à la manière d'un haltérophile.

En femme d'affaires avisée, Karen Trim comprit que cette aimable causerie télévisée du petit matin venait de se transformer en un événement médiatique à fort retentissement. Elle se leva, se tourna vers le cadreur le plus proche et s'exclama :

— Retrouvez *Pop Machine* sur Channel 3 à partir du 13 septembre !

Au même instant, projeté par son adversaire vers le fond du plateau, Theo renversa deux colonnes en faux marbre puis traversa la toile verte où le décor était incrusté numériquement. Dépassée par ce chaos, Shelly cacha son visage entre ses mains et fondit en sanglots.

Alors que le garde du corps enjambait le sofa, bien décidé à passer Theo à tabac malgré la présence des caméras, Noah, sans doute motivé par la volonté de briller aux yeux de son camarade, s'avança pour la première fois dans le champ de la caméra, prit de la vitesse et percuta Karen Trim de plein fouet, la renversant comme une quille de bowling.

— *Pop Machine*, c'est de la daube ! cria Noah. *Rock War*, nouvel épisode demain à dix-sept heures trente ! Vous me verrez manger des yeux de mouton !

— Au secours ! cria Theo alors que le gorille l'attrapait par le col.

Shelly quitta précipitamment le plateau, éplorée et furieuse que le réalisateur n'ait pas interrompu la retransmission.

— Ce n'est pas de la télé, c'est un zoo humain ! sanglota-t-elle.

Karen Trim, qui s'était redressée, essayait de retourner la chaise roulante de Noah.

— Si tu crois que je vais t'épargner parce que tu es invalide, tu te fourres le doigt dans l'œil ! cria-t-elle. Pour moi, tous les êtres humains sont égaux !

Mais Noah, manœuvrant son fauteuil avec expertise, lança une seconde charge contre la productrice, qui tituba en arrière et se raccrocha *in extremis* au bras d'un cadreur.

Étant parvenu à se libérer, Theo rampait en direction de la sortie de secours lorsqu'un spot explosa au-dessus du plateau, créant un court-circuit qui plongea le studio dans le noir total.

— Eh bien ! fit une voix féminine. Je parie que tout ça sera sur YouTube dans quelques heures. Et si ça ne devient pas une vidéo virale avant demain soir, je ne m'appelle plus Karen Trim !

27. Médico-légal

Une trentaine de flashs crépitèrent lorsqu'un policier en uniforme franchit les portes du poste de police de Stretford. Il s'arrêta en bas des marches, devant une forêt de micros et d'enregistreurs numériques tendus à bout de bras.

— Bonjour à tous, dit-il d'une voix aussi sèche qu'une poignée de crackers. Je suis l'inspecteur Philip Schumacher de la police de Manchester et je suis chargé de vous lire un bref communiqué officiel.

» Ce matin, à environ huit heures et quart, nos services se sont présentés au studio Q du complexe MediaCity suite à un appel faisant état d'incidents survenus sur le plateau de l'émission *Shelly's Morning Break*.

» Suspectés de s'être livrés à des violences à l'endroit de deux mineurs, Miss Karen Trim et son agent de sécurité personnel Kevin Ryman ont été interpellés. Leurs supposées victimes, dont la loi m'interdit de dévoiler l'identité, ont elles aussi été placées en garde à vue pour dégradations et troubles à l'ordre public.

» Miss Trim et les deux garçons ont tous trois reçu un simple rappel à la loi. Mr Ryman pourrait être mis en examen pour coups et blessures sur une personne mineure. Il reste à la disposition de nos services jusqu'à nouvel ordre. Ce sera tout. Je vous remercie.

— Inspecteur ! cria une journaliste. Karen Trim se trouve-t-elle toujours dans vos locaux ?

— Pourrait-il s'agir d'une mise en scène à caractère publicitaire ? demanda l'un de ses confrères.

— Je n'ai rien d'autre à déclarer pour le moment, répondit l'inspecteur Schumacher avant de tourner le dos à l'assistance et de remonter les marches.

— Karen Trim a-t-elle blessé le garçon handicapé ?

— Je vous souhaite une excellente journée, lâcha l'inspecteur en s'engouffrant dans le poste de police.

...

Vêtu d'un caleçon jetable et de chaussons en papier, Theo entra dans une petite pièce disposant d'une banquette d'auscultation et d'une chaise placée contre un mur gradué en pieds et en pouces destiné aux photos anthropométriques.

— Acceptes-tu que je prenne les clichés ou préfères-tu que j'appelle un collègue ? demanda la photographe de la police en vérifiant le voyant de charge de son Nikon.

— Ça ira.

— Alors je vais commencer par le haut et descendre le long de ton corps.

— Ouh, tout un programme ! gloussa Theo.

La femme prit trois photos de son œil tuméfié puis s'attarda sur une large contusion à la clavicule.

— Pourrais-tu te tourner, que je puisse voir ton dos ?

Les omoplates de Theo étaient zébrées d'ecchymoses et de coupures — un souvenir douloureux de son vol plané sur le plateau de l'émission.

— Rien à la tête. Tu as eu de la chance.

— Ça, c'est parce que je suis boxeur. Je me suis pris tellement de coups dans la tronche que mon crâne est aussi souple qu'une balle en caoutchouc.

— Maintenant, si ce n'est pas trop douloureux, retire ton bandage au poignet et montre-moi l'endroit où tu t'es coupé avec le morceau de verre.

Après avoir effectué une nouvelle série de clichés, la femme afficha un air embarrassé.

— Je suis désolée, mais il faudrait que je prenne des photos des bleus sur tes fesses et à l'intérieur de tes cuisses, dit-elle en baissant les yeux.

— Ça, vous pouvez laisser tomber. Le garde du corps n'y est pour rien. C'est à cause du trajet à moto. Deux heures passées sur cette selle à la con... J'ai l'impression que quelqu'un a foutu du piment dans mon caleçon.

Compte tenu de son âge, Theo devait être remis à ses parents. Sa mère, qui avait terminé de nettoyer le restaurant aux alentours de trois heures du matin, n'avait pu s'accorder que quatre heures de sommeil quand, pour la énième fois de sa vie, elle avait reçu un coup de téléphone de la police.

— Je t'ai apporté des vêtements, grogna-t-elle lorsque son fils la rejoignit dans le vestiaire qui jouxtait la salle d'examen médico-légal.

Theo eut les pires difficultés à boutonner son jean.

— Tu t'es gouré, maugréa-t-il. Celui-là est à Adam. Et pourquoi tu m'as apporté une chemise d'uniforme ? Je vais avoir l'air d'un débile.

Mrs Richardson ferma les yeux et expira lentement.

— Theo, mon chéri, je suis à deux doigts de te virer de la maison, dit-elle, alors si j'étais toi, je ne tenterais pas le diable. J'ai juste pensé qu'il serait préférable que tu fasses bonne impression devant la police. Et tu t'es boutonné de travers, sombre abruti.

— Ah oui, merde, fait chier...

Lorsqu'il eut enfilé ses baskets, ils empruntèrent le couloir principal du commissariat et entrèrent dans une pièce où étaient déjà rassemblés Noah, son père, Jen et un avocat en costume noir. Contrairement à son complice, c'était la première fois que Noah avait affaire à la police. Il semblait terrorisé, et ses yeux gonflés prouvaient qu'il avait beaucoup pleuré.

— Ça va aller mon pote, dit Theo en posant une main sur son épaule. Un rappel à la loi, il n'y a pas de quoi en faire toute une histoire.

— Espèce de sale petit con, ne t'approche plus jamais de mon fils ! gronda le père de Noah.

Malgré les insultes fleuries qu'elle lançait au visage de son fils chaque fois qu'il la mettait en colère, Mrs Richardson ne tolérait pas que des étrangers fassent de même.

— Eh, je vous conseille de surveiller votre langage, dit-elle sur un ton menaçant. Si vous croyez que…

— Vous allez passer par l'issue de secours, l'interrompit Jen, qui redoutait une escalade verbale. Une fois la porte franchie, vous prendrez à gauche et marcherez cinquante mètres jusqu'à un croisement. Deux taxis vous y attendront. Avec un peu de chance, les journalistes seront tous de l'autre côté, et ils s'intéressent surtout à Karen Trim. Quoi qu'il se passe, ne vous arrêtez pas, regardez droit devant vous et ne répondez à aucune question.

L'avocat s'adressa aux garçons.

— Les journalistes ne sont pas autorisés à vous poser de questions concernant le dossier judiciaire. S'ils commettent cette erreur, nous les traînerons en justice.

— Ils ont le droit de nous prendre en photo ? demanda Noah.

— Oui mais ils devront flouter vos visages s'ils choisissent ces clichés pour illustrer un article ayant trait à cette affaire.

Les policiers avaient commis l'erreur d'installer une rampe pour permettre à Noah d'emprunter la sortie de secours – un détail qui n'avait pas échappé à plusieurs journalistes qui rôdaient autour du commissariat. À l'instant où le groupe sortit du bâtiment, une dizaine de flashs crépitèrent.

— Je vous rappelle que mes clients sont mineurs, avertit l'avocat en ouvrant la marche. Si vous ne respectez pas leurs droits, vous le regretterez amèrement.

Noah s'engagea sur la rampe puis, poussant énergiquement sur ses roues, fila vers le taxi. Il atteignit une telle vitesse que son père dut sprinter derrière lui pour ne pas se laisser distancer.

Fidèle à sa réputation, Theo posa une main sur sa braguette et forma un doigt d'honneur de l'autre. Sachant que son âge le protégeait, les journalistes fondirent sur sa mère.

— Mrs Richardson, cria l'un des journalistes, votre ex-mari et votre fils aîné sont en prison. Ne craignez-vous pas que Theo les y rejoigne bientôt ?

La mère de Theo s'apprêtait à lâcher une bordée d'injures, mais Jen plaqua une main sur sa bouche.

— Pas de commentaire, dit-elle.

— Mrs Richardson, êtes-vous fière de la façon dont vous avez élevé vos enfants ? ironisa un autre reporter.

— Si vous continuez à emmerder ma mère, il va y avoir des embouteillages aux urgences ! rugit Theo en repoussant sans ménagement l'individu.

Tandis que ce dernier reculait en titubant à l'écart de la meute, ses confrères revinrent à la charge.

— Mrs Richardson, pouvez-vous confirmer que vous avez huit enfants de trois pères différents ?

— Allez tous vous faire foutre ! hurla-t-elle. J'ai travaillé dur toute ma vie et je n'ai jamais réclamé un penny d'allocation.

— Mrs Richardson, il y a quelques mois, vous avez été arrêtée et libérée sous caution à la suite d'une bagarre survenue à la sortie d'un tremplin musical auquel participaient trois de vos fils. Pensez-vous qu'ils suivent votre exemple ?

— Dégagez, sales vautours ! rugit Theo en poussant sa mère dans le taxi.

Lorsqu'il eut embarqué à son tour, l'avocat ferma la portière puis frappa à la vitre du chauffeur pour lui faire signe de démarrer.

— Vous représentez les intérêts de Theo Richardson ? lui demanda un journaliste tandis que le véhicule s'engageait dans la circulation. Pensez-vous que sa mère accepterait de nous livrer sa version de l'histoire ?

Dans le taxi qui l'emmenait loin du poste de police, l'intéressée pleurait à chaudes larmes.

— Ça va aller, murmura Theo en passant un bras autour de son cou.

— Toi, laisse-moi tranquille ! hoqueta-t-elle. J'avais la paix depuis trois semaines, et puis il a fallu que tu rentres une nuit, *une seule* nuit pour que ma vie redevienne un enfer !

Jen voyait les événements de la matinée sous une tout autre perspective. Sa mission consistait à donner à *Rock War* le plus grand écho possible. Or l'incident impliquant Karen Trim, la star incontestée de Channel 3, avait toutes les chances de faire la une des tabloïds. Noah et Theo étaient sur le point d'accéder à la célébrité et d'offrir une publicité considérable à leur émission.

— Une question me tracasse, dit-elle. Comment les journalistes ont-ils su, pour vos proches en prison ?

— Je sais qui les a renseignés, renifla Mrs Richardson en essuyant ses larmes à l'aide d'un Kleenex. C'est cette pouffiasse de Janey Jopling.

— Qui ça ? demanda Jen.

— La mère d'Alfie et Tristan, expliqua Theo.

— Attendez un peu que je la recroise, celle-là, marmonna sa mère. On a de vieux comptes à régler, elle et moi, et je n'ai plus l'intention de lui faire crédit !

28. Black-out

— Salut à tous ! lança joyeusement Babatunde.

Coiffé de sa légendaire capuche, il était assis sur un tabouret face à son caméscope posé sur le lavabo.

— Il faut que je vous raconte... Dimanche matin, je faisais la grasse mat' quand mon téléphone s'est mis à vibrer. Pas une fois, pas deux fois, mais une dizaine de fois en l'espace d'une minute. Au bout d'un quart d'heure, ça a commencé à me soûler, alors j'ai décidé de le mettre en mode avion. Et c'est là que j'ai découvert les messages.

» Au début, j'ai cru que c'était une blague, alors j'ai cliqué sur le lien qui figurait dans tous les e-mails. Et là, j'ai vu Theo se faire balancer par ce type énorme, et Noah foncer sur Karen Trim dans son fauteuil. Ce matin, la vidéo passe sur BBC News et sur CNN. Elle est à la une de tous les tabloïds. Jay est vert, parce qu'ils ont écrit plein de trucs sur sa famille, comme quoi ses frères seraient les plus grosses racailles de la planète.

» Et Karen Trim qui s'en est pris à Noah ! *Pour moi, tous les êtres humains sont égaux !* Tu parles ! Tout Internet la traite de nazie.

» Au manoir, c'est le chaos complet. Les cours de la matinée ont été annulés et vu que les studios sont restés fermés à clé, on n'a même pas pu répéter. Zig Allen a convoqué tout le monde dans la salle de bal à dix heures, alors je suppose qu'on devrait bientôt en savoir davantage.

» Ah, il faut que je vous montre un truc avant de vous laisser. J'espère seulement que le zoom de mon caméscope est assez puissant...

Il attrapa l'appareil, se dirigea vers la fenêtre à guillotine de sa chambre et braqua l'objectif vers le portail du domaine.

— Jusqu'à hier, il n'y avait personne là-bas. Maintenant, comme vous pouvez le constater, il y a un paquet de journalistes, une soixantaine de caméras fixes montées sur pied et je ne sais combien de camionnettes équipées d'antennes satellites. Bref, j'ai comme l'impression que *Rock War* va enfin connaître son heure de gloire !

∴

Dans son quartier général aménagé sous les combles, Zig Allen reposa si brutalement son téléphone fixe sur sa base que la coque en plastique se fissura.

— Karolina ! hurla-t-il. Ramène tes fesses ici immédiatement !

Son assistante, une jeune Allemande à l'expression austère, accourut dans le bureau.

— Qu'y a-t-il, monsieur ?

— Je viens d'avoir un appel de Rophan Hung de Rage Cola, dit-il en se levant. Ce connard crache littéralement des flammes. Est-ce que les gamins sont rassemblés ? Il faut absolument que je les remette d'équerre avant qu'ils ne foutent définitivement l'émission en l'air.

Dans la salle de bal, Zig trouva les quarante-huit concurrents étendus sur des poufs, accablés par la chaleur. L'incident impliquant Theo, Noah, Karen Trim et le garde du corps tournait en boucle sur les écrans géants.

— Toi, coupe-moi ça immédiatement, ordonna-t-il à l'un des stagiaires.

Le visage fermé, il observa un long silence avant de laisser éclater sa colère.

— Quelle est la première chose que je vous ai dite quand vous êtes arrivés ici ? gronda-t-il. La première chose, putain ! La toute première chose !

— Vous nous avez parlé des consignes d'évacuation en cas d'incendie ? hasarda une participante.

— Non ! hurla Zig. Ça n'a rien à voir avec ces foutues consignes ! Qu'est-ce que je vous ai dit à propos des sponsors ? Qu'en aucune circonstance vous ne deviez contrarier ceux qui nous filent de l'argent pour faire tourner *Rock War* ! Ça ne vous rappelle rien ?

La majorité des concurrents hochèrent timidement la tête.

— Dans ce cas, j'ai dû être victime d'hallucinations auditives, ce matin, lorsque j'ai visionné cet extrait de *Shelly's Morning Break*. Vous savez, celui qui vient de franchir vingt et un millions de vues. Celui où ce demeuré de Theo Richardson déclare, je cite : *Rage Cola, le soda qui vous file la courante en deux secondes chrono.*

Zig marqua une seconde pause, marcha vers l'intéressé et le fusilla du regard.

— Eh bien, vous savez quoi, les enfants ? Figurez-vous que le hashtag *#RageColaCourante* fait un tabac sur Twitter. Merci beaucoup, mais je n'en demandais pas tant. J'avais assez de publicité négative à mon goût avec cette affaire de pugilat en direct !

» Bref, sachez que je viens de passer une heure avec Rophan Hung, un ponte de Rage Cola, et qu'il envisage sérieusement de retirer ses billes. Et sans cet argent, *Rock War* ne pourra pas aller à son terme. Je ne plaisante pas. C'est aussi sérieux que ça.

» En conséquence, à compter de cet instant, vous devrez rester dans le manoir jusqu'à nouvel ordre. Il est interdit de traîner dans le parc. On m'a informé que des journalistes s'y étaient introduits, et il vous est formellement interdit d'entrer en contact avec eux. En outre, pour éviter toute fuite, nous allons malheureusement devoir imposer un black-out, à savoir couper le Wi-Fi et vous demander de nous remettre vos téléphones portables.

Les candidats exprimèrent bruyamment leur désapprobation.

— Je sais, je sais, dit Zig Allen. Ce n'est pas de gaieté de cœur que je prends ces mesures, mais je vous promets que ce n'est que provisoire. Sur ces mauvaises nouvelles, je vais regagner mon bureau et faire de mon mieux pour sauver cette émission.

Lorsqu'il eut quitté la salle de bal, les candidats, sous le choc, remirent leurs téléphones aux stagiaires chargés de les collecter. Theo avait la désagréable impression que tous les regards étaient braqués dans sa direction.

— Eh, ça va, dit-il. On passe tous notre temps à faire des vannes pourries sur Rage Cola.

— Mais tu es le seul à avoir craché sur notre sponsor en direct, pauvre abruti, rétorqua Sadie.

Piqué au vif, Theo se dressa d'un bond, gravit quatre à quatre les marches de l'escalier puis s'enferma dans sa chambre du deuxième étage pour y bouder tout son soûl.

Soucieux de rassurer les participants, Joseph prit la parole.

— Il est vrai que Zig a de gros problèmes à régler, mais la situation n'est peut-être pas aussi catastrophique qu'il y paraît. Les responsables de Rage Cola sont furieux, c'est vrai, mais ceux de Channel 3 sont enchantés. Le premier épisode des *Voyages de Gulliver* a fait un bide monumental, alors ils envisagent très sérieusement de reprogrammer *Rock War* à dix-huit heures trente.

— En *access prime time* ? se réjouit Michelle en frappant dans ses mains. Alors on passera juste avant *Pop Machine* ?

— Si Rage Cola ne nous coupe pas les vivres, fit observer Lucy.

— On ne pourrait pas trouver un autre sponsor ? demanda Jay.

— Si l'émission réalise de bonnes audiences, nous recevrons sans doute d'autres propositions, ajouta Jay. Et si les patrons de Channel 3 apprécient tant notre émission, pourquoi ne la financent-ils pas eux-mêmes ?

— L'économie des médias est une chose complexe, dit Joseph. Les contrats de sponsoring sont conclus des mois voire des années à l'avance. *Rock War* est une émission très coûteuse. À elle seule, la rénovation du manoir a coûté deux millions de livres.

— Justement, en parlant de contrat, celui qu'a signé Rage Cola lui permet-il de se retirer en plein milieu du tournage ?

— Ce document doit comprendre des centaines et des centaines de pages, soupira Joseph. Il doit prévoir toutes sortes de clauses garantissant que le produit est présenté de façon positive. Le cas échéant, Zig pourra sans doute poursuivre Rage Cola pour rupture de contrat, mais nous aurons depuis longtemps été foutus à la porte de ce manoir lorsque l'affaire arrivera devant le tribunal…

29. Zombies

— Salut, c'est Michelle ! On se retrouve pour un nouvel épisode encore plus délire de mon v-blog ! Aujourd'hui, nous allons aborder la question qui nous brûle tous les lèvres : *Rock War* est-il mort ? Et si oui, sommes-nous condamnés à retrouver nos petites vies minables ?

Elle braqua l'objectif du caméscope vers la cabine de douche où une dizaine de candidats s'étaient entassés comme des sardines. La pièce était plongée dans la pénombre, mais ces derniers braquaient des lampes de poche sous leur menton afin de modifier leurs traits de façon effrayante.

— Oui, nous sommes condamnés ! mugirent-ils dans le plus pur style zombie, en levant les yeux pour en exposer le blanc. Condamnés !

— Mon frère Theo est un débile profond, dit Jay. À l'instant où je lui ai proposé de former un groupe, j'ai su que c'était la décision la plus stupide de ma misérable existence.

— Mais nous avons pris une importante décision collective, annonça Michelle. Si Rage Cola brise nos rêves de stars en toc et décide de nous virer de ce manoir à coups de pompe où je pense, nous ne partirons pas sans nous battre. Nous annihilerons le moindre meuble, nous transformerons les lunettes de toilettes en Frisbee, nous jetterons les télés par les fenêtres...

— Tu as *déjà* jeté notre télé par la fenêtre, fit observer Summer.

— ... et nous nous essuierons les fesses sur les rideaux. Pas vrai les copains ?

— Ouais ! braillèrent en chœur ses complices en tendant le poing en l'air.

— On compte sur toi pour nous soutenir jusqu'au bout, public adoré, ajouta Michelle. Les candidats de *Rock War* ne quitteront pas la scène sans foutre un beau bordel !

Sur cette menace, elle interrompit l'enregistrement.

— Juste une question, dit Summer. Vu que le Wi-Fi est coupé et qu'ils ont confisqué nos téléphones, comment va-t-on mettre cette vidéo en ligne ?

— J'ai un iPad et un forfait 4G illimité, répondit Dylan. Le réseau est complètement pourri dans cette cambrousse, mais il y a un spot où on peut se connecter près de la piscine.

— Alors direction la terrasse ! s'exclama Sadie en jaillissant de la cabine de douche, toute la bande sur ses talons.

.**.

Si *Rock War* partait en sucette, la météo, elle, était radieuse. Summer, qui craignait les coups de soleil, ne nagea que quelques longueurs. Elle se procura un pot de glace Ben & Jerry's dans la cuisine puis s'installa sur un pouf de la salle de bal pour se plonger dans un livre de John Green emprunté à Coco.

Summer adorait la lecture, mais compte tenu des devoirs et des soins qu'elle prodiguait à sa grand-mère, c'était un luxe qu'elle pouvait rarement s'accorder. Comble de l'ironie, alors qu'elle avait désormais beaucoup de temps libre, tant de pensées se bousculaient dans son esprit qu'elle ne parvenait pas à se concentrer sur la trame du roman.

La fin annoncée de *Rock War* lui inspirait des sentiments contradictoires. D'un côté, c'était à l'évidence une mauvaise nouvelle. De l'autre, chaque apparition en public la mettait dans un tel état de stress que la perspective de retourner à Dudley, de reprendre sa scolarité, de s'occuper de sa grand-mère et de passer ses soirées à mollusquer sur le canapé du salon en se gavant de télé poubelle avait quelque chose de réconfortant.

Cependant, elle avait le sentiment que quelque chose avait changé en elle, le soir où elle était montée sur la scène du Rage Rock Festival. Elle avait vécu l'enfer en coulisses, mais dès les premières mesures, elle avait expérimenté une renversante montée d'adrénaline, une sensation qu'elle brûlait de connaître à nouveau.

Elle posa son livre et bascula la tête en arrière. Elle n'arrivait pas à croire qu'il ne s'écoulerait que deux semaines avant la reprise des cours. Avait-elle développé un goût pour la célébrité ? Non. Elle qui n'avait jusqu'alors connu que l'amour inconditionnel que lui vouait sa grand-mère, elle était tout simplement heureuse d'être reconnue par le public.

Alors qu'elle était perdue dans ses pensées, deux stagiaires déboulèrent à l'autre bout de la salle de bal : Matt, un vieux de la vieille, et une fille aux cheveux bouclés, la plus récente recrue de l'armée de bénévoles de Zig Allen.

— Chef ! crièrent-ils en franchissant la porte battante des cuisines.

Intriguée par leur mine consternée, Summer tendit l'oreille.

— Vous êtes déjà de retour ? demanda le cuisinier.

— On s'est pointés à la caisse avec un Caddie rempli, mais la carte ne passe pas.

— Vous ne vous êtes pas gouré de code au moins ?

— Non, on n'est pas débiles. Elle marchait très bien hier soir, quand j'ai fait le plein du minibus.

— Dans ce cas, il faut que tu en parles à Zig.

— Non, pitié, pas ça… Il est d'une humeur de chien. J'ai monté une livraison tout à l'heure. Il hurlait sur les réals et son attachée de presse chialait comme une gamine.

— Et qu'est-ce que tu veux que j'y fasse ? Je dois nourrir quarante-huit candidats et presque autant d'employés. Va dire à Zig que s'il ne nous procure pas du cash ou une carte bancaire approvisionnée, il n'y aura rien pour dîner.

Les stagiaires quittèrent les cuisines et s'engagèrent dans l'escalier.

— Zig roule en Lamborghini, dit la fille. Il doit bien avoir de quoi nous filer à bouffer, non ?

∴

Le nombre de journalistes qui campaient devant le portail avait sensiblement décru depuis l'annonce de la naissance de deux gorilles albinos au zoo du North Dorset, à moins de dix kilomètres du domaine.

La patience de ceux qui étaient demeurés sur les lieux en dépit de l'absence totale d'activité aux alentours du manoir fut récompensée lorsqu'un hélicoptère noir et or survola la terrasse puis se posa sur la pelouse, envoyant valser aux quatre vents les éléments d'un salon de jardin en plastique.

Chose étonnante, l'appareil se posa deux fois. Lors du premier atterrissage, une équipe de tournage composée de deux techniciens en débarqua, puis le pilote reprit rapidement de l'altitude afin de décrire une boucle autour du domaine et de toucher terre sous l'objectif des cadreurs.

Les participants avaient dévalé l'escalier dès qu'ils avaient vu l'hélicoptère frôler leurs têtes. Rassemblés devant le manoir en compagnie de Zig et de Joseph, ils assistèrent à l'arrivée théâtrale de Karen Trim.

Elle portait un casque antibruit plaqué or, des lunettes de soleil aux verres larges comme des assiettes à dessert et des bottes à hauts talons fort peu adaptées à la marche en terrain meuble. Après avoir vérifié que ses cameramen la filmaient, elle serra Zig dans ses bras.

— Salut mon pote ! dit-elle. Ça fait un bail qu'on ne s'est pas vus !

— Salut, lâcha sobrement Zig, le front perlé de sueur. Je… je pensais que ça devait être une réunion à huis clos. Tes gars pourraient-ils éteindre leurs caméras ?

— Hélas non. Ils réalisent un documentaire sur mon come-back au Royaume-Uni.

Sur ces mots, reconnaissant Lorrie parmi les stagiaires, elle pointa un doigt dans sa direction.

— Eh, tu es géniale, ma chérie ! s'exclama-t-elle de sa voix faussement enthousiaste de juge de *Pop Machine*. Si jeune et si fraîche… Quoi que devienne cette émission, il faut qu'on déjeune ensemble un de ces jours.

Lorrie lui retourna son sourire fabriqué. Deux de ses anciens collègues bénévoles lui adressèrent un regard noir.

— Les stagiaires font un boulot formidable, dit Karen avant de se tourner vers Zig. C'est comme ça que ce grand échalas a débuté dans le métier. Il a participé à ma première émission. Lorsque j'ai lancé *Pop Machine*, il était directeur adjoint. Et puis il a décidé de créer Venus TV pour voler de ses propres ailes.

Lorsqu'elle avait appris que *Rock War* avait perdu son principal sponsor, Karen Trim avait appelé Zig et exigé de le rencontrer. Ce dernier, qui avait lu dans la presse spécialisée que sa rivale pesait un demi-million de livres, s'imaginait qu'elle avait l'intention d'investir dans son émission à l'agonie.

Il ignorait qu'elle l'avait maudit jusqu'à la septième génération lorsqu'il l'avait abandonnée pour fonder sa propre société. S'il avait été moins occupé, il aurait remarqué qu'elle multipliait depuis des années les remarques assassines à son égard et qu'elle avait déclaré dans une interview qu'il ne pondait que des plagiats bon marché de ses propres programmes.

De fait, peu de gens auraient emprunté un hélicoptère pour se rendre dans le Dorset à la seule fin d'humilier un ex-employé, mais Karen Trim, hélas, était de ceux-là.

— Est-il absolument nécessaire qu'on soit filmés ? insista Zig.

— Mon chou, je filme tout ce que je fais, partout où je vais. Maintenant, si tu veux bien, allons parler chiffres et voyons si nous pouvons boucher les trous et remettre ton émission à flot.

30. Petits anges

— Ça va être tellement nul si Karen Trim reprend *Rock War*, soupira Dylan.

— Pire qu'avec Zig ? demanda Lucy. Ce mec est quand même totalement incompétent.

Les deux producteurs étaient enfermés dans le bureau de la direction depuis deux heures. Stagiaires et candidats s'étaient réunis dans la salle de bal pour attendre l'issue de cette rencontre au sommet.

— C'est vrai, mais les émissions de Karen sont toutes identiques. Des paillettes, des interviews écrites à l'avance, des candidats qui chialent, le tout filmé exclusivement en studio. *Rock War* est plus réaliste. Vous imaginez un candidat de *Pop Machine* tenir son propre blog vidéo ou jouer dans un festival rock ?

— Comme si notre émission à nous n'était pas bidonnée..., fit observer Sadie.

— Pourquoi Karen Trim changerait-elle une formule qui marche ? s'interrogea Summer.

— Pour emmerder Zig, tout simplement, répondit Dylan.

— Si elle devient productrice de l'émission, j'ai le pressentiment que je vais gravement en baver, dit Jay.

— Ça m'étonnerait, le contredit Theo. Cette baston sur le plateau télé a fait de la pub à tout le monde. Au bout du compte, elle pourrait même lui rapporter des millions.

— Moi, j'espère juste que l'émission ne va pas s'arrêter, dit Summer. Même si Karen apporte quelques changements, c'est toujours mieux que d'aller en cours, non ?

— Évidemment, approuva Alfie.

— Ça vous arrangerait bien, hein ? grogna Michelle. Si Karen prend le contrôle de *Rock War*, elle va chercher à augmenter les audiences chez les minettes de douze ans et les ménagères de plus de cinquante ans. Et à votre avis, pour qui voteront-elles ? Pour une psychopathe dans mon genre ou pour des petits anges dans le vôtre ?

Joseph descendit l'escalier, traversa la salle et se dirigea vers la sortie.

— Eh, le vieux, tu vas où ? l'interpella Theo.

— Je vais chercher des cigarillos au tabac du village. Tu veux que je te ramène quelque chose ?

— Non, merci. Alors, comment ça se passe, là-haut ?

Joseph jeta un coup d'œil par-dessus son épaule, comme s'il craignait d'être espionné, puis il se rapprocha de Theo pour lui parler sur un ton confidentiel.

— Ça discute ferme. Zig maintient que *Rock War* va faire un carton d'audience, avec un fort potentiel à l'international. Il voudrait que Karen Trim rachète un tiers de sa société, ce qui lui offrirait suffisamment de liquidités pour terminer la première saison. Mais elle est dure en affaires. Elle lui rappelle tout le temps qu'il est fauché et qu'il n'est pas en mesure de poser des exigences. Elle veut récupérer toutes les émissions de Venus TV et rebaptiser l'émission *Karen Trim's Rock War*. En échange, elle propose d'éponger les dettes de Zig et de lui épargner l'humiliation d'une faillite.

— Il y a une chance qu'ils arrivent à un compromis ? demanda Summer.

— Aucune. Cette femme est impitoyable. On ne la surnomme pas « le Tank » pour rien. Elle ne négocie jamais. Elle force les autres à se soumettre.

∴

Les heures s'écoulèrent et l'hélicoptère de Karen Trim se trouvait toujours sur la pelouse. Karolina passa une partie de l'après-midi au téléphone, faisant jouer son réseau pour trouver de quoi nourrir la population du manoir. Concurrents et stagiaires disputèrent un tournoi de *FIFA14*, mais l'ambiance était si morose que la victoire finale d'Alfie à l'issue d'une épique séance de tirs au but ne souleva pas d'enthousiasme particulier.

Après le dîner, alors que Karen et Zig étaient toujours bouclés dans le bureau du dernier étage, Noah et Sadie regagnèrent leur chambre. Alors que cette dernière regardait *Eastenders*, une série dont elle était une fan honteuse, on frappa à la porte.

— On est en train de s'envoyer en l'air ! cria Sadie. Revenez un peu plus tard.

Mais la femme qui entra alors dans la chambre sans y être invitée ne semblait pas goûter la plaisanterie.

— Je dois parler à Noah, dit Karen Trim l'air épuisé.

Rouge d'embarras, Sadie s'empara de la télécommande et sélectionna à la hâte une chaîne d'infos en continu.

— Eh bien, je vous écoute, dit Noah, mal à l'aise de se trouver en présence de celle avec qui il s'était empoigné en direct à la télévision.

Allait-il être viré de l'émission ? Son exclusion faisait-elle partie de clauses d'un accord conclu avec Zig Allen ? À son grand étonnement, Karen lui adressa un large sourire.

— Je crois que nous ne sommes pas partis sur de très bonnes bases, toi et moi, dit-elle.

— Ouais, c'est le moins que l'on puisse dire.

— Alors ça y est, vous êtes notre nouvelle patronne ? demanda Sadie gagnée par l'impatience.

— Disons que j'ai fait une offre, répondit Karen. Zig n'a pas encore signé. Je crois qu'il a besoin de s'accorder un moment de réflexion pour accepter la réalité. Mais à vrai dire, ce n'est pas ce qui m'amène ici...

— Vous êtes venue faire la paix ? demanda Noah. Vu que vous avez essayé de me foutre par terre en direct à la télé, vous craignez pour votre popularité, c'est ça ?

Karen lâcha un éclat de rire.

— Tu es drôlement malin, mon garçon. Il est vrai que je pourrais redorer mon blason si le public constatait que nous sommes réconciliés. Il suffirait pour cela d'une photo, dont mes attachées de presse assureront la diffusion dans tous les médias importants. Et accessoirement, ça offrirait une formidable promotion à votre groupe.

— Qu'est-ce que ça peut bien nous faire, si l'émission s'arrête et qu'on retourne à Belfast ? grogna Sadie.

Karen lui adressa un regard courroucé, comme s'il était impensable qu'on se permette de l'interrompre.

— Dix mille livres, dit Noah.

— Oooh, mais ça fait beaucoup d'argent, jeune homme, fit observer la productrice.

— Vous figurez sur la liste des plus grosses fortunes du *Sunday Times*, rétorqua Noah. Et sachez que cet argent n'est pas pour moi, mais pour une association de Belfast qui essaie d'améliorer la prise en charge des jeunes handicapés. Ils financent des cours de rééducation, des prothèses et des fauteuils ultralégers adaptés au handisport.

Sadie était si fière de son ami qu'elle aurait voulu le prendre sur-le-champ dans ses bras. Karen ne s'accorda qu'un bref instant de réflexion.

— Ça marche, dit-elle. Notre petite campagne aura plus d'écho si on insiste sur cet aspect caritatif. On se voit tout à l'heure.

Sur ces mots, elle quitta la chambre et s'isola dans un coin de la salle de bal pour s'entretenir avec son assistante. Le ton monta rapidement, si bien que tous les concurrents présents au rez-de-chaussée purent l'entendre hurler :

— Moi non plus, je ne sais pas où trouver un chèque géant au milieu du Dorset à vingt-deux heures ! Mais si tu ne m'as pas apporté de solution à vingt-trois heures, tu es virée !

31. Un énorme chèque

L'assistante de Karen Trim commença par appeler son conseiller bancaire, dont elle possédait le numéro personnel, qui contacta un collègue des relations publiques. Ce dernier se mit en rapport avec le directeur d'une agence locale située à une dizaine de kilomètres du manoir. Il obtint les coordonnées d'une imprimerie qui, quelques mois plus tôt, avait fabriqué un chèque géant destiné à la gagnante d'un concours de beauté régional.

Averti peu après vingt-deux heures trente, le patron de l'entreprise dut rouvrir ses locaux, imprimer un chèque d'un mètre sur deux et le coller sur un support en carton fort. Sa camionnette de livraison étant en panne, il emprunta la voiture de sa belle-sœur, se perdit en chemin et se présenta au manoir à vingt-trois heures dix.

Un photographe effectua une série de clichés de Noah et Karen tenant le chèque géant, puis cette dernière prit un selfie qu'elle posta sur Twitter accompagné de la légende *On se bouge !*

Ce titre de paiement n'avait bien entendu aucune valeur, mais elle promit qu'un virement serait effectué dès le lendemain sur le compte de l'association. Noah ne doutait pas de sa parole : un tel manquement aurait définitivement terni sa réputation déjà écornée par son comportement lors du *Shelly's Morning Break*.

Après avoir grimacé un sourire à l'adresse des candidats, elle rejoignit son hélicoptère. Contrairement aux apparences, elle bouillait de rage. Il était tard, elle avait passé une journée assommante et avait dû débourser dix mille livres pour une photo. Pour se passer les nerfs, elle annonça à son assistante qu'elle ne faisait plus partie de son personnel, monta dans l'appareil et s'envola pour le quartier général de *Pop Machine*, abandonnant la jeune femme en pleurs sur la pelouse.

⁘

— Tout le monde en bas ! hurla Joseph à pleins poumons de façon à se faire entendre dans tout le manoir. Il y a du nouveau !

En cette matinée ensoleillée, les candidats étaient éparpillés aux quatre coins du bâtiment, dans leurs chambres, autour de la piscine et au réfectoire où était servi le petit déjeuner.

— J'ai d'excellentes nouvelles, annonça-t-il lorsque tous furent rassemblés dans la salle de bal.

— Karen Trim est morte dans un accident d'hélicoptère et nous a légué toute sa fortune ? suggéra Sadie.

Joseph se joignit à l'éclat de rire général. Seule Karolina, l'austère assistante de Zig qui se tenait à ses côtés, resta de marbre.

— Hélas, nous n'avons pas eu cette chance... Mais vous allez être heureux d'apprendre que l'émission continue !

Les concurrents laissèrent exploser leur joie. Joseph attendit que le silence se fasse avant de poursuivre ses explications.

— En raison des contraintes budgétaires imposées par le retrait de Rage Cola, nous n'engagerons pas le jury de célébrités prévu à l'origine, et les cours seront réduits au minimum. Cependant, l'intérêt du public et des médias pour *Rock War* augmente de jour en jour. Les vidéos de Summer reprenant Patti Smith et de Theo aux prises avec le garde du corps de

Karen totalisent des millions de vues sur YouTube. Depuis la visite de notre chère amie Karen Trim, les journalistes sont de plus en plus nombreux à camper devant le portail, et les rediffusions des anciens épisodes obtiennent des records d'audience sans précédent pour une chaîne comme 3point2.

» En conséquence, même si aucun accord officiel n'a encore été signé, Channel 3 nous a avancé assez d'argent pour faire tourner le manoir pendant quelques jours et nous a commandé un *best of* de quatre-vingts minutes intitulé *Rock War : La Genèse* qui sera diffusé samedi à dix-neuf heures. Et vu que Summer et Theo sont les deux superstars du Web, ils enregistreront un duo qui sera diffusé en point d'orgue du programme.

Theo se tourna vers Summer et leva les pouces en l'air.

— Toi et moi sur Channel 3, petite sœur ! Tu te rends compte ?

— Et les groupes, qu'est-ce qu'ils deviennent dans tout ça ? demanda Michelle. Ce n'est pas un peu le thème de *Rock War*, à la base ?

— Je sais, ce doit être un peu frustrant… J'aimerais que nous disposions d'un budget plus important et que nous soyons autorisés à le dépenser comme bon nous semble, mais je ne possède malheureusement pas de baguette magique. Le soutien de Channel 3 nous offre un peu de répit pour trouver un nouveau partenaire financier avec lequel nous pourrons établir une relation de confiance.

Par respect pour Joseph, les participants hochèrent la tête en signe d'approbation. Karolina fit un pas en avant et prit la parole.

— Nous avons une autre question épineuse à régler, dit-elle, avec ce léger accent allemand que certains prenaient à tort pour un ton autoritaire. Rage Cola nous a adressé une mise en demeure officielle par l'intermédiaire de son avocat. Ils exigent que leur logo n'apparaisse plus à l'image. Or, il est présent partout dans le manoir, sur les murs, les meubles, les distributeurs automatiques... Si certains d'entre vous pouvaient aider les stagiaires à faire disparaître tout ça, nous leur en serions extrêmement reconnaissants.

— Ouais, foutons cette baraque en l'air ! s'exclama Michelle.

32. Lamborghini

— Salut à toi, public adoré ! brailla Michelle en plaçant l'un de ses avant-bras dans l'axe du caméscope de Summer. Comme vous pouvez le constater, je me suis fait une jolie coupure et on m'a posé vingt-deux points de suture. Il faut dire qu'on s'est un peu emballés quand on nous a gentiment demandé de débarrasser le manoir de tout ce qui portait le logo *Rage Cola*. Theo et moi, on s'est dit qu'il serait amusant de charger deux distributeurs automatiques de sodas sur des chariots et de les fracasser l'un contre l'autre.

» Le problème, c'est que nous n'avons pas exactement le même gabarit, lui et moi. Du coup, il allait beaucoup plus vite au moment où les distributeurs sont entrés en collision. Ça a fait un boucan dément, et puis, je ne sais pas trop comment, mon bras est passé au travers de la vitre. Et voilà le résultat !

Hilare, Summer lui arracha la caméra des mains et braqua l'objectif sur son visage.

— Ce qu'elle ne vous a pas dit, c'est qu'elle avait scotché son caméscope à son distributeur et qu'il a gravement morflé dans l'accident.

— Mais la carte mémoire a survécu ! précisa Michelle. Et les images du crash totalisent déjà soixante-dix mille vues sur YouTube !

— On s'est bien amusés, ces derniers jours, continua Summer. Comme Channel 3 a envoyé des gros bras pour chasser les journalistes qui traînaient illégalement dans le domaine, on a été autorisés à reprendre les répétitions. Mais Zig est toujours hyper stressé. Je crois qu'il ne s'est pas lavé depuis plusieurs jours et il n'arrête pas d'aboyer sur tout le monde.

» On n'a pas récupéré nos téléphones et le Wi-Fi n'a toujours pas été rétabli. Officiellement, c'est parce qu'il est en train de mener, je cite, *des négociations difficiles*, et qu'il ne veut pas prendre le risque d'une nouvelle controverse. Moi, je m'en fous, parce que j'ai le portable le plus pourri de l'univers et qu'il ne me permet même pas d'accéder à Internet. Et puis si j'ai envie d'appeler ma grand-mère, je peux utiliser le poste fixe du studio de montage.

» Sinon, Theo et moi, on a commencé à travailler notre duo. C'est une reprise de *Fairytale in New York*. La version originale a été interprétée par un type un peu louche aux dents pourries du nom de Shane MacGowan. Sa voix est vachement éraillée, comme celle de Theo, et la partie féminine correspond pile-poil à ma tessiture. Le plus bizarre, c'est que c'est une chanson de Noël, alors qu'on est en août. Du coup, pour la vidéo, Joseph a loué un canon à neige. Le résultat est à mourir de rire. On est tous les deux autour de la piscine, en plein soleil, et des tonnes de flocons nous tombent dessus. Les monteurs ont réalisé deux versions du clip, une plutôt sage, et l'autre entrecoupée des scènes les plus chaotiques, tournées depuis qu'on est arrivés au manoir. Je doute qu'elle passe à la télé, mais j'espère que vous pourrez la voir sur YouTube…

∴

Les huit écrans de la salle de bal étaient branchés sur Channel 3. Les poufs estampillés *Rage Cola* ayant fini à la benne à ordures, les candidats avaient dû s'entasser sur leurs propres oreillers. Les membres de l'équipe au grand complet, de Zig au moins expérimenté des stagiaires, étaient installés sur des chaises empruntées au réfectoire. Une bande-annonce pour *Pop Machine* fut accueillie par des huées et des sifflets, puis une voix off survitaminée jaillit des haut-parleurs.

— *Et maintenant, sur Channel 3, retrouvez l'émission qui claque et qui casse la baraque,* Rock War : La Genèse.

Summer apparut à l'écran, deux sacs à demi remplis posés sur son lit défait. Une inscription s'afficha en bas de l'image : *Premier jour des vacances d'été.*

— *Bonjour, mon nom est Summer Smith. J'ai quatorze ans et je suis la chanteuse d'Industrial Scale Slaughter... Désolée, est-ce que je peux la refaire ?*

Un coucher de soleil, puis Noah embarquant à bord d'un avion de Ryanair grâce à un ascenseur adapté.

— *A-t-on déjà vu une rock star en fauteuil roulant ?* dit-il en voix off. *Je n'en connais aucune, mais j'ai bien l'intention d'être la première.*

Fin de la séquence, Mrs Richardson se tenant au pied d'un escalier.

— *Jay, Theo, Adam !* cria-t-elle. *Le petit déjeuner est prêt ! Est-ce que vous pourriez vous bouger le *bip* et descendre à la cuisine ?*

Un riff de guitare électrique, puis le logo *Rock War* percuté par l'inscription *La Genèse.*

Pendant quatre-vingts minutes, les candidats présents dans la salle de bal rirent aux éclats en buvant du cola bon marché et en se gavant de Pringles. Durant la diffusion, Zig reçut plusieurs appels de félicitations. Rassuré par ces réactions, il accepta le verre que lui tendit un membre de l'équipe puis, l'alcool lui montant instantanément à la tête, commença à effectuer de fréquents passages par la cuisine afin de rafler et de liquider tout ce qui lui tombait sous la main, vin, bière et spiritueux.

Le duo de Theo et Summer qui clôturait le programme, bien qu'un peu décalé par rapport au reste de l'émission, suscita l'enthousiasme général. Alors que le générique de fin défilait, les candidats échangèrent de grandes embrassades. Ils étaient aussi ravis que surpris. On leur avait promis qu'ils participeraient à une émission différente des télé-crochets où la quantité de paillettes et la coiffure des participants importaient davantage que leurs performances musicales, et ce contrat avait été parfaitement rempli.

Zig, ivre mort, se présenta devant les concurrents, une énorme tache de vin sur sa chemise.

— Je ne sais pas encore si nous allons survivre, dit-il d'une voix pâteuse, et je n'ai pratiquement pas dormi depuis une semaine, mais je crois pouvoir affirmer que c'était une putain de bonne émission.

L'assistance applaudit à tout rompre. Les stagiaires les plus jeunes, qui avaient tous bu plus que de raison, hurlèrent comme des possédés.

— Ce matin, figurez-vous que j'ai reçu un coup de fil de Karen Trim, ricana Zig, tout juste capable de tenir sur ses jambes. Elle m'a demandé si j'étais enfin revenu à la raison et si j'acceptais sa proposition de rachat de *Rock War*. Peut-être suis-je un peu trop fier, ou tout simplement un abruti complet... Toujours est-il que j'ai répondu à cette sorcière que je préférais finir sous les ponts que de la laisser prendre le contrôle de notre émission !

Lorsqu'il se rassit sous les acclamations de la foule en délire, Karolina lui présenta l'iPad qu'elle n'avait pas quitté des yeux depuis la fin de l'émission.

— Cinq point trois ! cria-t-il en boxant les airs. Nom de Dieu de bordel, cinq point trois !

Joseph et plusieurs membres importants de l'équipe de production se levèrent pour lui serrer la main. Constatant que les candidats ne comprenaient pas de quoi il était question,

Lorrie, qui étudiait l'économie des médias à l'université, se chargea des explications.

— C'est le chiffre des audiences, communiqué par un bureau indépendant. Cinq point trois, ça signifie que cinq millions trois cent mille téléspectateurs ont regardé l'émission.

— Et c'est correct? demanda Dylan.

— C'est carrément génial. Les émissions les plus regardées au Royaume-Uni sont les feuilletons quotidiens comme *Coronation Street* et *Eastenders*, qui atteignent environ dix millions de spectateurs. Cinq point trois, ça met *Rock War* au niveau de *Masterchef* et de *Top Gear*.

— C'est la meilleure audience de Channel 3 depuis l'âge d'or de *Pop Machine*, expliqua Karolina. Et l'intérêt de ce succès, c'est que nous allons pouvoir augmenter nos tarifs publicitaires.

— Alors on est vraiment tirés d'affaire? demanda Jay.

— *Rock War* est une émission très coûteuse. Ça ne nous dispense pas de trouver un nouveau sponsor, mais ces chiffres d'audience nous faciliteront grandement la vie.

Lucy, qui était restée assise pendant presque deux heures, décida qu'il était grand temps de prendre l'air.

— Tu peux aller me chercher un Coca pendant que tu es debout? demanda Michelle.

— Je ne suis pas ton esclave, répondit Lucy.

Elle franchit la porte des cuisines, dérangea deux stagiaires qui s'embrassaient à pleine bouche à l'entrée de la chambre froide et trouva Dylan en train de fumer derrière le manoir, près de la sortie de service.

— File-moi une taffe, dit-elle.

Dylan lui confia sa cigarette de mauvaise grâce.

— Je n'en ai presque plus, dit-il. Mon père était censé m'envoyer une cartouche de cigarettes russes et un sachet d'herbe.

Lucy éclata de rire.

— Ton père ? s'étonna-t-elle.

Dylan haussa les épaules.

— Il dit que je suis assez grand pour me tuer à petit feu si ça me chante.

— Il fait quoi comme boulot ?

— Édition musicale, mentit Dylan avant de changer de sujet. L'émission était super, tu ne trouves pas ?

— Ouais, c'était cool.

— Il faut que j'aille aux toilettes, dit Dylan. Tu peux finir ma clope si tu veux.

Lorsque son camarade eut regagné le bâtiment, Lucy, qui n'avait jamais fumé de sa vie, écrasa la cigarette sous le talon de sa Converse. À cet instant précis, Zig, comme surgi de nulle part, se planta devant elle.

— Eh, comment ça va, ma belle ? bafouilla-t-il.

Lucy éprouva une vive sensation de malaise. C'était la première fois que le producteur lui adressait la parole depuis leur confrontation au bivouac de Mr X. Son haleine empestait l'alcool et ses yeux lançaient des éclairs.

— Tu réalises à quel point je me suis cassé le cul pour sauver cette émission ? Tu sais que je ne suis plus foutu de dormir plus de cinq minutes d'affilée ? Je ferme les yeux, mais mon cerveau continue à travailler. Alors imagine un peu ce que j'ai ressenti quand j'ai reçu un coup de fil de l'avocat de ton père…

— Il faut que je rentre, dit Lucy.

— Oh non, je ne crois pas, gronda Zig en lui bloquant le passage.

Lorsqu'elle essaya de le contourner, il l'attrapa par le poignet puis la plaqua brutalement contre le mur.

— Lâchez-moi ou je crie ! menaça-t-elle.

— Avec toute la merde que je suis en train de traverser, il a fallu que vous m'envoyiez votre chien de garde !

Lucy essaya vainement de se dégager puis, en désespoir de cause, porta à son agresseur un coup de pied à l'entrejambe.

— Espèce de tordu ! cria-t-elle.

Fou de douleur, Zig essaya maladroitement de l'attraper par les cheveux. Dans l'empoignade confuse qui s'ensuivit, il reçut un formidable coup de coude à l'arête du nez puis tituba en arrière, le sang dégoulinant sur son menton.

Lucy se rua à l'intérieur de la cuisine et courut vers les stagiaires qui pratiquaient le bouche-à-bouche près de la chambre froide. Elle était pressée de rapporter ce qui venait de lui arriver. Sachant désormais de quoi le producteur était capable, elle voulait à tout prix éviter qu'il ne s'en prenne à des candidats plus fragiles comme Summer ou Alfie.

Alors qu'elle s'apprêtait à déranger les amoureux, le rugissement d'un puissant moteur se fit entendre à l'extérieur du manoir.

— Qu'est-ce que c'est que ça ? demanda l'un des stagiaires.

— Un V12, répondit l'autre. C'est la Lamborghini de Zig.

— Bon sang, il ne doit pas prendre le volant. Il peut à peine marcher !

Ils sortirent précipitamment du bâtiment à l'instant où Zig, à bord de sa voiture de sport stationnée à une cinquantaine de mètres, écrasait la pédale d'accélérateur. En quelques secondes, le véhicule atteignit une vitesse effarante puis disparut de leur champ de vision. Lucy et les deux stagiaires atteignirent l'angle du manoir juste à temps pour le voir foncer droit sur le portail du domaine.

Zig ayant utilisé sa télécommande, les grilles étaient ouvertes, mais les journalistes qui campaient derrière, saisis de panique en voyant le bolide foncer dans leur direction, écartèrent leurs caméras montées sur trépied dans le plus grand désordre. Pris de court, l'un d'eux dut même abandonner son appareil photo équipé d'un énorme téléobjectif.

Par chance pour ce dernier et son coûteux matériel, Zig était fin soûl, et le franchissement de ce portail conçu à l'origine pour permettre le passage d'étroits carrosses victoriens exigeait une précision dont il n'était plus capable.

Alors que les journalistes plongeaient à couvert, l'avant de la Lamborghini se déforma de façon catastrophique au contact d'un des piliers, et la partie droite de la carrosserie composée de fibre de carbone explosa en une pluie de minuscules fragments. Au même instant, une détonation assourdissante accompagna le déclenchement des airbags.

Tandis que photographes et cameramen se précipitaient pour mitrailler l'épave, candidats et stagiaires dévalèrent l'allée en direction du portail.

— Mr Allen ? lança un journaliste tandis que la porte papillon côté conducteur se soulevait en grinçant, libérant un nuage de fumée blanche. Vous êtes blessé ?

— Foutez-moi la paix ! hurla Zig, repoussant la main que l'homme lui tendait.

Lorsqu'il se fut péniblement extrait du véhicule, une dizaine de flashs illuminèrent son visage ruisselant de sang. Il se tourna lentement pour regarder ce qui restait de son bolide à trois cent mille livres.

— Je vous interdis de prendre des photos, bande de charognards ! bégaya Zig. Virez ces appareils de sous mon nez.

— Mr Allen, êtes-vous ivre ? demanda une journaliste.

— Qu'en est-il des rumeurs affirmant que Rage Cola vous réclame vingt millions de livres pour atteinte à l'image ? interrogea un de ses confrères.

— Est-il exact que Karen Trim essaie de racheter Venus TV pour une bouchée de pain ? ajouta un troisième.

— Ne prononcez pas le nom de cette femme en ma présence ! hurla Zig. Si je croise à nouveau son chemin, je l'étranglerai de mes propres mains. Et croyez-moi, sa disparition mettra beaucoup de chirurgiens esthétiques au chômage technique. Quant à Rage Cola et Unifoods, je les emmerde, eux, leurs produits pourris et leurs prétendues valeurs familiales. Maintenant, dégagez de ma vue. Je vais retourner dans ma chambre et me soûler à mort.

Sur ces mots, il tenta d'enchaîner deux pas en direction du manoir avant de s'étaler tête la première dans le gravier puis de fondre en sanglots sous les yeux des candidats et les objectifs des journalistes.

33. Ni chaud ni froid

Le lundi matin, peu avant huit heures et demie, Mitch Timberwolf, le patron de Channel 3, le chef cuisinier Joe Cobb et Karolina s'installèrent à une longue table dressée au fond de la salle de bal. Les candidats avaient reçu pour consigne de demeurer dans leurs chambres et de se tenir tranquilles jusqu'à la fin de la conférence de presse. Pour la première fois, une foule de reporters accrédités avaient été autorisés à franchir les portes du manoir.

À huit heures trente précises, Mitch prit la parole.

— Je crois que c'est la première fois qu'autant de journalistes se trouvent rassemblés au beau milieu du Dorset, plaisanta-t-il. J'espère que *Rock War* générera bientôt autant de profits que de buzz…

Puis il s'éclaircit la gorge et lut une déclaration rédigée à l'avance.

— J'ai le plaisir de vous annoncer le rachat de Venus TV par Channel 3 et un consortium dont fait partie mon ami Joe Cobb, afin d'en assurer la pérennité, l'indépendance et le dynamisme. Ses émissions phares, *Cobb's Kitchen*, *Benefit Bludgers* et *Rock War*, seront bien entendu maintenues. Des questions ?

— Pourriez-vous nous donner des nouvelles de Zig Allen ? demanda un journaliste de la BBC.

— Mr Allen a été soumis à un très haut niveau de stress. Il se repose actuellement dans une clinique privée. Il ne jouera désormais plus de rôle au sein de Venus TV, mais sachez que toute l'équipe de Channel 3 se joint à moi pour lui souhaiter une prompte guérison.

— Nous avons appris que Karen Trim avait ouvert des négociations pour prendre le contrôle de *Rock War*. Fait-elle partie des nouveaux investisseurs ?

Mitch Timberwolf secoua la tête.

— Non, elle n'a pas été en mesure de finaliser son accord avec Zig Allen.

— N'est-elle pas un peu contrariée de s'être fait coiffer au poteau ? demanda une journaliste.

— Karen Trim est une actrice essentielle de Channel 3. La seule chose qui nous importe, c'est que la série *Pop Machine* soit un énorme succès.

— Quelle est la distribution des parts au sein du consortium ?

— Channel 3 participe à hauteur de quinze pour cent. Joe Cobb's Entertainment possède dix pour cent. L'investisseur principal, qui possède à présent soixante-quinze pour cent de la société, préfère garder l'anonymat jusqu'à nouvel ordre.

— *Rock War* bénéficiera-t-il du soutien d'un nouveau sponsor ?

— Ce ne sera pas nécessaire. Au vu des excellents chiffres enregistrés par l'émission de samedi, nous avons déjà suffisamment de partenaires publicitaires pour financer le programme.

— Mr Timberwolf, n'avez-vous pas craint que Karen Trim n'acquière une position trop dominante si elle avait racheté Venus TV ? demanda un reporter à la barbe de hipster. Récemment, des rumeurs ont couru affirmant qu'elle aurait pu tout simplement prendre le contrôle de Channel 3.

Mitch le fusilla du regard puis, tâchant de retrouver son calme, réajusta sa cravate.

— Je n'ai plus rien à dire au sujet de Mrs Trim. Elle demeure un membre irremplaçable de la famille Channel 3, et j'espère qu'elle le restera durant les années à venir.

Une journaliste à l'accent français prit alors la parole.

— Au vu des audiences d'avant-hier, pensez-vous que *Rock War* puisse rassembler davantage de téléspectateurs que *Pop Machine* ?

— Mon seul désir, c'est que ces deux émissions rencontrent leur public tous les samedis et que les spectateurs de Channel 3 n'aillent pas voir ailleurs jusqu'à Noël.

∴

Zig s'étant définitivement retiré du programme, Karolina restait seule aux commandes de la production. Consciente qu'elle manquait d'expérience, elle commença par recruter Julie, l'assistante que Karen Trim avait abandonnée sur la pelouse trois jours plus tôt.

La survie de *Rock War* étant assurée, Venus TV disposait d'une raisonnable marge budgétaire. Pour se mettre définitivement les journalistes dans la poche, Karolina ordonna l'érection d'une grande tente devant le portail pour qu'ils puissent se protéger des intempéries, puis elle chargea une entreprise spécialisée de changer le carrelage du fond de la piscine orné du logo *Rage Cola*.

Peu après le déjeuner, elle ordonna que le réseau Wi-Fi soit rétabli et que tous les candidats récupèrent leur téléphone. Pour l'occasion, les stagiaires organisèrent une amusante cérémonie au cours de laquelle chaque appareil fut restitué à son propriétaire sur un coussin de velours pourpre passe-poilé de fil d'or.

L'équipe technique avait été réduite au minimum quand Rage Cola s'était retiré, mais des visages familiers, comme

Mo, le directeur musical et Shorty, le cadreur, avaient fait leur retour au manoir.

Désireuse de se faire pardonner des concurrents assignés à résidence depuis plusieurs jours, Karolina organisa une excursion à la station balnéaire de Bournemouth, localité la plus proche du manoir. Pour berner les journalistes, les candidats quittèrent les lieux par la porte de service à l'arrière du bâtiment puis parcoururent un demi-mile à pied jusqu'à un autocar stationné en rase campagne.

Trente minutes plus tard, ils débarquèrent en ville et se séparèrent en petits groupes. Jay passa une heure à écumer les boutiques en compagnie de Sadie, Noah et Babatunde. Ils s'amusèrent de découvrir la photo de l'épave de la Lamborghini de Zig à la une de tous les tabloïds. Leur article préféré était intitulé *KAREN TRIM RACHÈTE ROCK WAR*, une information aussi erronée qu'obsolète. En feuilletant ces torchons, ils découvrirent une histoire affreuse concernant l'une des filles de Half Term Haircut, dont le grand frère purgeait une peine de prison pour avoir provoqué la mort de deux écoliers lors d'un accident de la route.

— Si un journaliste commence à creuser dans les affaires de ma famille, il sera sans doute tué dans l'éboulement, s'esclaffa Jay.

— Ce serait injuste pour Theo, dit Noah. Il est super cool.

— Oh, tu n'aimes pas trop qu'on égratigne ton héros, n'est-ce pas ? ricana Sadie.

— Ce n'est pas mon héros. Mais malgré ce que les autres racontent sur lui, il a toujours été correct avec moi.

Jay hocha pensivement la tête.

— La vérité, c'est qu'il est sérieusement dérangé. Mais bizarrement, il a un minimum de sens moral. Par exemple, il ne volera jamais plus pauvre que lui. Et il a beau menacer un tas de gens de les massacrer, il se contente généralement de leur coller des baffes. Par contre, mon grand frère Danny est un cas plus sérieux. Quand il avait seize ans, il a braqué un bureau de bookmakers avec un pote à moitié débile. Le coup a mal tourné, alors il a fracassé le crâne du gérant avec une matraque et tabassé la caissière. Ces abrutis pensaient se faire un paquet de fric, mais ils n'ont trouvé que vingt livres dans la caisse. Le reste de la recette se trouvait dans un coffre à ouverture programmée qu'aucun des employés ne pouvait ouvrir.

— Il est en taule pour combien de temps ? demanda Babatunde.

— Pas assez longtemps, de mon point de vue. Le jour où il reviendra à la maison, il va recommencer à foutre la merde. Mon seul espoir, c'est que Jet gagne *Rock War* et que je ramasse de quoi payer un tueur à gages pour me débarrasser de lui.

Noah éclata de rire.

— *Un candidat de* Rock War *offre dix mille dollars à un tueur professionnel pour le débarrasser de son frère maudit*, dit-il. Ça ferait un super titre.

— Ma famille est tellement moins fun, soupira Babatunde. Ils veulent que je devienne médecin, comme eux, ce qui est assez étrange vu qu'ils n'arrêtent pas de se plaindre de leur boulot.

Ils furent assaillis en pleine rue par une bande d'adolescentes au maquillage outrageux. Elles réclamèrent des autographes, mais elles ne possédaient ni stylo ni papier.

— Votre émission est tellement cool, dit la plus jeune en se tortillant.

— Et vous allez voter pour qui ? demanda Babatunde.

Les filles échangèrent un regard torve.

— Summer a une super voix, répondit la plus âgée.

— Mais son groupe n'est pas génial, ajouta une de ses camarades. Le trash metal, c'est carrément de la daube.

Lorsque la petite troupe se remit en route, Babatunde s'adressa à Jay à voix basse.

— Summer va gagner *Rock War*, dit-il. Tout ce qu'on peut espérer, c'est terminer en deuxième position.

— Je n'en suis pas si sûr. Cette fan a raison. La voix de Summer est super, mais Industrial Scale Slaughter n'est carrément pas au niveau.

— Je vous rappelle que One Direction a été battu en finale de *X Factor*, fit observer Noah. Ça n'a pas vraiment nui à leur carrière, que je sache.

Lorsqu'ils retrouvèrent leurs camarades devant le cinéma Odeon, deux filles, soutenues tièdement par leurs petits amis, insistèrent pour voir la comédie sentimentale du moment. Les autres candidats optèrent à l'unanimité pour *Les Gardiens de la galaxie*.

La séance de l'après-midi n'ayant réuni qu'une poignée de spectateurs, ils se répartirent dans la salle quasi déserte. Jay choisit une place isolée et légèrement désaxée. Il sentit son cœur s'emballer lorsque Summer vint s'asseoir à ses côtés.

— Tu en veux? dit-il en lui tendant sa boîte de pop-corn salé.

Summer en piocha une poignée.

— Le film, bordel! cria Theo en lança une bouteille de Coca vide sur l'écran où défilaient des bandes-annonces.

Jay adressa à Summer un sourire complice.

— J'aimerais tellement qu'il se fasse virer de la salle, dit-il.

— Je te trouve un peu dur avec ton frère.

— Oh, je vois. Toi aussi tu es tombée sous son charme...

— C'est vrai qu'il a un corps parfait et que je l'ai trouvé plutôt sympa quand on a enregistré le duo, mais...

Summer marqua une pause, comme si elle éprouvait des difficultés à trouver ses mots.

— Mais quoi? demanda Jay.

— Disons que je préfère les garçons qui possèdent un cerveau en état de fonctionnement, répondit-elle.

Sur ces mots, elle se pencha vers lui et déposa un baiser sur ses lèvres.

Jay s'efforça de rester détendu, comme le garçon expérimenté qu'il aurait voulu être, mais il ne put s'empêcher de sourire d'une oreille à l'autre. Il resta figé pendant quelques secondes puis passa maladroitement un bras autour du cou de Summer. Cette dernière posa la tête sur son épaule et attrapa une autre poignée de pop-corn.

— Si je n'avais pas fait le premier pas, je crois que tu ne te serais jamais décidé, chuchota-t-elle. Je commençais à croire que je ne te faisais ni chaud ni froid...

34. Légendes

MARDI

Selon une rumeur qui circulait depuis la veille dans les couloirs du manoir, la production cherchait un grand nom pour présenter les futures émissions en direct. Pour l'heure, Lorrie restait en place et s'acquittait parfaitement des fonctions qui lui avaient été confiées. Elle posait sur la pelouse, un large parapluie brandi au-dessus de sa tête pour se protéger de la pluie battante.

— Depuis le début de la compétition, la vie des candidats a été une partie de plaisir. Ils ont fait la fête, ont rencontré beaucoup d'amis et ont suivi des cours dispensés par des musiciens extraordinaires. Mais maintenant, ils vont rentrer dans...

À cet instant, une bourrasque retourna les baleines de son parapluie et manqua de peu de lui faire perdre l'équilibre.

— Coupez ! cria Angie.

— On ne pourrait pas la faire à l'intérieur ? suggéra Lorrie. Mon dos et mes jambes sont trempés.

— Non, je veux capter cette atmosphère, dit Angie. Cette météo est parfaite pour installer la tension. Reprends à *mais maintenant.*

— Silence ! cria son assistant. Et... action !

— Mais maintenant, ils vont rentrer dans le vif du sujet, reprit Lorrie tandis que le vent chahutait sa coiffure. Nous attendons d'un moment à l'autre l'arrivée des trois légendes du rock qui serviront de coachs à nos candidats. Samedi soir, ils attribueront une note sur dix à chacun des groupes après leur performance en direct. Puis ce sera à vous, les fans, de voter par SMS pour repêcher l'un des trois groupes qui auront obtenu le moins de points.

— Coupez, lança Angie en levant les pouces en l'air. Super, Lorrie. C'était parfait.

Tandis que cette dernière courait se réfugier à l'intérieur du manoir, l'équipe technique prépara le plan suivant. Une demi-heure plus tard, la pluie ayant cessé, les candidats se rassemblèrent à l'extérieur, filmés par un drone positionné à cinquante mètres d'altitude.

— Est-ce que tout le monde est prêt ? demanda la réalisatrice.

Lorsque les concurrents eurent hoché la tête, son assistant tendit un pistolet vers le ciel puis lâcha une fusée éclairante pour donner le signal du départ. Alors, trois Ferrari rouges franchirent l'une après l'autre le portail du domaine. Les pilotes professionnels qui se trouvaient au volant prirent de la vitesse puis, parvenus à hauteur de Lorrie, effectuèrent un *burn* parfaitement synchronisé qui souleva un énorme nuage de fumée. Puis les trois passagers mirent pied à terre et vinrent à la rencontre de Lorrie : un sexagénaire aux cheveux gris en bataille, une femme au look post-punk vêtue d'un caftan noir, et un jeune homme sexy portant un jean serré, des bottes western et des lunettes de soleil.

— Alors, comment avez-vous trouvé cette arrivée ? demanda Lorrie en se tournant vers ce dernier.

— C'était intense. Grosse, grosse accélération. Je crois que mes intestins sont restés sur la route, à trois cents mètres d'ici.

Lorrie s'éclaircit la gorge puis s'adressa à la caméra.

— Je suis heureuse de vous présenter les légendes de *Rock War*, avec, par ordre d'apparition… Earl Haart, qui a vendu plus de vingt millions d'albums et dont le riff de guitare sur

Find My Love a été élu numéro un de tous les temps par les auditeurs de Terror FM !

L'assistance applaudit à tout rompre.

— Beth Winder, chanteuse du groupe Gristle dans les années quatre-vingt, actrice, compositrice de musiques de films nominée deux fois aux Oscars. Bienvenue dans *Rock War*, Beth !

— Je suis ravie de me trouver parmi vous, dit cette dernière. Je suis une fan inconditionnelle de l'émission. Comme tout le monde, je commençais à en avoir marre de voir gagner des chanteuses qui ne font que brailler sur des bandes préenregistrées. C'est un tel plaisir de regarder et d'entendre des jeunes aussi talentueux jouer de la vraie musique, sur de vrais instruments !

Touchés par ce compliment, les concurrents laissèrent éclater leur enthousiasme. Enfin, Lorrie désigna le jeune play-boy au look de cow-boy.

— Et enfin, *last but not least*, Jack Pepper, la nouvelle star du rock indie. Ses albums se sont écoulés à plusieurs millions d'exemplaires dans le monde entier. Il est aussi l'auteur de deux romans à succès et fondateur de l'association humanitaire Peace Camp, qui vient en aide à des centaines de milliers d'enfants vivant dans des camps de réfugiés à travers le monde. Tout ça à seulement vingt-quatre ans ! Jack, nous sommes tous enchantés de t'accueillir au manoir.

Jack ôta ses lunettes et adressa à Lorrie un regard profond.

— Mmmh, que de compliments…, roucoula-t-il. Du coup, j'imagine que tu ne verrais pas d'objection à me communiquer ton numéro de portable ?

Sur ces mots, il embrassa Lorrie sur la joue. Tandis qu'elle rougissait jusqu'à la pointe des oreilles, des sifflets et des éclats de rire se firent entendre dans l'assistance. Lorsqu'il vit la façon dont Summer regardait Jack, Jay se sentit gagné par un violent accès de jalousie.

— Oh, j'ai comme l'impression que ce type ne va pas s'ennuyer durant son séjour au manoir…, ricana Babatunde.

∴

La veille, de retour du cinéma, Summer et Jay avaient passé la soirée à s'embrasser, lovés sur une chaise longue de la terrasse. Depuis, ce dernier avait l'impression de ne plus toucher terre.

Mais l'arrivée inattendue au manoir de l'un des meilleurs guitaristes du monde le rendait carrément extatique. Tout ça était trop beau pour être vrai. Il continuait à penser qu'il allait finir par se réveiller dans l'appartement familial, respirer les effluves d'huile de friture et supporter à nouveau les sévices de Kai.

— Salut les garçons, dit Earl Haart en entrant dans le studio de répétition accompagné d'un stagiaire portant un caméscope. Vous pouvez me rappeler vos noms ?

Lorsque Jay, Theo, Adam et Babatunde se furent présentés, il s'assit sur le tabouret de piano.

— Et d'où venez-vous ? demanda Earl.

— De Tufnell Park, au nord de Londres, répondit Adam.

— Sans blague ! s'exclama Earl. C'est là-bas que je traînais quand j'étudiais l'électronique à la North London Polytechnic. J'ai même donné mes premiers concerts dans les pubs du coin. C'était le bon vieux temps.

— Maintenant, la fac a été rebaptisée North London *University*. À l'heure du déjeuner, le restau de *fish and chips* de notre mère reçoit toujours plein d'étudiants.

— Ah, les *fish and chips*. Ça devient de plus en plus dur à trouver. Maintenant, il n'y a plus que des McDonald's et des Starbucks qui servent du jus de chaussette à cinq livres le gobelet. Moi, j'allais dans ce petit boui-boui en bas de la rue, près de ce pub… le White Horse, je crois.

Jay quitta des yeux le manche de sa guitare. Il était désormais convaincu d'être en train de rêver.

— Je le crois pas, dit-il. C'est le nôtre, et le pub appartient à notre tante. Ils sont dans la famille depuis plus de cinquante ans.

— Eh ben, ça alors, on peut dire que le monde est petit ! s'exclama Earl. Je me souviens du type qui tenait le restau. Un dur à cuire avec une grosse moustache. Il fallait le voir sauter par-dessus le comptoir pour botter les fesses des clients qui lui manquaient de respect.

— C'est notre grand-père, dit Adam.

— Incroyable... Et comment va-t-il ? Il doit bien avoir dans les soixante-dix ans, maintenant.

— Il est mort d'un cancer avant notre naissance, dit Adam. On ne l'a pas connu.

— Oh, désolé les garçons... Je me rappelle aussi du passage menant à l'arrière-cour, sur la droite. J'y ai fait des cochonneries avec une fille, une fois, et croyez-moi si vous le voulez, mais elle a continué à bouffer ses frites tout du long, comme si de rien n'était.

Les quatre membres de Jet éclatèrent de rire.

— Ils devraient installer une plaque commémorative, suggéra Theo. Genre : *Ici, en 1974, le guitar hero Earl Haart s'est envoyé en l'air.*

— C'était en soixante-huit, corrigea-t-il.

— Vous vivez toujours à Londres ? demanda Babatunde.

— J'ai un appartement à Chelsea. Mais j'ai déménagé à Los Angeles dans les années soixante-dix pour échapper aux impôts. Toute ma famille vit en Californie, maintenant, alors chaque fois que je débarque en Angleterre, je me sens comme un touriste.

Un ange passa, puis il hocha la tête en direction de Jay.

— Et si tu me montrais ce que tu sais faire ?

— Pardon ? demanda l'intéressé, qui avait la tête ailleurs.

— Excusez-le, il est amoureux, expliqua Adam.

— Il sort avec une bombe atomique, ajouta Babatunde. Personne ne comprend ce qu'elle lui trouve.

— Jay, tu connais le riff de *Find My Love* ?

— Ouais, mais vous devez en avoir tellement marre de l'entendre...

Earl éclata de rire.

— Non, je ne suis pas près de m'en lasser. Pour moi, c'est le son des royalties qui tombent sur mon compte en banque. Allez, joue-le.

Gagné par le trac, Jay se pencha pour monter le volume de son ampli, puis exécuta une version très correcte du riff.

— Eh bien, il semblerait que votre groupe ait un excellent guitariste, dit Earl en faisant signe à Jay de lui confier son instrument. Mais est-ce que tu peux le jouer comme ça ?

Il passa la sangle autour de son cou et plaça la guitare dans son dos. Tordant les poignets de façon à atteindre les cases du manche, il enchaîna les notes à l'aveugle, à une vitesse stupéfiante.

— Et vous pouvez aussi jouer avec les dents ? demanda Theo.

— Plus depuis que je porte un dentier, s'esclaffa Earl avant de claquer dans ses mains. Bien ! Avant que nous nous mettions au boulot, j'aimerais que vous me jouiez un morceau.

Tandis que les garçons débattaient du choix de la chanson, ils entendirent des hurlements à l'extérieur du studio. Intrigués par ces éclats de voix, les membres de Jet sortirent du local et virent Michelle pointer un doigt menaçant en direction de Beth Winder.

— Hors de question que je joue cette daube ! cria-t-elle. *We Built This City* est la chanson la plus moisie de tous les temps. On est un groupe de death metal ! On crache sur le rock FM des années quatre-vingt !

— Vous devez tirer parti de vos forces, plaida Beth tandis que Michelle jetait un œil noir à l'objectif du cadreur qui filmait l'altercation. Et Summer est votre meilleur atout.

— Dans ce cas, il n'y a qu'à rebaptiser le groupe Summer Smith et son orchestre ! On dirait que tout le monde ne s'intéresse qu'à la jolie bonde qui gazouille dans le micro pendant que nous, on se tue à envoyer du bois.

— Calme-toi Michelle, dit Lucy en sortant à son tour de la salle de répétition. Beth a juste fait une suggestion...

— T'inquiète, on trouvera une autre chanson, ajouta Summer. Et puis je suis d'accord avec toi. Depuis Rage Rock, il n'y en a que pour moi. C'est parfaitement injuste.

Profitant d'une accalmie, Beth prit la parole.

— Je suis dans la musique depuis trente-cinq ans, et je crois avoir une certaine expérience dont je suis prête à vous faire profiter. Maintenant, libre à vous de n'en faire qu'à votre tête. Pour ce qui me concerne, je ne suis pas intéressée au résultat. Je toucherai le même chèque que vous gagniez ou que vous perdiez. Alors prévenez-moi quand vous serez décidées à vous mettre au boulot.

Lorsque la femme eut tourné les talons, Michelle passa un bras autour du cou de Summer.

— Merci de ton soutien, ma petite coloc, dit-elle.

— Tu aurais au moins pu écouter ce que Beth avait à nous dire, gronda Lucy. Au cas où tu ne l'aurais pas remarqué, tu ne viens pas seulement de nous brouiller avec notre coach, mais aussi avec un membre du jury qui a le pouvoir de nous éliminer...

35. Démission

JEUDI
Une serviette autour de la taille, Jay, l'air radieux, sortit de la salle de bains en fredonnant *What a Wonderful World*.

— Quel corps d'athlète, ironisa Babatunde tandis que son camarade passait un caleçon et un T-shirt. Qui pourrait te résister, mec ?

— C'est ça, fous-toi de ma gueule... Vivement que je quitte Jet pour me lancer dans une carrière solo. D'ici là, Summer aura vendu des millions d'albums et on n'aura plus à se préoccuper des problèmes financiers. Notre mariage fera la couverture de *Hello ! Magazine*. On gardera un appartement à Mayfair, mais on vivra à Los Angeles. On aura trois enfants. J'offrirai un poney à notre fille et nos deux rottweilers tiendront les journalistes à l'écart de notre propriété. Si tu veux, tu pourras devenir notre majordome, à condition que tu retires ta capuche.

— Wow, tu es en plein délire, commenta Babatunde en enfilant ses chaussettes. L'atterrissage va être violent le jour où elle va te larguer.

— Tiens, le soleil est de retour, dit Jay en se penchant à la fenêtre.

En cette belle matinée d'août, des journalistes fumaient dans la tente qui avait été dressée à leur intention à l'intérieur du domaine.

— Tu descends prendre le petit déjeuner ?

— Je te rejoins dans un moment, répondit Babatunde. J'ai promis à ma mère de l'appeler avant qu'elle parte au boulot.

Depuis que le chef Joe Cobb avait pris une participation dans Venus TV et placé ses propres employés en cuisine, la nourriture s'était grandement améliorée. En entrant dans le réfectoire, Jay chercha vainement Summer du regard, puis s'enivra du parfum des viennoiseries et du pain frais.

Il s'assit à la table de Leo, des Pandas of Doom, et mordit dans un croissant.

— J'adore la nouvelle bouffe, dit-il.

— Jen te cherchait tout à l'heure, lâcha Leo aussi peu bavard qu'à l'ordinaire. Tu l'as vue ?

— Jen la stagiaire ou Jen l'attachée de presse ?

— L'attachée de presse. Un journal du matin a publié des trucs te concernant.

— Vu la famille que je traîne, ça devait bien finir par arriver. C'est à propos de mon frère Danny ?

— Non. C'est à propos de *toi*, mec.

— Bizarre. Je dois être le seul membre de la famille à ne jamais avoir eu de problème avec la justice… Quel journal ?

— *UK Today*.

Jay passa en revue les journaux mis à la disposition des candidats sur une table placée à l'entrée du réfectoire sans y trouver un seul exemplaire de la publication incriminée.

— Te fatigue pas, dit Leo en poussant une tablette Samsung dans sa direction.

Le site Internet reprenait à l'identique la charte graphique du quotidien. Jay déchiffra le titre figurant en haut de la page.

ROCK WAR : JAY, FILS NATUREL D'UN FONCTIONNAIRE DE POLICE

De nouvelles révélations viennent entacher encore davantage la réputation de Rock War, *le programme de Channel 3 qui a déjà fait couler beaucoup d'encre. Nous avons recueilli*

230

le témoignage de Jane Jopling, la mère des candidats Tristan et Alfie, du groupe Brontobyte. Depuis sa luxueuse demeure de Hampstead, Mrs Jopling, en l'attente d'un heureux événement, a lancé des allégations explosives concernant Heather Richardson, dont les fils Jay, Adam et Theo, du groupe Jet, participent eux aussi à l'émission.

Elle affirme que Jay serait en réalité le fils de l'inspecteur Chris Ellington, aujourd'hui âgé de 36 ans. Tout juste sorti de l'école de police, il aurait interpellé Mrs Richardson au volant d'un véhicule transportant du matériel volé par son ex-mari, Vincent Richardson, dit Chainsaw, célèbre figure du milieu londonien. La jeune femme, alors mère de trois enfants, aurait proposé au jeune policier des faveurs sexuelles afin d'échapper à l'arrestation. Jay, inscrit à l'état civil sous le nom de Jayden Ellington Thomas, est né neuf mois plus tard. Sa mère n'a plus jamais été inquiétée dans l'affaire de recel.

Jane et Heather étaient très proches à l'époque où elles fréquentaient le même collège. Cette amitié s'est achevée en 1996, lorsque la première a épousé le richissime homme d'affaires Gideon Jopling. « Heather était morte de jalousie », affirme l'intéressée. « Elle ne supporte pas que j'aie réussi ma vie alors qu'elle n'a jamais pu sortir sa famille du caniveau. »

Il y a quelques mois, les deux femmes ont écopé d'un rappel à la loi après une bagarre survenue devant une salle de concert du quartier de Camden. Peu de temps avant cette violente altercation, la Porsche Cayenne de Mrs Jopling avait terminé au fond du Regent's Canal dans des conditions mystérieuses.

Jay en resta bouche bée.

— Ça va, mec ? demanda Leo. Tu veux que j'aille chercher l'éducateur de permanence ?

— Non, ça ira, mentit Jay. Je ne veux pas qu'un de ces abrutis me demande *ce que je ressens*. Il faut juste que je passe un coup de fil.

Jay quitta le bâtiment par la porte de service située au fond des cuisines puis composa le numéro de son père.

— Salut fiston, dit Chris Ellington.

— Salut papa. Je te dérange ?

— Non, je ne suis pas en service. Je suppose que tu es au courant pour l'article ?

— Ouais. Ça va être intenable quand je rentrerai au bahut. Mais c'est surtout pour toi que je m'inquiète. Ça ne va pas te causer du tort dans ton boulot ?

— Le journaliste de *UK Today* m'a contacté hier soir et j'ai été obligé de confirmer ces informations. Ce matin, j'ai rencontré mon commandant pour lui présenter ma démission.

Jay avait l'impression d'avoir reçu un coup de poing à l'estomac.

— Mais pourquoi tu n'as pas nié ?

— Parce que l'histoire a été corroborée par une ancienne employée de ta mère. Je n'aime pas dire du mal d'Heather, Jay, mais elle a toujours considéré tout ça comme une anecdote amusante. Elle l'a racontée à une foule de gens depuis ta naissance.

— Mais tu as toujours travaillé dans la police. Qu'est-ce que tu vas faire maintenant ?

— Je ne sais pas encore. Mais le commandant a dit qu'il était très peu probable que je subisse des sanctions disciplinaires, parce qu'à part cette malheureuse affaire, mes états de service sont excellents. Du coup, ça ne devrait pas nuire à ma reconversion.

— Ce n'est pas juste, gronda Jay, le cœur battant. Tout le monde commet des erreurs. Et ça s'est passé il y a *quinze* ans.

— J'étais jeune, naïf et impatient de perdre ma virginité. Mais ça n'excuse pas mon comportement. J'ai arrêté une criminelle et je l'ai relâchée en échange d'une partie de jambes en l'air. Pour un flic, on peut difficilement imaginer pire faute professionnelle.

— Je n'aurais jamais dû participer à cette émission à la con !

— Tu n'es pas responsable de mes erreurs, Jay. D'ailleurs, si coucher avec ta mère est la chose la plus stupide que j'aie jamais faite, t'avoir pour fils est aussi la plus grande joie de mon existence.

Jay sentit les larmes lui monter aux yeux.

— Tu es sûr que tu vas tenir le coup, papa ?

— T'inquiète. Je suis chez mon collègue Johno. Tu sais, celui que tu as rencontré à ma fête d'anniversaire. Quand je suis rentré du commissariat, il y avait une vingtaine de photographes devant chez moi, alors j'ai préféré me faire la malle. Le pire, c'est que j'ai dû rendre mon uniforme, alors je porte le bas de survêtement et le T-shirt XXXL que Johno gardait dans son casier. Sa femme me prendra quelques vêtements chez Primark en rentrant du boulot.

— Et ensuite ?

— Pour le moment, j'ai cinq saisons de *Battlestar Galactica* en Blu-ray à rattraper, plaisanta Chris.

Puis il entendit son fils sangloter à l'autre bout de la ligne.

— Oh Jay, ne pleure pas, je t'en prie…

— Ça va. Je suis juste un peu sous le choc. Quand l'émission a commencé à faire parler d'elle, je me doutais bien que les journalistes iraient déterrer des histoires concernant Chainsaw et Danny. Mais je n'aurais jamais pensé que tu deviendrais leur cible. La prochaine fois que je croise Mrs Jopling, je te jure que je lui…

— Oh non, tu ne feras rien du tout, l'interrompit Chris. Tu sais, c'est peut-être mieux comme ça. Je subissais un stress énorme dans ce boulot. Je gagnerai peut-être un peu moins en travaillant comme agent de sécurité chez Sainsbury's, mais je dormirai plus tranquille. Ou ce pourrait être l'occasion de reprendre mes études.

— Oui, c'est une excellente idée. Tu es intelligent. Si ça se trouve, tu pourrais même devenir avocat.

— Et si je me plante, j'espère que mon fils, le rocker milliardaire Jay Thomas, prendra soin de son vieux père…

36. Une affaire de famille

Jay ne savait quelle attitude adopter. Devait-il débouler dans la tente des journalistes et arroser le correspondant de *UK Today* de café brûlant ? Monter dans sa chambre pour ruminer sa colère ? Quitter le manoir et courir retrouver son père ?

Célibataire endurci, ce dernier avait toujours accordé beaucoup d'importance à sa carrière. Il ne fréquentait que des collègues, et son principal loisir consistait à jouer au squash au club de sport de la police. Malgré son discours rassurant, Jay savait que son père, qui n'avait pas seulement perdu son emploi mais tout un pan de son existence, devait être dévasté.

— J'ai aussi téléphoné à maman, dit-il lorsqu'il retrouva les membres de son groupe dans le studio de répétition. *UK Today* lui a offert six mille livres pour sa version de l'affaire. *The Post* est monté à huit, alors elle a décidé de fixer son prix à dix mille. Et Big Len a éclaté la tête d'un photographe qui était monté sur le toit de sa camionnette pour faire des photos par la fenêtre du premier.

À l'évidence, Heather Richardson ne s'était pas laissé abattre par les accusations de *UK Today*. Elle avait d'autres chats à fouetter : s'occuper de ses trois enfants en bas âge, surveiller le comportement de Kai, empêcher son personnel de piquer dans la caisse du restaurant et s'assurer qu'il y aurait assez d'argent sur son compte à la fin du mois pour régler la facture d'électricité.

— Cette salope de Jopling n'a pas intérêt à traîner dans notre quartier..., grogna Adam en cognant ses poings l'un contre l'autre. Si elle avait des filles, je les entraînerais dans la débauche rien que pour l'emmerder.

— Tu n'as qu'à déshonorer Tristan, ricana Theo. Je parie qu'il n'aurait rien contre.

Jay n'appréciait pas la façon dont ses frères prenaient l'affaire à la légère.

— Excusez-moi mais j'ai besoin de prendre l'air, dit-il.

Il quitta le studio, longea les écuries et passa devant le local où Frosty Vader répétait en présence d'une équipe de tournage. Dans le suivant, Summer s'éventait à l'aide d'un magazine pendant que Michelle et les sœurs Wei travaillaient sur un nouvel arrangement.

— Oh Jay, dit Lucy l'air compatissant. Comment tu te sens ?

Coco se leva pour le serrer dans ses bras.

— Les filles, je peux vous laisser un petit quart d'heure ? demanda Summer en posant son magazine.

Dès qu'ils se trouvèrent à l'extérieur, les deux amoureux échangèrent un baiser passionné, puis ils s'étendirent dans l'herbe du paddock.

— C'est affreux, tous les mensonges que ce journal a imprimés à ton sujet, dit Summer en ôtant ses sandales.

Jay esquissa un sourire puis roula sur le flanc pour cueillir des pâquerettes.

— Ce ne sont pas des mensonges, soupira-t-il. Ma famille est super bizarre. J'aimerais être comme Noah ou Babatunde : avoir un nombre raisonnable de frères et sœurs, pouvoir vivre avec mon vrai père, que mes parents aient des boulots normaux...

Summer hocha pensivement la tête.

— Il y a une chose dont je voudrais te parler avant qu'elle ne soit révélée par la presse : ma mère est toxicomane. Elle a passé pas mal de temps en prison, et j'avais huit ans la dernière fois que je l'ai vue. Elle ne sait même pas qui est mon père, parce qu'elle est tombée enceinte à une époque où elle couchait avec n'importe qui pour se procurer sa dose.

— Mon Dieu..., soupira Jay.

— Je fais un test sanguin annuel depuis que j'ai neuf ans, parce qu'elle échangeait ses seringues avec d'autres drogués. Quand j'étais petite, j'étais terrifiée à l'idée qu'un virus mortel pouvait circuler dans mes veines. J'en faisais des cauchemars toutes les nuits.

— Je suis désolé.

— Tu n'as pas à être désolé. Je vais beaucoup mieux maintenant. Je voulais juste que tu saches.

Saisi par l'émotion, Jay embrassa Summer dans le cou puis déposa les pâquerettes sur son ventre.

— Tu sens tellement bon, lui dit-il.

— Déodorant en spray de chez Sainsbury's, quarante-neuf pence, sourit Summer.

Jay aurait voulu profiter du moment présent, demeurer auprès d'elle sans penser aux informations diffusées par les vautours de *UK Today*, mais Tristan fit son apparition.

— J'imagine que tu as lu l'article, tête de con, dit ce dernier.

Jay se redressa d'un bond et défia du regard son ancien meilleur ami. C'était comme si Summer lui insufflait un courage dont il ne s'était jamais senti capable.

— *Tête de con* ? répéta-t-il. Tu as marché cinquante mètres depuis les écuries juste pour nous emmerder, et tu n'as rien trouvé de plus percutant ?

— Ton père a démissionné, ricana Tristan. C'est sur le site Internet de *UK Today*. Je suppose qu'il vivra aux frais du gouvernement jusqu'à la fin de ses jours, comme le reste de ta famille.

— Tu as passé trop de temps à écouter ta conne de mère, rétorqua Jay. Nous ne roulons pas sur l'or, mais nous ne demandons rien à personne.

Tristan éclata de rire.

— À la vitesse où la tienne pond des gamins, n'essaie pas de me faire croire que vous ne grattez pas quelques allocs.

Jay, qui avait l'habitude d'être traité de la sorte par Tristan, se contenta de lever les yeux au ciel, mais Summer, hors d'elle, se leva à son tour.

— Qu'est-ce qui te donne le droit de cracher sur sa famille ? cria-t-elle. Tu dois bien t'éclater, dans ta maison à deux millions de livres, et apprécier les balades dans la nouvelle Porsche de ta mère. Mais tu n'y es pour rien, pauvre minable, pas plus que les pauvres ne sont responsables de leur situation. Certains touchent des aides publiques parce qu'ils sont malades et sont incapables de travailler. Certains doivent se serrer la ceinture tous les jours et ils n'ont pourtant plus de quoi manger à la fin du mois. Des enfants arrivent à l'école les pieds en sang, parce que leurs parents n'ont pas de quoi leur payer des chaussures à leur pointure !

Lorsqu'elle acheva son discours, tous les candidats qui se trouvaient dans les studios avaient interrompu leur répétition pour se rassembler dans le paddock.

— Pourquoi tu lui hurles dessus, Summer ? demanda Adam, qui avait accouru en compagnie de son grand frère Theo. Il n'a pas pu s'empêcher d'ouvrir sa grande gueule, c'est ça ?

Quand il les aperçut, Tristan écarta Summer de son chemin et se mit à courir. Jay lui fit un croche-pied et l'envoya rouler dans l'herbe. Sous l'objectif des cadreurs venus filmer la répétition de Frosty Vader, Theo le souleva de terre et le jeta comme un sac par-dessus son épaule.

— Très bien, petite merde, dit-il. Ça fait longtemps que tu nous cherches, eh bien, ça y est, c'est officiel, tu nous as trouvés.

— Repose-le, Theo, dit un membre de l'équipe de tournage, plus par devoir que par conviction.

Constatant que le garçon n'avait aucune intention d'obéir, les cameramen continuèrent à filmer.

Pendant quelques instants, Jay redouta que Theo ne blesse Tristan en exerçant de sanglantes représailles, mais quand il comprit où son frère avait l'intention d'emporter son ennemi juré, il réalisa que la leçon se limiterait à une sévère humiliation.

Derrière le bâtiment qui abritait les studios se trouvait un vieux bloc sanitaire bâti à l'origine pour les cavaliers et les garçons d'écurie. Utilisées quotidiennement par une armée de techniciens et de concurrents, les toilettes étaient d'une saleté repoussante, à tel point que les filles préféraient se rendre au manoir lorsqu'elles ressentaient une envie pressante.

— Lâche-moi ! ordonna vainement Tristan. Si tu fais ça, je te jure que je te le ferai regretter !

Sourd à cette menace, Theo ouvrit la porte d'un coup de pied puis, à la grande frayeur d'un membre des Reluctant Readers planté devant un urinoir, fit irruption dans les toilettes, Adam et un cadreur dans son sillage. Il pénétra dans une cabine et approcha la tête de Tristan de la cuvette.

— Plus tu gigoteras, Trissounet, plus longtemps durera ton calvaire, dit-il.

À cet instant, Erin, la petite amie de Tristan, entra à son tour dans les sanitaires.

— Repose-le immédiatement ! cria-t-elle avant de se tourner vers le technicien. Pourquoi vous ne faites rien, vous ?

— Je voudrais bien t'y voir, toi. Tu as vu ses muscles ?

— Fais gaffe, Theo, mon père a le bras long ! glapit Tristan, dont le crâne frôlait désormais l'eau fétide. Il te collera un procès au cul. Il prendra tout ce que tu possèdes.

Theo éclata de rire.

— Trissie, mon lapin, ce n'est pas toi qui répètes tout le temps que ma famille n'a pas un rond ?

Les toilettes étaient équipées d'une antique chasse d'eau à chaîne. Alors qu'il s'apprêtait à la tirer, Erin sauta sur son dos. Loin d'être récompensée pour cet acte de bravoure, elle reçut simultanément un coup de pied de Tristan et un coup de coude de Theo.

— Pousse-toi, tu vas finir par te faire amocher, avertit Adam en l'attrapant par la taille et en la tirant en arrière.

À sa grande surprise, elle se dégagea d'un mouvement vif du bassin, fit volte-face et lui colla un puissant direct en plein visage.

— À l'aide ! cria Tristan, la tête à demi immergée, avant de la boucler définitivement pour ne pas avaler l'eau trouble et malodorante au fond de la cuvette.

Après l'avoir maintenu ainsi quelques secondes, Theo lâcha sa victime et sortit de la cabine.

— Voilà, j'espère que tu auras retenu la leçon ! dit-il, radieux.

Il marcha droit vers la caméra, frappa du poing dans sa paume et s'exclama :

— S'il y a d'autres volontaires pour cracher sur ma famille, je les attends avec impatience !

Puis il vit Adam tituber hors des sanitaires, les mains sur le visage, et remarqua le filet de sang qui coulait sur son menton.

— Elle m'a pété le nez, gémit ce dernier. Je te jure, je sens l'os qui bouge !

— Arrêtez de filmer…, pleurnicha Tristan, dégoulinant, effondré sur le sol carrelé.

Quelques minutes plus tard, une vingtaine de spectateurs le virent sortir des toilettes en s'appuyant sur Erin. Ils observèrent un silence gêné que seuls vinrent troubler quelques rires nerveux.

Jay ôta son T-shirt, le confia à Adam pour qu'il le place sur son nez sanglant, puis il se tourna anxieusement vers Summer. Il éprouvait un affreux sentiment de malaise. Theo avait commis toutes sortes d'actes insensés, mais il ne s'en était jusqu'alors jamais pris physiquement à un autre candidat. Ce qu'il venait d'accomplir aurait de lourdes répercussions, et l'avenir même de Jet au sein de *Rock War* risquait fort d'être compromis…

37. De l'enfer au paradis

La caméra effectua un panoramique sur la vénérable salle de concert au plafond bas jauni par la fumée de cigarettes et aux murs couverts de graffitis. Lorrie se tenait au centre de la scène.

— Bienvenue au Granada Room de Liverpool ! dit-elle lorsqu'elle se trouva dans le champ de l'objectif. C'est ici, dans les années soixante, que les Beatles ont donné l'un de leurs tout premiers concerts. Une quinzaine d'années plus tard, cet endroit est devenu le lieu de rassemblement du mouvement punk de la ville.

» Samedi prochain, les douze groupes de *Rock War* monteront sur cette scène et feront tout leur possible pour séduire les trois légendes qui composent le jury. Mais au bout du compte, ce sera à vous, les fans, de décider qui devra quitter l'aventure. Alors ne ratez pas la finale de la *Rock War Academy*, samedi soir, dix-huit heures trente, en exclusivité sur Channel 3.

— Et coupez ! s'exclama Joseph. Excellente prise, Lorrie, mais j'ai bien peur que ton micro n'ait capté cette foutue alarme de recul dans la rue. Alors, je préfère qu'on la refasse depuis le début, dès que tu seras prête.

⁞

Doté d'un esprit créatif, Zig Allen était plus doué pour concevoir des formats d'émission que pour en régler les détails au quotidien.

Karolina Kundt était d'une espèce différente. Elle adorait produire des documents chiffrés à l'aide d'un tableur, rédiger des mémos et coordonner des calendriers. D'un sang-froid remarquable, elle réglait chaque problème avec pragmatisme, qu'il s'agisse de remplacer un cuisinier malade ou de trouver un lieu alternatif lorsqu'un orage compromettait le tournage d'une scène en extérieur.

Depuis qu'elle avait pris les rênes de l'émission, les membres de l'équipe avaient l'impression d'avoir quitté l'enfer pour le paradis. Ils travaillaient en parfaite harmonie, sans heurts ni crises de nerfs, sans plus avoir à rendre compte du moindre sou dépensé. L'incident dans lequel Theo et Tristan étaient impliqués était la première anicroche de ce nouvel âge d'or.

L'ancien bureau de Zig étant trop exigu, Karolina avait organisé la rencontre dans l'*open space* voisin. Son assistante Julie et l'éducateur de service se tenaient à ses côtés.

Face à eux, à droite, les membres de Brontobyte : Alfie, l'air mortifié, Salman, contrarié, Tristan, les cheveux encore humides embaumant le shampooing, et Erin, qui portait des pansements à chaque phalange de la main droite.

À gauche : Jay, qui semblait attendre son exécution capitale, Babatunde, toujours aussi énigmatique avec sa capuche et ses lunettes de soleil, et Theo, l'expression plus soumise qu'à l'ordinaire. Adam, qui attendait aux urgences que l'on rectifie la position de son nez, n'avait pu assister à la réunion.

— Vous avez tous signé ce règlement avant le début du tournage, annonça Karolina en brandissant un document A4. Il dresse une liste d'interdits pouvant entraîner l'exclusion définitive du candidat incriminé ainsi que de tous les membres de son groupe.

Elle laissa tomber la feuille sur le bureau.

— Mon prédécesseur n'était pas très à cheval sur la discipline, mais je suis navrée de vous informer que les temps ont changé. Pour commencer, j'aimerais savoir si l'un de vous aurait le moindre argument susceptible de me dissuader de vous mettre à la porte du manoir.

— Eh, c'est Jet qui devrait être disqualifié. C'est moi la victime dans cette affaire ! glapit Tristan.

— Faux, rétorqua Jay. Rien ne serait arrivé si tu n'avais pas commencé à me provoquer.

Karolina pointa vers Erin un doigt accusateur.

— Adam souffre d'une fracture du nez. De mon point de vue, les deux groupes sont aussi coupables l'un que l'autre.

Salman, le chanteur de Brontobyte, leva poliment la main. D'un hochement de tête, Karolina lui donna la parole.

— Comment l'émission de samedi pourrait-elle avoir lieu si vous prononcez notre exclusion ?

— Bonne question, ajouta Theo. Si vous *pouviez* nous virer, vous l'auriez sans doute déjà fait, dit-il.

Karolina lui adressa un regard noir.

— Ah, tu crois ? Eh bien, détrompe-toi, et sache que nous pouvons faire exactement ce qui nous chante. Par exemple, samedi soir, rien ne nous empêche de prétendre que le système de comptage a été victime d'une défaillance pour garder le nombre de groupes qui nous convient. Nous retomberons toujours sur nos pattes.

— Mon père vous collera un procès au cul ! aboya Tristan avant de se tourner vers Theo. Je n'ai rien à me reprocher. Je l'ai un peu chambré sur sa famille et il a pété les plombs. Ce type est un malade. Il devrait être en prison.

— La prochaine fois, je m'assurerai que les toilettes sont bouchées avant de te coller la tête dedans, rétorqua son rival.

D'un discret coup de coude, Jay l'encouragea à se taire.

— Silence ! ordonna Karolina, tenant entre le pouce et l'index une carte mémoire SD. Voici mon offre. Première option, vous regagnez immédiatement vos chambres et vous commencez à faire vos bagages. Vous aurez beau pleurnicher, supplier, menacer d'appeler les flics ou de coller un procès à Venus TV, cette carte contient toutes les prises de vues dont j'ai besoin pour vous faire virer de l'émission. Croyez-moi, j'en serais navrée. Vu que Theo est le candidat le plus populaire, je vous assure que je préférerais que les douze groupes participent à l'émission de samedi soir.

» Seconde option, nous faisons tous comme si ce malheureux incident ne s'était jamais produit. Tristan n'a provoqué personne. Summer ne s'est pas mise en rogne. Theo est resté sage comme une image. Adam s'est cassé le nez à la suite d'une mauvaise chute. Tout le monde reste en compétition et je laisse tomber cette carte SD dans la broyeuse. À vous de choisir, mais votre décision doit être prise à l'unanimité.

Une minute s'écoula dans le silence absolu avant que Jay ne lève la main.

— Ça me va, dit-il.

— Ouais, ça marche, ajouta Babatunde.

Salman, d'un hochement de tête, donna à son tour son assentiment.

— Je suis la victime, dans cette affaire, insista Tristan.

— Tu rigoles ? le contredit son petit frère Alfie. Adam a le nez cassé. Toi, tu as juste été obligé de te laver les cheveux.

— Une petite précision, dit Karolina. J'ai eu Adam au téléphone depuis l'hôpital. Lui aussi est d'accord pour passer l'éponge sur ce qui s'est passé.

À ces mots, Erin et Theo levèrent le bras, plaçant entre les mains de Tristan le futur de l'émission. Agacé par le silence obstiné de ce dernier, Salman donna un coup de pied dans sa chaise.

— Bordel, tu veux qu'on continue ou pas ? demanda-t-il.

Ce n'est que lorsqu'il croisa le regard implorant d'Erin que Tristan finit par se décider.

— C'est bon, dit-il. Je ne parlerai pas de ce qui s'est passé. Après tout, on est là pour la musique, pas vrai ?

Karolina se leva, pressa le bouton *on/off* de la broyeuse placée près de la porte du bureau et y laissa tomber la carte mémoire.

— Cette réunion est terminée, dit-elle. Une dernière chose avant que vous ne regagniez vos chambres : considérez tout ceci comme un dernier avertissement. Si un incident comparable se reproduit, ne comptez pas sur mon indulgence. Sur ce, je vous souhaite une bonne nuit.

Tandis que les sept candidats quittaient la pièce en compagnie de l'éducateur de permanence, Karolina se pencha vers son assistante.

— Je ne te remercierai jamais assez d'avoir suggéré la technique de double sauvegarde que Karen utilise pour ses prises de vues.

— Attends, tu veux dire que...

— L'autre carte se trouve au coffre. Je me méfie de Tristan et de sa folle de mère. Si Brontobyte est éliminé, je les crois capables de traîner Venus TV en justice sous n'importe quel prétexte. Le cas échéant, nous aurons de quoi calmer leurs ardeurs procédurières...

38. Parc d'attractions

VENDREDI

À son réveil, Summer trouva une note glissée sous la porte de sa chambre.

MÉMO
À : tous les candidats
De : Karolina Kundt

Les candidats de Rock War éliminés à l'issue de l'émission ne retourneront pas au manoir. Cet après-midi, avant de quitter les lieux, assurez-vous de n'oublier aucun effet personnel, notamment autour de la piscine et dans la salle de bal.

Vos instruments devront être rassemblés dans votre studio de répétition. Le matériel emprunté à la production ou à d'autres groupes devra être restitué avant votre départ pour Liverpool.

Les bagages des candidats éliminés seront livrés à leur domicile sous trois jours ouvrés.

Summer quitta la chambre puis se pencha au-dessus de la balustrade pour observer la salle de bal jonchée de magazines, de gobelets et de chaussures. Elle se remémora l'après-midi où elle avait découvert ces lieux et n'arrivait pas à croire que six semaines s'étaient écoulées.

Jay l'attendait près de l'escalier. Ils échangèrent un baiser puis empruntèrent le toboggan pour rejoindre le rez-de-chaussée. Au cours de la nuit, du matériel emballé sous plastique avait été entassé dans le vestibule : des chaises, des petits bureaux individuels et des tableaux blancs.

— Ça va être tellement bizarre de suivre des cours ici quand les vacances seront terminées, dit Jay.

— Et encore plus bizarre si on est éliminés et forcés de retourner à la vie normale, fit observer Summer.

— Ne dis pas de bêtises. Tu es la star de *Rock War*. Tu seras qualifiée, ça ne fait aucun doute.

— Je ne sais pas trop... On s'est déjà embrouillées avec un membre du jury et on va jouer un morceau de Pantera hyper hardcore. Du coup, les petites filles et les vieilles dames qui me soutiennent risquent de changer d'avis.

La plupart des techniciens se trouvaient déjà à Liverpool pour préparer l'émission en direct. Le planning du jour établi par Karolina prévoyait une dernière matinée de répétitions, mais l'essentiel de l'équipement ayant déjà été emporté et la météo s'annonçant idyllique, la plupart des concurrents se délassaient autour de la piscine en attendant l'heure de quitter les lieux.

En début d'après-midi, alors que les jurés s'étaient envolés à bord d'un hélicoptère, les candidats se rassemblèrent devant le manoir pour une ultime photo de groupe. L'antique façade recouverte de lierre contrastait de manière frappante avec leurs piercings, leurs cheveux décolorés, leurs bracelets cloutés et leurs jeans déchirés.

Quelques journalistes choisis parmi les plus élogieux envers le programme avaient été autorisés à assister à la séance et à poser quelques questions dans un cadre informel. Une jeune femme brandit son micro sous le nez de Dylan, Jay et Noah.

— Je suis Tash, de Rock FM, dit-elle. Alors, vous vous sentez nerveux ?

— Un peu, répondit Dylan. Quand on s'est alignés sur trois rangs pour prendre cette photo, j'ai eu l'impression d'être un de ces soldats qui posaient pour la postérité à la veille du débarquement en Normandie.

Jay et Noah éclatèrent de rire.

— Exact ! s'exclama ce dernier. Certes, on ne risque pas de se faire exploser la tête par les nazis, mais on pourrait très bien se couvrir de ridicule devant des millions de téléspectateurs.

— Compte tenu des nombreuses controverses soulevées par l'émission, pensez-vous que vos parents sont fiers de vous ? demanda Tash.

— C'est grâce à ces controverses que l'émission a tant de succès, non ? répondit Dylan. Avant que la presse ne révèle ces affaires, on n'était même pas certains qu'elle soit maintenue. Maintenant, elle s'offre un direct en *prime time*.

— Au début, ma mère était furieuse, expliqua Jay. Mais elle a reçu quatorze mille livres du *Post* pour une interview exclusive, et elle va utiliser cet argent pour rénover notre restaurant.

— Et ton père ? Il doit vraiment traverser une passe difficile.

À ces mots, Jay sentit la colère le gagner. Faisant appel aux compétences acquises lors des cours de media training, il respira profondément et grimaça un sourire factice.

— Mon père est un homme bien. C'est une honte qu'il ait dû démissionner, mais cette situation lui offre l'opportunité de changer d'orientation professionnelle.

— Sera-t-il dans le public du Granada Room demain soir ?

— Je ne crois pas.

— Mes parents font le déplacement, intervint Dylan.

— Merci pour vos réponses, dit Tash. Pour finir, pouvez-vous annoncer vos noms et terminer par *et on est sur Rock FM* ?

Les garçons échangèrent un regard embarrassé puis s'accordèrent sur leur ordre d'apparition.

— Je suis Jay !

— Je suis Noah !

— Je suis Dylan !

Puis ils lancèrent à l'unisson :

— Et on est sur Rock FM !

— Super les garçons, lança la journaliste. Et bonne chance à vous tous.

Quelques minutes plus tard, les quarante-huit candidats embarquèrent dans d'interminables limousines aux portières ornées du logo de leur groupe. Chaque véhicule disposait de trois banquettes en cuir formant salon, d'un bar en bois précieux garni de boissons sans alcool, d'un écran plat et d'une PS4.

Les voitures étaient censées quitter le domaine en convoi sous l'objectif d'une caméra placée sur le toit du manoir, mais les deux chauffeurs de tête, qui n'avaient pas été informés de cette disposition, démarrèrent dès que leurs passagers eurent embarqué.

— Wow ! s'exclama Jay en se calant sur la banquette placée dans le sens de la marche. Cette bagnole déchire !

— C'est clair, se réjouit Theo. Il ne nous manque que des meufs.

Seul Adam, un masque en plastique sur le visage, ne partageait pas l'enthousiasme général. Assommé par les antidouleurs, il inclina son siège, pressa le bouton commandant le système de massage automatique et s'endormit avant même que la limousine se soit mise en mouvement.

Dylan frappa à la vitre.

— Vous pouvez me prendre ? demanda-t-il. J'ai dit aux autres que je devais aller aux toilettes, mais ils sont partis sans moi.

— J'aimerais bien, mais on est un peu à l'étroit dans cette boîte de conserve, plaisanta Jay en actionnant l'ouverture automatique de la portière.

Ce faisant, il appuya accidentellement sur le bouton voisin, et un nuage de bulles de savon emplit la cabine.

— Bon sang ! s'écria-t-il. Cette bagnole est un vrai parc d'attractions !

Le véhicule descendit lentement l'allée puis franchit l'étroit portail du domaine. Dylan jeta un coup d'œil à la lunette arrière.

— Si ça se trouve, on ne reverra jamais cet endroit, dit-il, gagné par la mélancolie.

— Qu'est-ce qu'on en a à foutre ? dit Babatunde en prenant une canette de Pepsi dans le compartiment réfrigéré. Même si on est virés demain, ça restera l'été le plus dingue de toute notre vie.

39. Passager clandestin

Après trois heures de route, le convoi s'était disloqué. Surexcités par les coups de klaxon lancés par les conducteurs des véhicules qui circulaient en sens inverse, les candidats échangeaient des SMS d'une voiture à l'autre ou passaient la tête par le toit ouvrant pour saluer les passants, un comportement dangereux qui força les chauffeurs à en bloquer l'ouverture.

Plusieurs groupes effectuèrent un large détour pour filmer quelques séquences en famille. La limousine de Jet dut braver les embouteillages du vendredi soir pour rejoindre le restaurant de Tufnell Park.

— Regarde ce que m'a envoyé Summer, dit Jay en tendant son téléphone à Babatunde.

Ce dernier découvrit un cœur formé d'une dizaine de canettes de Pepsi posées sur le tapis de sol à motif léopard de la limousine d'Industrial Scale Slaughter.

— Mignon, dit Babatunde. Mais ça a été envoyé depuis l'iPhone de Michelle.

— Summer n'a même pas d'appareil photo sur son Nokia, expliqua Jay.

Alors que le véhicule roulait au pas dans une rue bouchée de Camden, Theo somnolait sur la banquette latérale lorsque cinq filles frappèrent à la vitre teintée située dans son dos.

— On adore l'émission, cria l'une d'elles. Bonne chance pour demain !

Bientôt, une petite foule enthousiaste se forma autour de la limousine, si bien que le chauffeur dut redoubler de prudence pour éviter qu'un fan ne tombe sous ses roues.

Lorsqu'il put enfin se remettre en route, il décida d'emprunter des voies parallèles moins fréquentées pour rejoindre Tufnell Park. Lorsqu'il s'engagea dans la rue où se trouvait le restaurant, ses passagers constatèrent qu'une centaine de personnes étaient rassemblées devant l'établissement.

— Comment ont-ils su qu'on allait débarquer ? demanda Jay.

— Ça a sans doute été annoncé sur le site Internet.

Le chauffeur ouvrit le toit ouvrant, puis les quatre membres de Jet firent une arrivée triomphale sous les hourras et les flashs des téléphones portables.

Lorsque la limousine s'immobilisa, deux agents de sécurité en costume gris repoussèrent la foule afin que ses passagers puissent en descendre. Dès qu'il eut mis pied à terre, Jay remarqua une inscription tracée à la peinture blanche sur un mur de l'allée menant à l'arrière-cour : THEO RICHARDSON EN A UNE TOUTE PETITE.

— Eh, on dirait qu'une de tes ex t'a dénoncé, ricana Adam en se tournant vers son grand frère.

Chose étonnante, Theo prit la chose avec le sourire. Il attrapa le stylo que lui tendait Jen et signa une dizaine d'autographes.

— Entrez dans le restaurant, dit Jen. On va vous filmer en train de faire le service derrière le comptoir.

— Pardon, désolé, s'excusa Jay en écrasant les orteils d'une fan.

À la lumière des spots, l'intérieur de l'établissement était plus lumineux que d'ordinaire. Jay ignora le tablier que lui tendait un stagiaire, serra sa mère dans ses bras puis se dirigea vers l'escalier menant à l'appartement.

— Eh, où est-ce que tu vas ? demanda Angie.

— À votre avis ? Je vous signale qu'on vient de se taper trois heures de route sans faire de halte.

Hank, son petit frère, était assis sur la première marche.

— Salut toi ! s'exclama Jay ému aux larmes de le retrouver. Tu me laisses passer ? Il faut que j'aille aux toilettes.

— Je t'ai vu embrasser Summer à la télé, dit l'enfant en suivant son grand frère jusqu'au premier étage. C'est dégoûtant. Pourquoi tu fais ça ?

— Tu comprendras quand tu seras grand, répondit Jay.

De retour au rez-de-chaussée, il rejoignit Adam et Theo derrière le comptoir. Big Len, son beau-père, emmena Hank sur le trottoir pour admirer l'intérieur de la limousine.

Lorsque Angie fut satisfaite de ses plans, les quatre membres de Jet, Dylan et le chauffeur s'installèrent à une table, puis Heather leur servit du poisson et des calamars frits accompagnés d'une montagne de frites.

— Mmmh, c'est délicieux, ronronna le chauffeur en adressant un sourire à la caméra.

— Le meilleur restau de *fish and chips* de Londres, dit Jay. Et je ne dis pas ça parce que c'est celui de ma mère.

Maintenus à distance par les agents de sécurité, les fans mitraillèrent les garçons avec leurs téléphones. Theo, gagné par la fièvre des autographes, quitta rapidement la table pour signer tout ce qui lui tombait sous la main, des serviettes en papier aux cornets de frites.

Leur dîner achevé, les membres de Jet prirent la pose sur le trottoir puis embarquèrent dans la limousine. Alors que le véhicule allait se remettre en route, deux camarades de classe de Jay frappèrent à la vitre.

— Eh, salut les mecs ! s'exclama ce dernier, surpris et ravi de les revoir.

— Casse-toi branleur ! cria l'un des garçons en lui adressa un doigt d'honneur.

Cet incident en disait long. Jay avait vécu dans une bulle pendant un mois et demi. Il n'avait pas imaginé les jalousies que sa petite notoriété avait pu susciter. Sans compter l'impact négatif des révélations de *UK Today*... À l'évidence, lorsqu'il retrouverait son quartier à l'issue de la compétition, il constituerait une cible idéale pour tous les gros bras décérébrés de son collège.

∴

Au crépuscule, alors que la limousine passait à la hauteur d'un panneau indiquant *Liverpool 50 kilomètres*, Babatunde sentit un choc dans son accoudoir. Il crut avoir pressé accidentellement un bouton, mais le coup suivant, plus violent, s'accompagna d'un grognement de nature inconnue. Il s'agenouilla sur le tapis de sol, souleva un coussin de la banquette et découvrit un espace communiquant directement avec le coffre. Alors, sidéré, il vit une petite main tendue dans sa direction. Il la saisit puis tira Hank dans la cabine. Le petit garçon sauta sur les genoux de Jay.

— Surprise ! s'exclama-t-il.

— Mais qu'est-ce que tu fous ici ? s'étrangla Theo, les yeux écarquillés.

— S'il te plaît, ne te mets pas en colère, supplia Hank en joignant les paumes de ses mains.

— Ça, c'est vraiment une grosse bêtise ! dit Jay, s'efforçant de ne pas fondre devant le visage angélique de son petit frère. Papa et maman doivent être en train de te chercher partout.

— Ben, non, répondit Hank. Papa m'a mis au lit. Je suis descendu pour me cacher dans le coffre pendant que personne ne regardait.

Jay dégaina son téléphone.

— Qu'est-ce que tu fais ? hoqueta l'enfant. Tu ne dois rien leur dire. Je voulais juste être avec vous.

— Je n'ai pas le choix. Et parle moins fort. Tu vas réveiller Adam. Il a la migraine à cause de son nez cassé.

Jay composa le numéro du restaurant.

— Richardon's Fish and Chips, répondit Big Len.

— Salut, dit Jay sur un ton léger. Dis-moi, tu n'aurais pas perdu un de tes enfants, par hasard ?

— Hein ? Qu'est-ce que tu racontes ?

— Hank s'est caché dans le coffre de la limousine. On vient de le trouver.

— Oh, merde, grogna Len. Je l'ai mis au lit pendant que vous dîniez. Ta mère va me massacrer quand elle apprendra ça.

Jay éclata de rire.

— Ouais, je sais. Et du coup, je suis bien content de ne pas être à la maison. Mais rassure-toi, il va bien. Et puis ce n'est pas très grave. Il va passer la nuit avec moi, et vous le récupérerez demain quand vous viendrez assister à l'émission.

— On n'a pas vraiment le choix. Je vais passer un coup de fil à la production pour les avertir de la situation. En attendant, dis à ce morveux qu'il a intérêt à se tenir correctement, ou il aura affaire à moi.

— Entendu, je ferai passer le message, dit Jay avant de mettre fin à la communication.

Hank avait collé son oreille à l'appareil pour espionner la conversation.

— Papa est une mauviette, ricana-t-il. Il ne me fait pas peur.

— Mais maman aussi va être très en colère. Tu te rends compte de ce que tu as fait ? Si la voiture avait freiné brusquement, tu aurais pu être écrasé par nos valises.

Se fichant royalement de cette leçon de morale, Hank se laissa tomber sur le tapis de sol, rampa vers le bar et s'empara d'une bouteille de jus d'orange pétillant.

— Eh ben, moi, dit-il d'une toute petite voix, je crois qu'on va drôlement bien s'amuser !

40. Déluge

L'hôtel Thorne, quatre étoiles sans charme, était situé à proximité de l'aéroport international John Lennon de Liverpool. Retardée par son détour par Londres, la limousine de Jet fut la dernière à se garer sur le parking réservé aux VIP.

Dans le hall de l'établissement, Jen adressa à Hank un regard contrarié, puis remit aux membres du groupe les clés de deux chambres situées au troisième étage, où tous les candidats étaient rassemblés.

— Qu'est-ce qu'il est mignon ! s'exclama Summer lorsque Hank déboula dans la chambre qu'elle partageait avec Michelle.

Ce dernier se jeta sur le lit *king size* puis, en quelques secondes, dévora les chocolats que la direction de l'hôtel avait fait déposer sur les oreillers. Les filles acceptèrent de garder un œil sur lui pendant que Jay se douchait et déballait ses affaires.

Un peu plus tard, alors que tous les candidats déambulaient en peignoir blanc brodé aux armes du Thorne, les employés du service d'étage distribuèrent les plats commandés par téléphone. Tandis que Jay et Summer partageaient une pizza, Theo s'agenouilla devant le minibar et tenta vainement d'en ouvrir la porte.

— Évidemment qu'ils ont mis l'alcool sous clé quand ils ont su que tu débarquais, fit observer Jay. Ils ne sont pas complètement inconscients.

Theo glissa une main dans sa poche arrière et en tira un couteau suisse.

— Je peux piquer une BMW sans déclencher l'alarme. Je ne vais pas me laisser emmerder par un frigo !

— Ne fais pas l'idiot, dit Summer. Viens ici, tes spaghettis vont refroidir.

— Je n'en ai que pour une seconde, répondit Theo en glissant la pointe de son outil dans la serrure.

Mais il eut beau tirer sur la poignée, la porte ne bougea pas d'un millimètre. Loin de s'avouer vaincu, il s'attaqua aux gonds de plastique à l'aide d'une lame crantée. Cette stratégie se révélant nettement plus efficace, le panneau céda brutalement, libérant des dizaines de petites bouteilles d'alcool fort qui s'éparpillèrent sur la moquette de la chambre. Theo s'empara d'une mignonnette de vodka, dévissa le bouchon et en vida le contenu en deux gorgées. Après s'être essuyé les lèvres d'un revers de manche, il se dressa d'un bond et se dirigea vers la porte.

— Je crois que j'ai pris le coup de main, dit-il en quittant la chambre, un poing brandi au-dessus de la tête. Je vais de ce pas libérer toutes les bouteilles retenues prisonnières dans cet établissement !

Hilare, Hank, qui était en train de dévorer une assiette de *baked beans*, avait des bulles de sauce tomate qui lui sortaient des narines.

— Je veux un Coca, brailla-t-il en se penchant pour attraper une canette qui avait roulé près de la table de chevet.

Jay le retint par la cheville.

— Dans tes rêves, dit-il.

Il se tourna vers Summer et dit à voix basse :

— Il lui arrive de mouiller ses draps quand il boit trop de boissons gazeuses…

— Eh, tu n'as pas le droit de raconter ça à tout le monde ! protesta le petit garçon.

Lorsque ce dernier reprit sa place sur le lit, Jay, qui le connaissait par cœur, lui trouva un petit air coupable.

— Qu'est-ce que tu me caches ? demanda-t-il, remarquant que Hank gardait une main derrière le dos.

Alors, l'enfant montra la petite bouteille de whisky qu'il avait eu le temps de ramasser sur la moquette.

— Je peux la garder ? demanda-t-il.

— Mais oui, vas-y, répondit Jay au grand étonnement de son petit frère. Et puis tu n'as qu'à la boire pendant que tu y es.

— Vraiment ? Moi, je crois que maman ne serait pas trop d'accord...

Tandis que Hank étudiait le flacon d'un œil anxieux, Theo et Michelle poussaient des hurlements sauvages dans la chambre voisine. À l'évidence, ils avaient attaqué le contenu d'un second minibar.

Summer donna un coup contre le mur puis cria :

— Eh, n'oubliez pas l'émission de demain ! Vous feriez mieux de ne pas vous mettre minables !

— Je crois que tu perds ton temps, dit Jay. Tu ferais mieux de penser à tes cordes vocales.

— Je n'arrive pas à l'ouvrir..., gémit Hank en lui tendant la bouteille.

— Sérieusement, Jay, tu ne vas pas le laisser boire ça ? insista Summer.

— T'inquiète, je ne suis pas complètement irresponsable, répondit-il, avant de dévisser le bouchon et de rendre le flacon à son petit frère. Vas-y mon chéri, régale-toi.

Dès que la première goutte de liquide entra en contact avec la pointe de sa langue, les yeux du petit garçon jaillirent de leurs orbites.

— Aaargh, ça brûle, c'est dégoûtant ! s'écria-t-il avant de se ruer dans la salle de bains pour se rincer la bouche.

— Tu en veux encore ? plaisanta Jay tandis que Summer, écroulée de rire, se roulait sur le matelas en se tenant les côtes.

— Vous m'avez bien eu, pleurnicha Hank.

— Mais pas du tout, voyons ! Comment aurait-on pu savoir que tu n'aimais pas le whisky ?

De retour dans la chambre, l'enfant se jeta sur son grand frère et lui donna une grande claque sur les fesses.

— T'es trop méchant !

Au même instant, Dylan et Leo passèrent devant la porte de la chambre en traînant une poubelle en plastique qu'ils venaient de remplir au distributeur de glaçons placé au bout du couloir.

— Vous devriez venir avec nous, dit Dylan. Je crois qu'on va bien se marrer.

— Qu'est-ce que vous mijotez ? demanda Jay en suivant ses camarades jusqu'à la dernière porte du couloir.

Les quatre membres de Frosty Vader occupaient une suite formée de deux chambres dont la porte de séparation avait été ouverte. Toutes lumières éteintes, Noah faisait le guet sur le long balcon donnant sur la rue.

— Ils n'ont pas bougé, chuchota-t-il. Ils fument clope sur clope.

— De qui vous parlez ? demanda Jay tandis que Hank et Summer entraient à leur tour dans la pièce.

— Des photographes, répondit Sadie, assise en pyjama sur le canapé. Ils sont cinq, dont ton copain de *UK Today*, et ce type chauve qu'on a chopé plusieurs fois en train de traîner près des cuisines du manoir.

Sur ces mots, elle s'empara du caméscope posé à ses côtés et rejoignit Noah, Dylan et Leo sur le balcon.

— À trois, dit-elle en pointant l'objectif en direction du trottoir.

— À la une, à la deux…

Alertés par le *à la trois* scandé à pleins poumons par tous les membres du complot, les photographes levèrent la tête une fraction de seconde avant d'être douchés par une averse de glaçons.

— Prenez ça dans vos gueules, bande de fouille-merde ! hurla Sadie tandis que leurs victimes, trempées comme des soupes, fuyaient le déluge dans le désordre le plus complet. Je parie que vous allez faire un paquet de vues sur YouTube !

41. Racaille

Michelle et Theo ayant fait la fête jusqu'au bout de la nuit, Summer avait dû trouver refuge dans la chambre de Jay et de Hank.

Conformément à son habitude, le petit garçon se leva aux aurores, bien avant les candidats. Il traîna un moment dans le couloir à la moquette jonchée de plumes et aux murs maculés de mousse à raser puis, accablé d'ennui, alla réveiller son frère.

— Jay, il faut que tu viennes voir, dit-il. Quelqu'un a fait une grosse bêtise.

— Ne t'en fais pas pour ça. Ça doit encore être un coup de Theo.

— C'est quand qu'on va à la télé?

— Pas tout de suite. L'émission a lieu ce soir. Ce matin, on doit assister à une réunion avec Jen. Ensuite, on passera l'après-midi à répéter.

Une demi-heure plus tard, alors que des agents de sécurité repoussaient les journalistes qui avaient réussi à se glisser dans le hall de l'hôtel, les candidats se rassemblèrent dans une salle de conférence à la moquette criarde. Tables et chaises avaient été empilées dans un coin de façon à dégager un vaste espace.

Jen et Julie firent face aux concurrents qui, n'ayant pour la plupart pas eu le temps de se changer, s'étaient présentés en peignoir ou en pyjama. Derrière elles se trouvait une montagne de boîtes en carton de tailles variées.

— Tu as passé une bonne nuit ? demanda Jay à Adam, qui portait toujours son masque de protection.

— Meilleure que la veille. Mon nez a dégonflé et j'ai beaucoup moins mal au crâne. Alors ne t'inquiète pas pour ce soir. Je vais pouvoir jouer.

Jen frappa dans ses mains.

— Est-ce que tout le monde est là ? demanda-t-elle.

— Je crois qu'il manque Theo, répondit Coco.

— Aucune importance, vu qu'il n'écoute jamais un mot de ce qu'on lui dit. Nous allons commencer sans lui.

Sur ces mots, elle brandit un journal du matin de façon à ce que tous les candidats puissent lire le titre qui figurait en une : LA RACAILLE DE ROCK WAR URINE SUR LES JOURNALISTES.

— Cette information figure en première page de plusieurs tabloïds, dit-elle. Sachez également que j'ai reçu plusieurs appels téléphoniques menaçant Venus TV de poursuites judiciaires. Il semblerait que du matériel de prise de vues et un ordinateur aient été endommagés au cours de ce malheureux incident.

— On ne leur a pas pissé dessus, se récria Noah. Si vous regardez la vidéo mise en ligne sur YouTube, vous verrez qu'il s'agit juste d'eau et de glaçons.

— Ça ne m'étonne pas vraiment, soupira Jen. Comme vous l'aurez certainement remarqué, ce qu'on lit dans les journaux et sur Internet n'a généralement pas grand-chose à voir avec la vérité. Et pour ne rien vous cacher, en tant qu'attachée de presse, je ne suis pas malheureuse que *Rock War* bénéficie d'une telle publicité le jour de sa première émission en direct. C'est précisément ce en quoi consiste mon job : faire en sorte que les médias parlent de l'émission, pas seulement aujourd'hui mais chaque semaine jusqu'à la grande finale de décembre. Mais si nous nous mettons tous les journalistes à dos, vous comprendrez que ma tâche risque de se compliquer. C'est pourquoi je vous supplie de ne plus vous en prendre à eux.

Julie prit alors la parole pour annoncer le planning de la journée. Les candidats dont les familles avaient prévu d'assister à l'émission au Granada Room seraient autorisés à déjeuner en leur compagnie. Les stars de l'émission, dont Summer et Theo, réaliseraient des interviews sur les stations de radio nationales, puis tout le monde se retrouverait dans la salle de concert pour une ultime répétition.

— Ensuite, vous aurez une demi-heure de pause avant de passer au maquillage. S'agissant d'une émission en direct, je vous rappelle qu'il est impératif de respecter les horaires. La retransmission commencera à dix-huit heures trente et durera cent vingt minutes. Les résultats seront annoncés sur Channel 3 à vingt-deux heures quinze.

— Merci Julie, dit Jen. Maintenant, chers candidats, j'imagine que vous vous demandez ce que contiennent les boîtes qui se trouvent derrière moi. Sachez qu'il y en a une pour chacun de vous. Depuis que l'émission a trouvé son public, nous avons reçu une quantité phénoménale de cadeaux adressés par des sociétés qui espèrent voir leurs produits apparaître à l'écran, ainsi que des présents adressés par des fans. Maintenant, si vous voulez bien vous avancer...

Les concurrents se ruèrent comme des sauvages sur les paquets. Tous les techniciens se trouvant au Granada Room pour préparer le tournage, deux stagiaires armés de caméscopes se chargèrent d'immortaliser la scène. Même Hank se joignit à la mêlée, soupesant chaque boîte et déchiffrant avec difficulté les noms qui y figuraient. La plupart étaient assez légères pour être manipulées par le petit garçon, mais les présents offerts à Summer étaient contenus dans un carton Amazon aussi grand que lui.

264

— On se croirait à Noël, se réjouit Adam en s'asseyant sur la moquette pour ouvrir son colis.

— Moi, à Noël, j'ai droit à un seul cadeau, et je dois l'acheter moi-même vu que ma grand-mère ne peut pas sortir, soupira Summer.

— Oh, ça, c'est la chose la plus triste que j'aie jamais entendue, dit Jay avant de déposer un baiser sur sa joue.

— Alors, qu'est-ce que vous avez reçu ? demanda Hank au comble de l'excitation.

Eve brandit un uniforme d'infirmière à la mode manga.

— On dirait que mes fans sont des gros pervers ! s'exclama-t-elle avant d'éclater de rire.

— Trop cool, dit Summer en sortant de son carton un assortiment de tops et de shorts en jean.

Les vêtements étaient accompagnés d'une note manuscrite : *Chère Summer, nous espérons que vous aimerez et porterez notre collection d'automne. Avec tous nos encouragements, Jess Winters, publicité et marketing, MW Apparel.*

— MW ? s'étonna Coco. Tu as du bol. Ces shorts coûtent cent cinquante livres pièce.

Dans sa boîte, Jay trouva un jean, des médiators, une pédale multi-effets, une grande quantité de tubes de gel et des produits de toilette.

— Et deux montres ! s'exclama-t-il en brandissant une G-Shock et un énorme chronomètre noir.

Adam offrit à Hank le chocolat trouvé dans sa boîte tandis que Summer, un peu émue, découvrait un lapin tricoté à la main vêtu d'un T-shirt portant le logo d'Industrial Scale Slaughter. Puis, folle de joie, elle lut à haute voix la lettre accompagnant l'élégant emballage d'un téléphone portable.

— *Bonjour Summer. Nous avons remarqué que votre téléphone était un peu ancien. Ici, à XTA, nous pensons que tout le monde a droit à un smartphone au top de la technologie. Outre l'appareil ci-joint, nous avons le plaisir de vous offrir, à vous et à votre grand-mère, un forfait illimité d'une durée de deux ans.*

— Nom de Dieu, lâcha Jay lorsque Summer souleva le couvercle de la boîte. Ce modèle a obtenu cinq étoiles à tous les tests. Il coûte dans les cinq cents euros minimum.

— Il faudra que tu m'expliques comment il fonctionne, dit Summer en déballant le téléphone. La vache, il est énorme !

— Lunettes de soleil, annonça Adam en posant sur son nez une paire d'Aviator. De quoi j'ai l'air ?

Complètement dépassée, Summer se retrouva bientôt perdue dans un océan de produits hétéroclites : pastilles pour la gorge spécialement conçues pour les chanteurs, articles de maquillage, chaussures de marque, bons pour des repas gratuits dans des restaurants de Dudley et cartes cadeaux offertes par les magasins de vêtements les plus tendance de Londres.

— Hank, tu n'es pas obligé de tout manger d'un seul coup, gronda Jay en arrachant une boîte de chocolats des mains de son petit frère. Dans une minute, tu vas commencer à te plaindre que tu as mal au ventre.

Alfie était enchanté par les vêtements et les jeux vidéo trouvés dans sa boîte, mais s'agaça en découvrant qu'un fabricant de jouets lui avait envoyé un hélicoptère en plastique et un lot de figurines articulées.

— Sans blague, ils croient que j'ai quel âge ? protesta-t-il en confiant ces jouets à Hank.

Ce n'est qu'à cet instant que Theo entra dans la salle en caleçon.

— Quelqu'un m'a envoyé un SMS à propos d'une distribution de cadeaux, dit-il, l'air ensommeillé, en se grattant nonchalamment l'entrejambe.

Puis il se tourna vers Jen.

— Ah, au fait, pour info, j'ai croisé un photographe dans le hall, alors j'ai baissé mon froc et je lui ai montré les deux faces de la lune, si vous voyez ce que je veux dire…

— Pardon ? s'étrangla Jen.

— Il fallait bien que je fasse taire ces rumeurs concernant ma virilité, non ? expliqua Theo. Ça aurait fini par nuire à la réputation de l'émission.

Puis il s'accroupit pour ouvrir le carton où figurait son nom.

— Wow, blouson de cuir et boucles d'oreilles en diamant ! On dirait que j'ai gagné le gros lot !

42. Direct

À cinq minutes du direct, Jay se concentrait dans les coulisses du Granada Room quand il reçut une visite pour le moins inattendue.

— Papa ! s'exclama-t-il en le serrant dans ses bras.

— Je te reconnais à peine, sourit Chris, avec ton maquillage et ta montre de maquereau !

— On me l'a offerte, expliqua Jay. En jetant un coup d'œil sur Internet, j'ai découvert qu'elle coûtait six cents livres chez Eldridge. Tu peux croire ça ?

— Si tout le monde la voit à la télé, ça leur coûtera beaucoup moins cher qu'un spot de pub, fit observer Chris. Ce blouson que tu portes, c'est celui que je t'ai offert ?

— Non, celui-là m'a été prêté par la production. Alors comment ça va ? Tu tiens le coup ?

— Bien sûr. J'avoue que j'ai un peu flippé au début, mais je me suis remis en selle. Je suis certain que je vais rebondir.

Jay n'aimait pas la façon dont son père avait évacué le sujet en deux phrases convenues.

— Tu sais, je ne veux pas que tu cherches à m'épargner. Si tu te sens mal, je suis prêt à entendre la vérité.

Chris haussa les épaules.

— Écoute Jay, il ne faut pas que tu t'inquiètes pour moi. Je te promets que je ne vais pas me foutre en l'air. J'ai contacté un type qui travaille dans la protection rapprochée. Ses clients sont des hommes d'affaires et des personnalités politiques pour la plupart originaires de Russie et du Moyen-Orient. Ce n'est pas un boulot de tout repos, mais le salaire est plus que convenable.

— Alors tant mieux, je suis rassuré.

— Et si on parlait un peu de toi ? C'est ton grand soir. Tu te sens prêt ?

— Juste légèrement terrifié. On passe en deuxième, après Industrial Scale Slaughter.

— Summer Smith, ma future belle-fille ? plaisanta Chris. Sa voix est absolument fantastique. Aurai-je le plaisir de la rencontrer un de ces jours ?

— Peut-être, si tu promets de ne plus jamais prononcer le mot *belle-fille*.

Une voix résonna dans la sono.

— *Direct dans deux minutes. Tous les spectateurs sont priés de regagner leur siège et d'éteindre leurs portables. Nous vous rappelons qu'il est interdit d'enregistrer, de filmer et de photographier l'événement. Tout contrevenant sera expulsé de la salle.*

— Oups, je crois que je ferais mieux de retourner m'asseoir, dit Chris en prenant Jay dans ses bras. Je suis certain que tu vas casser la baraque.

Le Granada Room n'étant pas conçu pour accueillir un événement de cette ampleur, un couloir de planches reliait les coulisses à un vaste chapiteau dressé sur le parking. En chemin vers ces loges provisoires, Jay croisa Lorrie. Paralysée par le trac, elle s'apprêtait à entrer en scène pour présenter sa première émission en *prime time* et en direct.

— Tu vas faire un malheur, l'encouragea-t-il, lui arrachant un sourire crispé. À la fin de *Rock War*, tu seras plus célèbre que nous.

Lorrie gravit la trentaine de marches menant au plateau. Elle avait l'impression de n'avoir plus grand-chose en commun avec l'étudiante timide qui s'était présentée au manoir un mois et demi plus tôt.

Le plateau était spectaculaire, avec son logo *Rock War* lumineux et sa toile de fond constituée d'articles de journaux liés à des événements marquants de l'histoire du rock : *Elvis Presley interdit de séjour à Corpus Christi, Texas* ; *Les Beatles se séparent* ; *Kurt Cobain met fin à ses jours à l'âge de 27 ans* ; *Les insultes des Sex Pistols font sauter le standard de la BBC.* Ce décor contrastait volontairement avec l'aspect lisse et pailleté des productions Karen Trim.

Tandis qu'elle marchait jusqu'à la croix blanche indiquant le centre de la scène, Lorrie entendit un grondement assourdissant s'élever de la foule puis culminer dans un déluge de cris et d'applaudissements. Elle baissa les yeux vers la fosse, où se bousculaient plusieurs centaines d'adolescents, puis son regard se porta sur les gradins où avaient pris place les proches des candidats et les spectateurs plus âgés.

— Merci pour cet accueil ! dit-elle. Bienvenue à tous au premier direct de l'histoire de *Rock War* !

Le public redoubla d'exclamations, si bien qu'elle dut patienter près d'une minute avant de pouvoir poursuivre son discours d'introduction.

— Comme vous le savez, nos douze groupes ont travaillé d'arrache-pied pendant six semaines afin de vous donner le meilleur d'eux-mêmes. Ce soir, ils sont au taquet, remontés à bloc et prêts à envoyer du lourd ! Malheureusement, seuls dix d'entre eux accéderont à l'étape suivante du concours, *Rock War Battle Zone*.

Elle s'adressa directement à la caméra.

— Notre jury attribuera à chaque performance une note sur dix, puis ce sera à vous, chers téléspectateurs, de repêcher l'une des trois formations qui auront totalisé le moins de points. À présent, veuillez accueillir nos trois légendes de *Rock War* !

Infiniment soulagée d'avoir pu achever ce texte sans bafouiller, Lorrie se tourna vers une console plongée dans l'obscurité, le long de la scène, puis une voix off masculine prit le relais.

— Ce soir, nous avons le plaisir et l'honneur d'accueillir…

Un projecteur illumina les jurés par ordre d'apparition.

— Earl Haart !

Le guitariste adressa au public une parodie de salut militaire.

— … Beth Winder !

Cette dernière poussa un cri aigu et secoua les bras en tous sens au-dessus de sa tête.

— Et enfin… Jack Pepper !

Tandis que les filles présentes dans la fosse s'abandonnaient à une authentique crise d'hystérie collective, Summer, Michelle et Coco se mirent en position sur la scène gardée dans la pénombre, puis trois roadies poussèrent hors des coulisses le plateau mobile où était montée la batterie de Lucy.

Summer était nerveuse, mais elle ne ressentait rien de comparable à ce qu'elle avait enduré avant de se produire devant le public de Rage Rock.

Sur le grand écran suspendu au-dessus du plateau défila un bref clip de présentation d'Industrial Scale Slaughter composé d'extraits filmés durant leurs répétitions et de scènes marquantes de leur séjour au manoir.

Puis une batterie de projecteurs illumina la scène. Depuis les coulisses, Jay éprouvait un sentiment d'irréalité. Il lui paraissait impossible que la fille sublime plantée devant le micro puisse être sa petite amie.

— Nous allons jouer une chanson de Pantera, annonça Summer à voix basse. Ça s'appelle *Walk*.

Coco lança un lancinant riff de guitare saturée, puis Lucy exécuta un long roulement de toms, libérant la ligne de basse de Michelle. Les progrès accomplis lors du séjour au manoir étaient flagrants. La mise en place était parfaite, le tempo aussi régulier que le battement d'une pendule. Hélas, après quelques mesures de ce déluge hardcore, Summer, noyée sous les décibels, fut contrainte d'aboyer plutôt que de chanter, une interprétation qui ne convenait pas à sa voix chaude et vibrante.

Le morceau achevé, l'assistance manifesta un enthousiasme modéré, sans commune mesure avec le succès remporté lors du festival. Lorsque les projecteurs se braquèrent sur les membres du jury, Earl Haart fut le premier à donner son avis.

— Eh bien, c'était carrément musclé ! Je me réjouis d'avoir entendu un groupe de filles qui n'a pas peur de se frotter au heavy metal. J'avoue que je suis très impressionné... Ce sera un huit sur dix pour moi !

La foule applaudit à tout rompre, puis des cris perçants jaillirent de la foule lorsque ce fut au tour de Jack Pepper d'intervenir.

— Jack, je veux ton corps ! cria une fille, provoquant l'hilarité générale.

— Je suis d'accord avec Earl sur l'essentiel, dit Jack. Je sais que Michelle n'a pas toujours été très disciplinée, mais ce soir, elle a fait des étincelles. Et comme toujours, Summer nous a régalés, malgré une chanson peu adaptée à son timbre et à sa tessiture. Chaque fois que je l'entends chanter, je n'arrive pas à croire qu'elle n'a que quatorze ans. Bref, ce sera un huit pour moi aussi.

— Merci Jack ! lança Summer tandis que Coco lui soufflait un baiser.

Contrairement à ses confrères, Beth Winder affichait une expression maussade.

— Désolée mais je ne partage pas du tout ce point de vue, dit-elle, suscitant quelques huées dans le public. C'était un mauvais choix de chanson. La voix de Summer est le principal atout d'Industrial Scale Slaughter. Ce que je viens d'entendre, c'est un peu comme si Lionel Messi jouait au poste de gardien de but. Alors je suis navrée, les filles, mais je ne peux pas vous attribuer plus de trois sur dix.

Sur le tableau électronique situé de l'autre côté de la scène s'afficha l'inscription *Industrial Scale Slaughter — 19 pts*.

Avant de quitter la scène, Michelle se tourna vers Beth et lui adressa un doigt d'honneur. Tandis que les roadies investissaient le plateau pour préparer la prestation de Jet, les quatre filles regagnèrent le chapiteau, où un ancien présentateur d'émissions pour enfants accompagné d'un cameraman était chargé de recueillir la réaction des candidats.

Estimant que Michelle était totalement incontrôlable, le présentateur l'ignora délibérément et tendit son micro sous le nez de Lucy.

— Dix-neuf sur trente, penses-tu que ce sera suffisant pour obtenir la qualification ?

— Il est trop tôt pour le dire, mais il est certain qu'on espérait mieux. On va devoir attendre les notes des groupes suivants avant de commencer à se faire une idée.

— Et toi, Summer, qu'as-tu pensé de votre prestation ? demanda-t-il.

— Je crois qu'on ne s'en est pas trop mal sorties.

— Et qu'as-tu pensé du commentaire de Beth Winder ?

Elle haussa les épaules.

— Je fais partie d'un groupe. Nous avons toutes les quatre décidé de jouer quelque chose de complètement différent. Si on se qualifie, attendez-vous à d'autres changements de registre dans les semaines à venir.

— Nous sommes tous impatients d'entendre ça, sourit le présentateur. À présent, je vais te demander de bien vouloir rester près de moi car nous t'avons réservé une énorme surprise.

À cet instant, un rideau s'ouvrit au fond de la salle et la grand-mère de Summer fit son apparition, poussée dans son fauteuil par une stagiaire.

— Mon Dieu ! cria Summer en se précipitant pour la prendre dans ses bras. Je suis tellement heureuse que tu sois là ! Pourquoi ne m'as-tu pas dit que tu venais ?

Émus aux larmes, les spectateurs du Granada Room, qui assistaient à ces retrouvailles sur l'écran géant, lâchèrent un soupir collectif, puis le réalisateur effectua un gros plan sur Lorrie.

— Nous aurons le plaisir de retrouver Summer et sa grand-mère un peu plus tard dans la soirée, dit-elle, mais nous avons un programme particulièrement chargé. Je vous demande d'accueillir comme il se doit notre deuxième groupe, Jet !

Après une courte vidéo, seuls trois garçons apparurent en pleine lumière : Jay, guitare en bandoulière et médiator prêt à faire cracher les watts ; Adam, masque de protection sur le visage, tout droit sorti d'un film d'épouvante ; Babatunde, embusqué derrière sa batterie, lunettes de soleil et capuche rabattue sur le crâne.

Un murmure balaya la salle, signe que le public s'étonnait de l'absence de Theo. Après quelques secondes de flottement, il apparut dans une cage de zoo poussée par quatre roadies, vêtu d'un short de surfeur et d'un débardeur noir. Il lâcha un cri perçant, ouvrit la grille d'un coup de pied et se rua sur le micro.

— Il paraît que je n'ai pas le droit de jurer en direct à la télé, dit-il. Eh bien, sachez que je n'en ai strictement rien à *bip* !

Pour éviter tout débordement, le programme était mis à l'antenne avec trente secondes de décalage sur le direct, de façon à permettre à la production de censurer toute insanité prohibée par le règlement de la chaîne. Contrairement au public du Granada Room, les téléspectateurs ne surent jamais quelle grossièreté avait prononcé Theo…

Il ôta son débardeur et le lança dans la fosse, provoquant une émeute parmi les fans. Sur son torse, il portait le mot *JET* tracé au rouge à lèvres.

Suite à cette mise en scène, l'ambiance était déjà électrique avant que le groupe ait joué la moindre note.

— Voici une petite chanson bien de chez nous que les Sex Pistols ont légèrement dépoussiérée il y a une petite quarantaine d'années, annonça Theo. Ça s'appelle... *God Save the Queen* !

43. Sur les lieux du drame

— Le moment est venu de jeter un coup d'œil aux scores !
annonça Lorrie.

Après deux heures d'antenne, elle avait gagné en confiance,
mais elle avait la désagréable impression que sa voix était en
train de la lâcher.

1er	Half Term Haircut	29 pts
2e	Jet	27 pts
3e	Dead Cat Bounce	27 pts
4e	Pandas of Doom	23 pts
5e	Crafty Canard	22 pts
6e	I Heart Death	20 pts
7e	Industrial Scale Slaughter	19 pts
8e	Delayed Gratification	18 pts
9e	Brontobyte	16 pts
10e	The Messengers	15 pts
11e	The Reluctant Readers	04 pts

— Pour résumer, alors qu'il ne nous reste plus qu'un groupe
à écouter, The Messengers et The Reluctant Readers sont
assurés de faire partie des trois formations qui seront dépar-
tagées par le vote du public. Si Frosty Vader obtient plus
de seize points, c'est Brontobyte qui les rejoindra. En cas

de match nul, la question sera réglée par tirage au sort. Le suspense est donc total. Notre reporter en direct des loges a pu s'entretenir avec Noah il y a quelques minutes. En léger différé, voyons un peu comment il juge la situation…

Le présentateur apparut sur l'écran géant.

— Noah, il vous suffit d'obtenir dix-sept points pour accéder à la prochaine étape de *Rock War*. Vous êtes confiant ?

— On ne se pose même pas la question. On a répété pendant des semaines. Tout ce qui nous reste à faire, c'est de grimper sur la scène et de donner le meilleur de nous-mêmes !

Sans transition, les projecteurs se rallumèrent et les quatre membres de Frosty Vader apparurent sur le plateau. À côté de Sadie et Noah, le groupe était composé de Cal à la batterie et d'Otis aux claviers. Leurs arrangements, qui accordaient un rôle important aux synthétiseurs et autres séquenceurs, contrastaient avec le son plus brut des autres concurrents de *Rock War*.

Ils commencèrent par quelques mesures aériennes de *La Femme d'argent* de Air, puis, à l'instant où tout le monde se demandait ce que cette prestation pouvait bien avoir de rock, Sadie arracha le micro à son pied et rugit les premiers mots de *Teenage Whore*, hymne sauvage du groupe Hole. Pourtant, Otis continua à jouer son échantillon d'orgue Hammond aux accents plus jazz que punk. Le résultat était original ou bizarre, en fonction du goût de chacun.

Les spectateurs du Granada Room accueillirent fraîchement cette prestation. Parmi les applaudissements polis, c'est à peine si l'on entendit les cris d'encouragement de l'entourage du groupe.

— Honnêtement, je ne sais pas trop quoi penser de ça, dit Earl Haart. Ceux qui ont assisté aux auditions de *Rock War* savent que Frosty Vader a été créé de toutes pièces en rassemblant des musiciens de Belfast et du nord-est de l'Angleterre qui n'avaient jamais eu le moindre contact auparavant.

Certes, ils ont travaillé ensemble pendant six semaines, mais j'ai toujours l'impression d'entendre deux groupes différents jouant en même temps. Alors je suis désolé, mais ce sera un trois sur dix.

Lorsqu'il vit ce score s'afficher sur le tableau, Noah se sentit gagné par la nausée.

— C'est une note un peu sévère, intervint Jack Pepper. De mon point de vue, c'est un bon groupe, qui possède beaucoup de talent et de potentiel. Le seul problème, c'est qu'il n'a pas encore eu le temps de trouver son identité. Et c'est pour cette raison que je ne pourrai pas aller au-delà de six sur dix.

Noah sentit les ongles de Sadie s'enfoncer dans son bras tandis qu'il effectuait un rapide calcul mental. Frosty Vader totalisait neuf points. Ils avaient besoin d'un huit pour rester en compétition. S'ils obtenaient un sept, le hasard les départagerait de Brontobyte, un point de règlement qu'il jugeait parfaitement injuste.

Beth secoua tristement la tête. Cela n'annonçait rien de bon.

— J'avoue que je ne partage pas l'avis de mes confrères. C'est à se demander s'ils ont assisté à la même prestation que moi. Personnellement, j'estime que Frosty Vader a un *énorme* potentiel. Je n'ai pas accepté de participer à *Rock War* pour élire le groupe qui joue la meilleure reprise de Led Zep ou des Sex Pistols. Je cherche le groupe capable de devenir leurs successeurs. Certaines idées de Frosty Vader n'ont pas encore parfaitement pris forme, mais leur créativité et leur audace méritent d'être récompensées. Et c'est pourquoi je leur attribue la note de…

La foule retint son souffle tandis que Beth observait une interminable pause.

— … neuf sur dix !

Sous les acclamations de la foule déchaînée, elle quitta son siège et se précipita sur scène pour donner l'accolade aux membres du groupe.

— Eh bien, je crois que nous y sommes ! cria Lorrie d'une voix désormais clairement éraillée en s'approchant du tableau. Frosty Vader engrange dix-huit points, un score qui les propulse à la huitième place, à égalité avec Delayed Gratification. Pour le reste, l'ordre reste inchangé. Chers téléspectateurs, c'est à vous de jouer. Il vous suffit d'adresser un SMS au numéro qui s'inscrit en ce moment en bas de votre écran puis de taper un pour sauver Brontobyte, deux pour The Messengers, et enfin trois pour The Reluctant Readers.

» Notre direct est à présent terminé, mais les résultats seront annoncés à vingt-deux heures trente sur Channel 3. En attendant, vous pouvez nous retrouver sur 3point2 pour écouter les réactions des candidats et de leurs proches, et regarder un bêtisier hilarant où vous découvrirez toutes les petites choses qui sont allées de travers au manoir ces dernières semaines.

» Samedi prochain, à la même heure, pendant que nos candidats s'offriront un repos bien mérité, ne manquez pas le grand retour de *Pop Machine*. Je vous donne quant à moi rendez-vous dans quinze jours pour le premier épisode de *Rock War Battle Zone* !

∴

Tandis que les spectateurs quittaient le Granada Room pour les pubs et les restaurants des environs, les concurrents et leurs proches se réunirent dans le chapiteau. Alors que les Messengers, en bons adeptes du rock chrétien, formaient un cercle de prière, les membres de Brontobyte et des Reluctant Readers, toujours sous tension, multiplièrent les déclarations au vitriol à l'encontre des jurés.

Il ne faisait aucun doute que Tristan et son improbable jeu de batterie avaient mis Brontobyte dans une situation difficile. Jay brûlait d'envie de remuer le couteau dans la plaie en lui lançant quelques piques assassines, mais les caméras étaient omniprésentes et il craignait de passer pour un individu mesquin aux yeux du public. Il rejoignit Summer et se présenta à sa grand-mère.

— Ça vous a plu, Mrs Smith ? demanda-t-il.

— Oui, ce n'était pas mal du tout, même si j'ai dû garder mes boules Quies durant toute l'émission, dit-elle. Et appelle-moi Eileen, mon garçon. Je ne suis pas la reine d'Angleterre !

Karolina rejoignit à son tour le chapiteau et grimpa sur une chaise.

— Je viens de recevoir les chiffres d'audience ! annonça-t-elle en brandissant une feuille de papier. Sept millions neuf cent mille téléspectateurs. Ça nous place devant la BBC et ITV. C'est le meilleur score jamais réalisé par Channel 3, à l'exception de *Pop Machine*.

Pendant que l'assistance laissait éclater sa joie, Jen vint trouver Summer et sa grand-mère.

— Une équipe de News 24 vous attend à l'extérieur. Ils aimeraient recueillir une interview en direct.

— Tout de suite ? demanda Summer.

— Si vous êtes d'accord, bien entendu. Je ne veux pas vous forcer la main.

— Allons-y, dit gaiement Eileen. Les résidents de la maison de repos n'en reviendront pas quand ils verront ma bobine à la télé.

— Tu vas bien ? demanda Summer en poussant le fauteuil vers la sortie. Tu n'as pas besoin d'oxygène ?

— Ne t'inquiète pas, ma chérie. Je me sens en pleine forme.

Lorsqu'elles débouchèrent dans l'allée où étaient stationnées les limousines, la cinquantaine de fans massés derrière une barrière de l'autre côté de la chaussée se livra à des débordements de joie, sous l'œil attentif d'une poignée d'agents de sécurité chargés de prévenir toute intrusion.

Summer lâcha les poignées du fauteuil pour aller à la rencontre de ses admirateurs et signer quelques autographes. Fendant la foule, une journaliste non accréditée plaça un enregistreur numérique à quelques centimètres de son visage.

— Serais-tu d'accord pour admettre que ta performance était plutôt moyenne, ce soir ? demanda-t-elle.

— Pas de commentaire, répondit Summer, appliquant les consignes d'Helen Wing, la coach de media training. Si vous voulez obtenir une interview, adressez-vous au service de presse.

— Et ton histoire avec Jay ? insista la jeune femme. Penses-tu que c'est du sérieux ou un simple amour d'été ?

— J'ai dit pas de commentaire, répéta Summer, qui n'aurait d'ailleurs pas su quelle réponse apporter à cette question.

Impatiente de se débarrasser de la journaliste, elle tourna les talons et se dirigea vers le trottoir opposé quand un paparazzi qui s'était jusqu'alors caché entre deux limousines braqua son objectif dans sa direction et vola quatre clichés.

— Eh, toi ! rugit un agent de sécurité en se précipitant dans sa direction.

Aveuglée par les flashs, Summer tenta tant bien que mal de rejoindre Jen et Eileen, mais à l'instant où elle dépassa la ligne de véhicules, elle entendit un moteur gronder sur sa droite.

— Attention ! cria le vigile.

Lorsqu'elle tourna la tête, elle ne vit que le phare d'une moto qui remontait la file à pleine vitesse.

Le guidon la percuta à hauteur du bassin, la projetant dans les airs, puis son crâne heurta violemment le casque du pilote. La moto se coucha sur le flanc, glissa sur une dizaine de mètres et pulvérisa les feux arrière d'une limousine.

Après un long vol plané, Summer heurta le trottoir et y resta étendue. Les fans qui, par le plus grand des hasards, avaient filmé l'accident avec leur téléphone portable restèrent saisis d'effroi.

Le pilote de la moto se redressa avec difficulté et boita en direction de Summer. Il la trouva sans connaissance, une épaule sanglante, le jean déchiré et une jambe pliée selon un angle inquiétant.

— Elle… elle a traversé sans regarder, plaida-t-il, affolé, tandis qu'une foule d'agents et de journalistes se formait sur le trottoir. Je n'ai rien pu faire.

Jen accourut à son tour, abandonnant Eileen à une dizaine de mètres des lieux du drame. Cette dernière, le souffle court, rassembla ses maigres forces et poussa désespérément sur les roues de son fauteuil.

— Notre Père qui es aux cieux, murmura-t-elle lorsqu'elle put apercevoir le corps de sa petite-fille entre deux agents de sécurité. Que ton nom soit sanctifié…

— Elle respire, dit le pilote de la moto en s'accroupissant au chevet de Summer. Mais d'où vient tout ce sang ?

Summer survivra-t-elle à l'accident ?
Brontobyte survivra-t-il au vote du public ?
Tristan collera-t-il un procès à la production ?
Karolina Kundt perdra-t-elle la vie dans un accident de déchiqueteuse ?
Jay aura-t-il le cœur brisé ?
Et quel groupe remportera *Rock War* ?

C'est ce que vous découvrirez dans **Rock War 3**,
à paraître prochainement !

Table des chapitres

Découvrez
la série CHERUB
de Robert Muchamore

**CHERUB est un département ultrasecret
des services de renseignement britanniques
composé d'agents âgés de 10 à 17 ans.
Ces professionnels rompus à toutes les techniques
d'infiltration sont des enfants donc...
des espions insoupçonnables !**

Robert Muchamore

CHERUB

MISSION 1

100 JOURS EN ENFER

"Efficace, excitant, fascinant : et si c'était vrai ?"
Sunday Express

Disponible
6,95 €
en poche

Robert Muchamore

CHERUB

MISSION 2

TRAFIC

"Efficace, excitant, fascinant : et si c'était vrai ?"
Sunday Express

Disponible
6,95 €
en poche

Robert Muchamore

CHERUB

MISSION 3

ARIZONA MAX

"Efficace, excitant, fascinant : et si c'était vrai ?"
Sunday Express

Disponible
6,95 €
en poche

Robert Muchamore

CHUTE LIBRE

CHERUB

MISSION 4

CHUTE LIBRE

"Efficace, excitant, fascinant : et si c'était vrai ?"
Sunday Express

Disponible
6,95 €
en poche

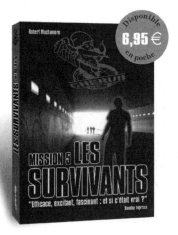

Robert Muchamore

CHERUB

MISSION 5

LES SURVIVANTS

"Efficace, excitant, fascinant : et si c'était vrai ?"
Sunday Express

Disponible
6,95 €
en poche

Robert Muchamore

CHERUB

MISSION 6

SANG POUR SANG

"Efficace, excitant, fascinant : et si c'était vrai ?"
Sunday Express

Disponible
6,95 €
en poche

Robert Muchamore

CHERUB

À LA DÉRIVE MISSION 7

MISSION 7
À LA DÉRIVE

"Efficace, excitant, fascinant : et si c'était vrai ?"
Sunday Express

Disponible **6,95 €** en poche

Robert Muchamore

CHERUB

MAD DOGS MISSION 8

MISSION 8
MAD DOGS

"Efficace, excitant, fascinant : et si c'était vrai ?"
Sunday Express

Disponible **6,95 €** en poche

Robert Muchamore

CHERUB

CRASH MISSION 9

MISSION 9
CRASH

"Efficace, excitant, fascinant : et si c'était vrai ?"
Sunday Express

Disponible **6,95 €** en poche

Robert Muchamore

CHERUB

LE GRAND JEU MISSION 10

MISSION 10
LE GRAND JEU

"Efficace, excitant, fascinant : et si c'était vrai ?"
Sunday Express

Disponible **6,95 €** en poche

Robert Muchamore

CHERUB

VANDALES MISSION 11

MISSION 11
VANDALES

"Efficace, excitant, fascinant : et si c'était vrai ?"
Sunday Express

Disponible **6,95 €** en poche

Robert Muchamore

CHERUB

LA VAGUE FANTOME MISSION 12

MISSION 12 LA VAGUE
FANTOME

"Efficace, excitant, fascinant : et si c'était vrai ?"
Sunday Express

Disponible **6,95 €** en poche

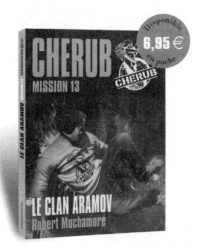

Disponible en poche
6,95 €

CHERUB
MISSION 13
LE CLAN ARAMOV
Robert Muchamore

Disponible en poche
6,95 €

CHERUB
MISSION 14
L'ANGE GARDIEN
Robert Muchamore

Disponible en poche
6,95 €

CHERUB
MISSION 15
BLACK FRIDAY
Robert Muchamore

CHERUB
MISSION 16
HORS-LA-LOI
Robert Muchamore

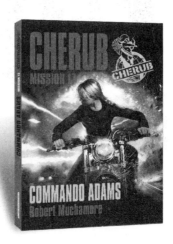

CHERUB
MISSION 17
COMMANDO ADAMS
Robert Muchamore

CHERUB

MISSION 1

100 JOURS EN ENFER

EXTRAIT : CHERUB. 01

Avant-propos

Au cours de la Seconde Guerre mondiale, des civils français s'organisèrent en mouvements clandestins pour combattre les forces d'occupation nazies. Parmi eux, on comptait bon nombre d'enfants chargés d'accomplir des missions de reconnaissance, de transmettre des messages ou de se lier à des soldats allemands souffrant du mal du pays, afin de rassembler les informations nécessaires au sabotage des opérations militaires ennemies.

L'espion anglais **CHARLES HENDERSON**, qui se trouvait en France en 1940, mena ainsi plusieurs missions avec de jeunes adolescents. Dès son retour en Grande-Bretagne, fort de cette expérience, il fonda CHERUB, une unité de renseignement composée d'une vingtaine de jeunes garçons.

HENDERSON est décédé en 1946, mais son organisation lui a survécu. Elle compte aujourd'hui plus de deux cent cinquante agents opérationnels âgés de dix à dix-sept ans. Bien que les techniques d'espionnage aient considérablement évolué depuis la fondation de CHERUB, sa raison d'exister n'a pas changé : aux yeux des criminels adultes, les enfants sont insoupçonnables.

1. Un simple accident

James Choke détestait les cours de chimie. Avant d'entrer au collège, il s'imaginait que cette discipline consistait à manier des tubes à essai afin de provoquer des jets de gaz et des gerbes d'étincelles. En réalité, il passait chaque leçon, assis sur un tabouret, à recopier les formules que Miss Voolt gribouillait sur le tableau noir, quarante ans après l'invention de la photocopieuse.

C'était l'avant-dernier cours de la journée. Dehors, la pluie tombait et le jour commençait à décliner. James somnolait. Le laboratoire était surchauffé, et il avait passé une grande partie de la nuit précédente à jouer à *Grand Theft Auto*.

Samantha Jennings était assise à ses côtés. Les professeurs adoraient son caractère volontaire, son uniforme impeccable et ses ongles vernis. Elle prenait ses notes avec trois stylos de couleurs différentes et couvrait ses cahiers pour les garder en bon état. Mais dès qu'ils avaient le dos tourné, elle se comportait comme une vraie peau de vache. James la haïssait. Elle ne cessait de se moquer ouvertement de l'aspect physique de sa mère.

— La mère de James est si grosse qu'elle doit beurrer les bords de sa baignoire pour ne pas rester coincée.

Les filles de sa bande éclatèrent de rire, comme à leur habitude.

À la vérité, la mère de James était énorme. Elle commandait ses vêtements dans un catalogue de vente à distance réservé aux personnes souffrant d'obésité. Faire les courses en sa compagnie était un véritable cauchemar. Les gens la montraient du doigt, ou la dévisageaient avec insistance. Les enfants imitaient sa démarche maladroite. James l'aimait, mais il s'arrangeait toujours pour trouver un moyen de ne pas se montrer en sa compagnie.

— Hier, j'ai fait un footing de huit kilomètres, dit Samantha. Deux fois le tour de la mère de James.

Ce dernier leva la tête de son cahier d'exercices et plongea ses yeux bleus dans ceux de la jeune fille.

— Cette vanne est à crever de rire, Samantha. Encore plus drôle que les trois premières fois où tu nous l'as servie.

James était l'un des élèves les plus bagarreurs du collège. Si un garçon s'était permis de dire quoi que ce soit sur sa mère, il lui aurait flanqué une dérouillée mémorable. Mais comment devait-il réagir devant une fille ? Il prit la décision de s'asseoir aussi loin que possible de cette vipère dès le cours suivant.

— Essaie de te mettre à notre place, James. Ta mère est un monstre.

James était à bout de nerfs. Il se dressa d'un bond, si brutalement qu'il renversa son tabouret.

— C'est quoi ton problème, Samantha ? cria-t-il.

Un silence pesant régnait dans le laboratoire. Tous les regards étaient braqués sur lui.

— Qu'est-ce qui ne va pas, James ? demanda Samantha, tout sourire. Tu as perdu ton sens de l'humour ?

— Monsieur Choke, veuillez vous rasseoir et vous remettre au travail immédiatement, ordonna Miss Voolt.

— Si tu ajoutes quoi que ce soit, Samantha, je te...

James n'avait jamais brillé par sa repartie.

— ... je te jure que je...

Un gloussement stupide jaillit de la gorge de la jeune fille.

— Qu'est-ce que tu vas faire, James ? Rentrer à la maison pour faire un gros câlin à maman baleine ?

James voulait voir ce sourire stupide disparaître du visage de Samantha. Il la saisit par le col, la souleva de son tabouret, la plaqua face contre le mur puis la fit pivoter pour lui dire droit dans les yeux ce qu'il pensait de son attitude. Alors, il se figea. Un flot de sang ruisselait sur le visage de la jeune fille, jaillissant d'une longue coupure à la joue. Puis il aperçut le clou rouillé qui dépassait du mur.

Terrorisé, il fit un pas en arrière. Samantha porta une main à sa joue, puis se mit à hurler à pleins poumons.

— James Choke ! s'exclama Miss Voolt. Cette fois, tu as été trop loin !

Les élèves présents dans la salle murmurèrent. James n'eut pas le courage d'affronter l'acte qu'il venait de commettre. Personne ne croirait qu'il s'agissait d'un accident. Il se précipita vers la porte.

Miss Voolt le retint par le bras.

— Eh, où vas-tu, comme ça ?

— Poussez-vous ! cria James en lui administrant un violent coup d'épaule.

Stupéfaite et choquée, la femme chancela vers l'arrière en battant vainement des bras.

James détala dans le couloir. Les grilles du collège étaient closes. Il les franchit d'un bond et quitta l'établissement par le parking des professeurs.

∴

Il marchait sous la bruine comme un automate. Sa colère avait peu à peu cédé la place à l'anxiété. Jamais il ne s'était fourré dans une situation aussi dramatique.

Son douzième anniversaire approchait, et il se demandait s'il vivrait assez longtemps pour le célébrer. Il allait être exclu du collège, car ce qu'il avait commis était impardonnable. En outre, il était certain que sa mère allait l'étrangler.

Lorsqu'il atteignit le petit parc de jeux situé près de chez lui, il sentit la nausée le gagner. Il consulta sa montre. Il était trop tôt pour rentrer à la maison sans risque d'éveiller les soupçons. Il n'avait pas un sou en poche pour s'offrir un coca à l'épicerie du coin. Il n'avait d'autre solution que de se réfugier dans le parc et se mettre à l'abri sous le tunnel en béton.

Celui-ci était plus étroit que dans ses souvenirs. Les parois étaient recouvertes de tags, et il exhalait une révoltante odeur d'urine canine. James s'en moquait. Il avait le sentiment de mériter ce séjour dans une cachette glacée et malodorante. Il frotta ses mains pour les réchauffer. Alors, des images du passé lui revinrent en mémoire.

Il revit le visage de sa mère, mince, éclairé d'un sourire, apparaissant à l'extrémité du tunnel. *Je vais te manger, James*, grondait-elle. Les mots résonnaient sous la voûte de béton. C'était chouette.

— Je ne suis qu'un pauvre minable, murmura James.

Ses paroles résonnèrent en écho. Il remonta la fermeture Éclair de son blouson et y enfouit son visage.

Une heure plus tard, James parvint à la conclusion que deux possibilités s'offraient à lui : il devait se résoudre à croupir dans ce tunnel jusqu'à la fin de ses jours, ou rentrer à la maison pour affronter la fureur de sa mère.

∴

Dans le vestibule, il jeta un œil au téléphone posé sur la tablette.

12 *appels en absence*

À l'évidence, le directeur de l'école s'était acharné à joindre sa mère. James se félicita qu'il n'y soit pas parvenu, mais il se demandait pourquoi elle n'avait pas décroché. Puis il remarqua la veste de l'oncle Ron suspendue au portemanteau.

Ce type avait surgi dans sa vie alors qu'il n'était encore qu'un bébé. C'était un véritable boulet qui fumait, buvait et ne quittait la maison que pour picoler au pub. Il avait eu un job, une fois, mais s'était fait virer au bout de deux semaines.

Si James avait toujours su que Ron était un bon à rien, sa mère avait mis du temps à en prendre conscience et à se résoudre à le mettre à la porte. Hélas, il avait eu le temps de l'épouser et de lui faire un enfant. Pour quelque raison étrange, elle conservait de l'affection pour lui et n'avait jamais demandé le divorce. Ron se pointait une fois par semaine, sous prétexte de voir sa fille Lauren. En réalité, il faisait son apparition lorsqu'elle se trouvait à l'école, dans le seul but de soutirer quelques billets.

Sa mère, Gwen, était affalée sur le sofa du salon. Ses pieds étaient posés sur un tabouret. Elle portait un bandage à la cheville gauche. Ron, lui, était avachi dans un fauteuil, les talons sur la table basse, les orteils saillant de ses chaussettes trouées. Ils étaient tous deux ivres morts.

— Maman, tu sais bien que tu n'as pas le droit de boire, avec ton traitement, protesta James, oubliant aussitôt tous ses problèmes.

Ron se redressa péniblement en tirant sur sa cigarette.

— Salut, mon petit, dit-il en exhibant ses dents déchaussées. Papa est de retour à la maison,

James et Ron se jaugèrent en silence.

— Tu n'es pas mon père.

— Exact, fiston. Ton père a pris ses cliques et ses claques le jour où il a aperçu ta sale petite face de rat.

James hésita à évoquer devant son beau-père l'incident qui s'était produit au collège, mais sa faute était un poids trop lourd à porter.

— Maman, il m'est arrivé un truc au bahut. C'était un accident.

— Tu as encore mouillé ton pantalon ? ricana Ron.

James resta sourd à cette provocation.

— Écoute, mon chéri, dit Gwen d'une voix pâteuse, nous discuterons de tout ça plus tard. Pour le moment, va chercher ta sœur à l'école. J'ai bu quelques verres de trop et je ne devrais pas conduire dans cet état.

— Maman, c'est vraiment sérieux. Il faut qu'on en parle.

— Fais ce que je te demande, James. J'ai une migraine abominable.

— Lauren est assez grande pour rentrer toute seule.

— Obéis, pour une fois ! aboya Ron. Gwen, si tu veux mon avis, ce petit con a besoin d'un bon coup de pied où je pense.

— Maman, il t'a piqué combien, aujourd'hui ? demanda James d'un ton acide.

Gwen secoua une main devant son visage. Elle détestait ces disputes incessantes.

— Bon sang, est-ce que vous ne pouvez pas passer cinq minutes dans la même pièce sans vous faire la guerre ? James, va voir dans mon porte-monnaie. Achetez-vous quelque chose pour dîner en rentrant. Je n'ai pas envie de cuisiner, ce soir.

— Mais…

— Débarrasse-nous le plancher avant que je perde patience, gronda Ron.

James était impatient d'être de taille à flanquer une raclée à son beau-père et de débarrasser une bonne fois pour toutes sa mère de ce parasite.

Il se retira dans la cuisine et inspecta le contenu du porte-monnaie. Un billet de dix livres aurait largement fait l'affaire, mais il en prit quatre. Ron avait la désagréable habitude de dérober tout l'argent qui passait à sa portée, et il savait qu'il ne serait pas soupçonné. Il fourra les quarante livres dans une poche arrière de son pantalon. Gwen ne se faisait aucune illusion sur les espèces qu'elle laissait traîner. Elle gardait ses économies dans un coffre, à l'étage.

2. Lauren

La plupart des enfants se contentent d'une seule console de jeux. James Choke, lui, possédait toutes les machines disponibles sur le marché, tous les jeux et tous les accessoires imaginables. Un PC, un lecteur MP3, un Nokia, une télé 16/9 et un graveur de DVD. Il n'en prenait aucun soin. Lorsqu'un appareil rendait l'âme, il s'en procurait un autre, tout simplement. Huit paires de Nike. Un skateboard dernier cri. Un vélo à six cents livres. Des centaines de jouets sophistiqués. Quand sa chambre était en désordre, c'était comme si une bombe venait d'exploser dans un magasin *Toys'R'Us*.

Si James possédait tout cela, c'est parce que Gwen Choke vivait d'escroqueries. Depuis son salon, tout en se gavant de pizzas devant les séries télé de l'après-midi, elle dirigeait un réseau de voleurs qui pillaient les grands magasins. Elle ne prenait jamais part à ces méfaits. Elle se contentait de noter des commandes et de communiquer des ordres à ses complices. Elle surveillait ses arrières. Elle se tenait à l'écart des stocks de matériel volé et changeait fréquemment de mobile pour éviter que la police ne trace ses appels.

∴

James n'était pas retourné à l'école primaire depuis la fin du CM2, avant les vacances d'été. Quelques mères de famille bavardaient devant le portail.

— Comment va ta mère ? demanda l'une d'elles.

— Elle cuve, répondit-il d'un ton amer.

Elle venait de le chasser de la maison, et il n'avait aucune envie de la ménager. Les femmes échangèrent des regards entendus.

— Je cherche le dernier *Call of Duty* pour PlayStation 2. Elle peut me trouver ça ?

Il haussa les épaules.

— Évidemment. Cinquante pour cent du prix public, en liquide.

— Tu t'en souviendras ?

— Non. Notez-moi ça sur un bout de papier, avec votre nom et votre numéro de téléphone. Je ferai passer la commande.

Les mères de famille s'exécutèrent en jacassant. Des baskets, des bijoux, des voitures radiocommandées.

— Il me faut ça pour mardi, exigea l'une d'elles.

James n'était pas d'humeur.

— Si vous avez des précisions à apporter, mettez-les par écrit. Je ne peux pas me souvenir de tout.

Lorsque la cloche sonna, un flot d'enfants déferla hors de l'école. Lauren, neuf ans, fut la dernière à quitter l'établissement. Elle était blonde, comme James, mais elle était parvenue à persuader sa mère de la laisser se teindre les cheveux en noir. Elle gardait les mains enfoncées dans les poches de son bomber. Son jean était taché de boue. Elle avait passé l'heure du déjeuner à jouer au football avec les garçons.

Elle ne vivait pas sur la même planète que les autres filles de son âge. Elle ne possédait pas une seule robe. Elle avait passé ses Barbie au micro-ondes à l'âge de cinq ans et, lorsque deux possibilités s'offraient à elle, elle choisissait toujours la troisième.

— Je hais cette vieille chouette, lâcha-t-elle en se plantant devant James.

— Qui ça ?

— Miss Reed. Elle nous a collé une interro de maths. J'ai fini toutes les opérations en deux minutes, mais elle m'a forcée à rester assise, à me tourner les pouces, en attendant que les autres débiles terminent leurs additions. Elle ne m'a même pas autorisée à aller chercher mon bouquin aux vestiaires.

James se souvint que Miss Reed se comportait de la même manière lorsqu'il était dans sa classe, trois années plus tôt. Elle lui donnait l'impression d'infliger des punitions aux élèves qui se montraient trop brillants.

— Qu'est-ce que tu fais ici ? demanda Lauren.

— Maman est encore bourrée.

— Mais elle n'a pas droit de boire à cause de son opération.

— Je sais. Qu'est-ce qu'on peut faire ?

— Et toi, tu n'es pas au collège ?

— Je me suis battu. Ils m'ont renvoyé.

Lauren secoua la tête, mais ne parvint pas à réprimer un sourire.

— Et une bagarre de plus. Ça fait trois ce trimestre, si mes souvenirs sont bons.

James préféra ne pas s'attarder sur le sujet.

— J'ai une bonne et une mauvaise nouvelle. Par quoi je commence ?

Lauren haussa les épaules.

— Je m'en fous. Allez, vide ton sac.

— La mauvaise, c'est que ton père est à la maison. La bonne, c'est que maman m'a filé du fric pour acheter à dîner. Il devrait s'être barré avant notre retour.

...

Au fast-food, James s'offrit un menu double cheeseburger. Lauren n'avait pas très faim. Elle commanda des oignons frits et un coca, puis s'empara d'une poignée de sachets de ketchup et de mayonnaise. Tandis que son frère engloutissait son dîner, elle les déchira et en vida le contenu sur la table.

— Pourquoi tu fais ça ? demanda-t-il.

— En fait, répondit-elle, l'air absent, en mélangeant les deux ingrédients avec les doigts, je dois dessiner un *smiley*. Il en va de la survie du monde libre.

— Tu réalises que quelqu'un va devoir nettoyer tout ça ?

— M'en fous, répliqua-t-elle, le visage fermé.

James avala la dernière bouchée de son cheeseburger puis, ne se sentant pas rassasié, lorgna vers les oignons de sa sœur.

— Tu les finis pas ?

— Prends-les si tu veux. Ils sont froids de toute façon.

— Il n'y a rien à manger à la maison, Lauren. Tu ferais mieux d'en profiter.

— Je n'ai pas faim, dit Lauren. Je me ferai des sandwichs, plus tard.

James adorait les sandwichs de Lauren. Ils étaient démentiels. Nutella, miel, sucre glace, sirop d'érable, pépites de chocolat. Peu importaient les ingrédients, pourvu qu'ils soient sucrés, en quantité industrielle, que le pain soit croustillant, la garniture chaude, collante et épaisse. Ces spécialités valaient la peine de se brûler les doigts.

— D'accord, mais t'auras intérêt à nettoyer la cuisine. La dernière fois, maman a failli devenir cinglée.

•••

Il faisait nuit lorsqu'ils tournèrent au coin de la rue où ils vivaient. À peine s'y étaient-ils engagés que deux garçons bondirent au-dessus d'une clôture. L'un d'eux plaqua James face à un mur, puis lui tordit le bras derrière le dos.

— Salut mon pote, murmura-t-il, la bouche collée à son oreille. Je t'attendais avec impatience.

L'autre garçon ceintura Lauren, puis colla une main sur sa bouche pour étouffer ses cris.

James s'en voulait d'avoir été aussi stupide. Il s'était inquiété de la réaction de sa mère, du directeur du collège et de la police, mais il avait oublié que Samantha Jennings avait un frère de seize ans.

Greg Jennings était le chef d'une bande de voyous qui régnait par la terreur sur le quartier de James. Ils cassaient des voitures, détroussaient les passants et n'hésitaient pas à faire usage de leurs poings. Il valait mieux baisser les yeux sur leur passage. Ceux qui avaient affaire à eux pouvaient s'estimer heureux de s'en tirer avec une paire de gifles et quelques pièces de moins dans leur porte-monnaie. Aux yeux des membres de ce gang, il n'y avait pas pire offense que de s'en prendre à l'une de leurs sœurs.

Greg Jennings écrasa le visage de James contre la brique.

— Prépare-toi à souffrir à ton tour.

James sentit le sang couler le long de sa joue. Toute résistance était inutile. Greg aurait pu le briser comme une brindille.

— Tu as peur ?

James resta muet, mais ses tremblements étaient éloquents.

— File-moi ton fric.

Il lui tendit ce qui restait de ses quarante livres.

— Ne fais pas de mal à ma sœur, je t'en supplie.

Le garçon tira de sa poche un couteau.

— La mienne est rentrée à la maison avec huit points de suture au visage, dit Greg. Heureusement pour vous, charcuter les petites filles ne m'amuse pas.

Il trancha la cravate de James, coupa les boutons de sa chemise et déchira ses jambes de pantalon de haut en bas.

— Prépare-toi à vivre des jours difficiles. On va se revoir souvent, toi et moi.

Sur ces mots, il le frappa à l'estomac puis disparut dans l'obscurité en compagnie de son complice. James s'était déjà fait corriger par Ron, mais jamais il n'avait reçu un coup aussi violent. Il s'effondra sur le trottoir.

Lauren s'accroupit à ses côtés et, sans manifester la moindre pitié, lui demanda :

— Tu t'es battu avec Samantha Jennings ?

Il leva les yeux vers sa sœur. La honte était plus forte que la douleur.

— C'était un accident. Je voulais juste lui faire peur.

Lauren se redressa, tourna les talons et se dirigea vers la maison.

— Aide-moi à me relever. Je ne peux pas marcher.

— Tu n'as qu'à ramper, fumier.

Mais au bout de quelques mètres, elle réalisa qu'elle ne pouvait se résoudre à abandonner son frère, même si c'était un parfait crétin. Elle rebroussa chemin puis, tant bien que mal, l'aida à se traîner jusqu'à la maison.

Et pour tout connaître
des origines de CHERUB, lisez
HENDERSON'S BOYS
de Robert Muchamore

Robert Muchamore

LE PRISONNIER

Par l'auteur du best-seller CHERUB

Robert Muchamore

TIREURS D'ÉLITE

CHERUB - les origines

Robert Muchamore

L'ULTIME COMBAT

CHERUB - les origines

Composition et mise en pages
Nord Compo à Villeneuve-d'Ascq